Coleção HISTÓRIA AGORA

COLEÇÃO HISTÓRIA AGORA

Volume 1
A USINA DA INJUSTIÇA
RICARDO TIEZZI

Volume 2
O DINHEIRO SUJO DA CORRUPÇÃO
RUI MARTINS

Volume 3
CPI DA PIRATARIA
LUIZ ANTONIO DE MEDEIROS

Volume 4
MEMORIAL DO ESCÂNDALO
GERSON CAMAROTTI E BERNARDO DE LA PEÑA

Volume 5
A PRIVATARIA TUCANA
AMAURY RIBEIRO JR.

Volume 6
SANGUESSUGAS DO BRASIL
LÚCIO VAZ

Volume 7
A OUTRA HISTÓRIA DO MENSALÃO
PAULO MOREIRA LEITE

Gerson Camarotti

SEGREDOS DO CONCLAVE

Informações inéditas sobre a eleição do papa Francisco e a operação do Vaticano para estancar a hemorragia de fiéis na América Latina

2ª EDIÇÃO

EXTRA: Os bastidores e a íntegra da primeira entrevista exclusiva do papa Francisco

GERAÇÃO

1ª edição – Julho de 2013
2ª edição – Agosto de 2013

Grafia atualizada segundo o Acordo Ortográfico da Língua Portuguesa
de 1990, que entrou em vigor no Brasil em 2009

Editor e Publisher
Luiz Fernando Emediato

Diretora Editorial
Fernanda Emediato

Editor
Paulo Schmidt

Produtora Editorial e Gráfica
Erika Neves

Capa, Projeto Gráfico e Diagramação
Alan Maia

Revisão
Josias A. Andrade
Marcia Benjamim

DADOS INTERNACIONAIS DE CATALOGAÇÃO NA PUBLICAÇÃO (CIP)
(Câmara Brasileira do Livro, SP, Brasil)

Camarotti, Gerson
Segredos do conclave / Gerson Camarotti. -- 2. ed. -- São Paulo :
Geração Editorial, 2013.

ISBN 978-85-8130-176-1

1. Francisco, Papa, 1936- 2. Igreja Católica 3. Papas - Eleição
4. Reportagens 5. Vaticano
I. Título.

13-05711 CDD: 070.44

Índices para catálogo sistemático

1. Conclaves papais : Igreja : Reportagens : Jornalismo 070.44

GERAÇÃO EDITORIAL

Rua Gomes Freire, 225 – Lapa
CEP: 05075-010 – São Paulo – SP
Telefax.: (+ 55 11) 3256-4444
Email: geracaoeditorial@geracaoeditorial.com.br
www.geracaoeditorial.com.br
twitter: @geracaobooks

Impresso no Brasil
Printed in Brazil

Sumário

PREFÁCIO

Camarotti e o papa Francisco

Ariano Suassuna*

Recentemente, num emocionado depoimento que deu a meu respeito, minha filha Maria afirmou que fica espantada com a quantidade de jovens que me cercam de amizade e carinho.

Entre esses, destaco Gerson Camarotti, que tem idade para ser meu filho, mas que, definitivamente, entrou no fiel e reduzido grupo daqueles a quem considero meus verdadeiros amigos.

Além disso, tenho grande admiração por Camarotti, que, como eu, teve que se sobrepor a terríveis acontecimentos que o alcançaram na transição da infância para a adolescência e que ele venceu corajosamente, sem permitir que eles toldassem seu caráter e sua inteligência.

Li uma vez, não me lembro onde, que "Acaso é o nome que os Ateus dão à Providência Divina". Assim, não sendo ateu, não acredito que por acaso tenha sido Camarotti enviado para fazer a cobertura do Conclave em que o papa Francisco foi escolhido para suceder Bento XVI na Cátedra de São Pedro.

Logo ao chegar a Roma, Gerson Camarotti percebeu a importância da figura do Cardeal latino-americano. Colou-se praticamente a ele; e, pouco depois, os gestos, as palavras, a postura de Bergoglio começaram a aprofundar sua simpatia inicial — tudo culminando na escolha do nome de são Francisco para batizar o novo Papa, cujo reinado, ao que tudo indica, vai ser na história da Igreja fundada pelo Cristo, uma nova Pedra, tão importante quanto aquela que João XXIII nos legou.

É o relato de tudo isso que contém este livro feito com dedicação, entusiasmo e carinho e por isso colocado à altura do histórico acontecimento que é o seu assunto central.

Recife, 21.IV.2013
Ariano Suassuna

* **Ariano Suassuna** é escritor e integrante da Academia Brasileira de Letras.

Agradecimentos

Este livro é resultado de um trabalho coletivo da equipe de jornalistas da Rede Globo e Globo News, que foi enviada para a cobertura especial do Conclave que elegeu o papa Francisco, em março de 2013. Nada teria sido possível sem o comando seguro de Silvia Faria, que orientou a troca de informações e experiências de profissionais escalados no Rio de Janeiro, São Paulo, Brasília, Londres, Paris e Genebra, além dos que já trabalhavam em Roma. Silvia foi responsável pela harmonia da equipe e pela qualidade da informação que enviamos para o Brasil.

Naqueles dias e noites frios e chuvosos de Roma, tive a parceria permanente do repórter cinematográfico Marco Antonio Gonçalves. A Globo News teve o mérito de contar com o refinamento incansável de Heloísa Gomyde, a primeira a sugerir a elaboração deste livro, e com o talento de Filipe Barini, Ana Horta, Bianca Rothier, Ruy Silva e Gina Marques.

Essa cobertura foi uma espécie de doutorado em telejornalismo, pela convivência diária com um time de craques da Rede Globo que contou com Patrícia Poeta, Marcos Uchôa, Ilze Scamparini, Sérgio Gilz, Ernani Lemos, Edu Bernardes, Giovanni Melcarne, Vinicius

Ferraz, Gabriel Guarino e Fernando Gueiros, responsável por montar nossa estrutura localizada estrategicamente na entrada do Vaticano.

Queria agradecer a Ali Kamel, Luiz Cláudio Latgé, Erick Bretas, Eugênia Moreyra e Mariano Boni pela aposta e confiança quando me escalaram para fazer parte dessa equipe tão talentosa.

Meu sincero obrigado pelo incentivo permanente a Pedro Godoy, Marlon Herath, Carla Toledo, Joana Studart, Nelson Garrone e Sérgio Aguiar, que naquela manhã de segunda-feira de Carnaval me pautou logo cedo para comentar a renúncia de Bento XVI.

Também não poderia esquecer Rodolfo Fernandes (*in memoriam*) e Ascânio Seleme, que ainda em 2005, tiveram a ousadia de abrir espaço nas páginas de *O Globo* para que um jornalista de política também escrevesse sobre os bastidores do Vaticano.

Por fim, meu agradecimento especial a Júnia Gama.

Apresentação

Naquela segunda-feira de Carnaval, quando o papa Bento XVI anunciou que iria renunciar ao cargo, recebi muitos questionamentos de pessoas surpresas pelo fato de eu ter sido escalado para participar intensamente da cobertura do tema pela Globo News. Esses mesmos comentários foram feitos com frequência até que segui para Roma, como enviado especial do canal de notícias, para cobrir os bastidores do Conclave que elegeu o papa Francisco em 13 de março de 2013.

Mas, o que pode levar um jornalista especializado na cobertura política de Brasília a se interessar por um tema como religião, e mais especificamente pelos bastidores do Vaticano? A resposta é simples: política. Por algumas semanas, em 2005, o noticiário mundial ficou monotemático com a morte do papa João Paulo II e sua sucessão. E nenhum desafio poderia ser maior para um repórter de política que tentar entender e apurar os bastidores de um Conclave, a mais secreta, a mais restrita e a mais reservada das eleições de todos os tempos.

Foi então que retomei contatos da cobertura de religião do início da minha profissão, nos anos 1990, no Recife, para tentar conseguir um relato confiável de um dos cardeais brasileiros presentes no evento. Em dezembro de 2005, *O Globo* publicou uma reportagem com revelações inéditas do Conclave que elegeu o papa Bento XVI relatadas por um cardeal brasileiro que participou da eleição. Houve grande repercussão na imprensa internacional. Pouco depois, em maio de 2007, acabei sendo escalado pelo *O Globo* para acompanhar os bastidores da visita de Bento XVI ao Brasil. A partir daí, esse tema ressurgiu de forma paralela em minha profissão até a elaboração deste livro. Ou seja, foram oito anos de preparação até a cobertura do Conclave que elegeu o papa Francisco. Nesse período, passei a monitorar de perto os movimentos da Igreja Católica no Brasil e na América Latina.

Não há como negar uma relação entre poder político e poder religioso, e que muitas vezes esses dois temas estão interligados, como veremos neste *Segredos do Conclave.* A proximidade cada vez maior com o tema acabou motivando um estudo acadêmico desenvolvido entre os anos 2007 e 2008 no curso de pós-graduação em ciência política da Universidade de Brasília (UnB). O resultado desse estudo foi o extenso trabalho "A estratégia política do Vaticano para uma reaproximação da Igreja na América Latina", que teve a orientação da professora Lúcia Avelar. Também contei com o incentivo constante, para esse tema, do professor Paulo Kramer, do Instituto de Ciência Política da UnB, que me apresentou a linha weberiana no estudo da sociologia das religiões.

Mas é preciso registrar que o tema "Igreja Católica" não é algo distante para mim. Desde sempre, acompanhei de perto esse assunto por causa da forte influência do arcebispado dom Hélder Câmara na cena pernambucana dos anos 1970 e 1980. Já no início dos anos 1990, quando comecei a exercer o jornalismo como profissão, a crise na arquidiocese de Olinda e Recife, com a administração conflituosa de dom José Cardoso Sobrinho, sucessor de dom Hélder, era pauta obrigatória de todas as redações pelas quais passei no

Recife, antes de mudar para Brasília. Foi um momento difícil para a Igreja em Pernambuco.

Desse período, vale registrar o conselho que recebi do místico e poeta dom Hélder Câmara, quando fui escalado pelo *Diário de Pernambuco* para fazer uma reportagem sobre os arquivos do arcebispo emérito: que o jornalismo fosse sempre "fonte de verdade". Fiquei uma semana lendo os arquivos que estavam guardados na Igreja das Fronteiras. Isso foi em 1995, e dom Hélder já estava em sua fase contemplativa.

Gerson Camarotti

INTRODUÇÃO

Tempos de mudança na cúria romana

Jamais a Santa Sé seria a mesma depois daqueles dias surpreendentes, entre os meses de fevereiro e março de 2013. Foi possível acompanhar uma sequência de fatos inéditos que teve início com a decisão de Bento XVI de renunciar a seu pontificado. Isso não ocorria no Vaticano havia seis séculos. O gesto revolucionário de Bento XVI abriria espaço para a realização de mudanças que ele próprio não conseguiu fazer durante os oito anos que ficou à frente da Igreja.

Foram dias turbulentos na cúria romana, marcados por uma forte disputa de poder entre os cardeais. Vieram à tona novos escândalos de pedofilia. O cardeal de Edimburgo renunciou ao posto para evitar o desconforto dos colegas no Conclave. Em meio à crise envolvendo o Banco do Vaticano, foi escolhido às pressas um novo presidente para o Instituto para Obras Religiosas (IOR). Pouco antes, em dezembro de 2012, o papa já havia concedido o perdão a seu mordomo, que vazara os documentos secretos do Vaticano.

Foi nesse ambiente de águas agitadas, como registrou o próprio Bento XVI, que se realizou o Conclave que elegeu o papa Francisco. Fechados na Capela Sistina, os cardeais sinalizariam claramente um movimento de mudança na Santa Sé. Isso começou a ficar claro um pouco antes, já nas reuniões das congregações gerais. Os purpurados que chegavam dos continentes mais distantes cobravam transparência da cúria romana. Estavam assustados com o noticiário e queriam abrir a caixa-preta do Vaticano.

Foi esse sentimento de mudança que permitiu que surgisse com força a candidatura do arcebispo de Buenos Aires, cardeal Jorge Mario Bergoglio. A eleição do argentino também surpreendeu o mundo. Foram três ineditismos de uma só vez: o primeiro papa da América Latina; o primeiro papa jesuíta; e o primeiro papa a adotar o nome de são Francisco de Assis. Foi um sinal explícito de que o Vaticano iniciaria um período de reformas.

Exatamente um mês depois de eleito, em 13 de abril, o papa Francisco anunciou a criação de uma comissão com oito cardeais para "aconselhá-lo na administração" da Igreja e ajudar a promover uma reforma na cúria romana, como é conhecida a burocracia do Vaticano. Foi a primeira resposta do papa às sugestões feitas pelos purpurados nas congregações pré-Conclave.

A comissão foi recebida como o primeiro sinal de que o papa decidiu descentralizar as decisões e adotar um governo colegiado. Para coordenar a comissão, escalou o cardeal de Honduras, Óscar Rodríguez Maradiaga, como seu principal cabo eleitoral no Conclave. Além disso, nomeou para o grupo cardeais engajados no combate à pedofilia, como o alemão Reinhard Marx, arcebispo de Munique, e o americano Sean O'Malley, arcebispo de Boston.

Mas, como tudo na Igreja, esses movimentos que culminaram com a eleição do papa Francisco não surgiram do dia para a noite. A liderança de Bergoglio entre o episcopado da América Latina começou a aparecer ainda nos primeiros anos do pontificado de Bento XVI. Foi quando a Santa Sé iniciou uma ofensiva para estancar a hemorragia de fiéis no continente com o maior número de católicos no mundo. Foi deflagrada uma ação sofisticada pelo Vaticano para tentar manter seu rebanho continental (estimado em 483 milhões de católicos na América Latina [41,3%] de um universo global de 1,2 bilhão de católicos).

Houve uma avaliação pragmática da Santa Sé: era preciso abrir uma nova interlocução com a Igreja na América Latina para tentar barrar a evasão de fiéis. O sinal vermelho acendeu em Roma quando se detectou que, na década de 1990, a evasão de fiéis chegou ao impressionante número de 1% da população ao ano só no Brasil, segundo dados do IBGE. Em uma década, isso significou uma fuga de cerca de 13 milhões de católicos. A maior parte desses fiéis migrou para denominações evangélicas, principalmente na periferia das grandes cidades. O maior país católico do mundo tem, hoje, 123 milhões de fiéis. Era preciso reconquistar esses fiéis, e, para isso, a Igreja precisava estar reunificada para enfrentar um inimigo maior: o crescimento dos evangélicos no continente.

Este *Segredos do Conclave* faz, ainda, um diagnóstico sobre a mudança significativa de comportamento do Vaticano, que decidiu retomar uma interlocução ampla com toda a Igreja no continente depois de décadas de distanciamento. Passou a existir um diálogo mais unificado na Igreja latino-americana. O livro explica, também, a razão pela qual o papa Bento XVI, de uma linha claramente conservadora, decidiu fazer uma reaproximação, de forma definitiva, com todos os setores católicos nos países da região, inclusive buscando diálogo com linhas moderadas do episcopado e até mesmo com o chamado clero progressista. Não foi um simples gesto de boa vontade da cúria romana, mas, sim, uma necessidade de sobrevivência. Esse movimento para o continente permitiu o surgimento de novas lideranças no Colégio de Cardeais. Essa renovação seria fundamental para pavimentar o caminho até a escolha do papa Francisco.

O cardeal argentino Jorge Bergoglio, eleito papa Francisco, em 13 de março de 2013.

CAPÍTULO 1.

Bergoglio: uma candidatura guardada em segredo pelos cardeais da América Latina

No início da noite de segunda-feira, dia 11 de março de 2013, dava para sentir um clima de mudança no rumo do Conclave, que teria início no dia seguinte. Eu havia chegado a Roma na tarde chuvosa do dia anterior. Ainda estava contaminado com as notícias publicadas pelos jornais italianos. Por isso, foi difícil assimilar, depois de uma rodada de longas conversas com influentes prelados na Cidade do Vaticano, que estava em curso a montagem de uma candidatura de última hora em torno do arcebispo de Buenos Aires, Jorge Mario Bergoglio. Em 2005, o argentino foi o cardeal que obteve mais votos entre os demais no enfrentamento do então favorito, cardeal Joseph Ratzinger. Naquela ocasião, depois de quatro escrutínios, o alemão foi eleito papa Bento XVI.

Em um primeiro momento, parecia improvável a candidatura de Bergoglio, aos 76 anos. Para uma fonte da Santa Sé, cheguei a questionar o impedimento da idade, já que o senso comum indicava que os cardeais não escolheriam um novo papa como Ratzinger, que tinha sido eleito aos 78 anos. "Isso não é problema. O cardeal Bergoglio é um dos poucos que podem capitalizar esse sentimento de mudança", explicou essa fonte, para minha surpresa, na tarde daquela segunda-feira.

A articulação do nome do arcebispo de Buenos Aires iria representar um duro golpe na candidatura do cardeal brasileiro Odilo Scherer. Naquela segunda-feira, começava a ficar explícito que os purpurados da América Latina não votariam no arcebispo de São Paulo. Havia forte resistência de cardeais do México, da Argentina e de outros países do continente ao nome do brasileiro para o primeiro escrutínio. Ou seja, além da intensa campanha de desconstrução que tinha sofrido nos últimos dias, o cardeal Scherer começava a perder o apoio concreto de um bloco importante de eleitores.

Ao chegar ao escritório da Rede Globo, em Roma, alertei todos os jornalistas envolvidos na cobertura que havia surgido uma nova candidatura. O escritório da Globo, montado especialmente para cobrir o Conclave, estava localizado estrategicamente na Via della Conciliazione, a rua que liga a Basílica de São Pedro e o Castelo de Santo Ângelo. A notícia da articulação em torno do nome de Bergoglio foi divulgada com exclusividade pelo Jornal das Dez, da Globo News, naquela mesma noite. Ao mesmo tempo, a informação foi dada com destaque no *blog* de política do portal G1, que temporariamente havia se transformado em uma página com notícias sobre os bastidores do Conclave. O texto da nota indicava que os cardeais da América Latina não votariam em Scherer no primeiro escrutínio.

Até aquele momento, a candidatura de Bergoglio não havia sido citada pela imprensa italiana. O nome do argentino também não seria registrado pelos jornais de Roma até o fim do Conclave, que acabou na quarta-feira, 13 de março, depois de cinco escrutínios. Por isso, na manhã de quinta, dia 14, todos os matutinos acordaram de ressaca e destacavam nas manchetes a surpresa com a eleição do papa Francisco. "Conseguimos manter em segredo a candidatura de Bergoglio até o fim", confidenciou um cardeal da América Latina para um dos principais arcebispos do continente, dias depois. Na verdade, a articulação já havia começado bem antes, desde o primeiro dia das congregações gerais. Mas foi mantida em sigilo para evitar o desgaste precoce do nome do argentino. Depois de vários dias de articulações, o nome de Bergoglio ganhou força na reta final do chamado pré-Conclave. Pouco antes de embarcar de Brasília para Roma, no dia 9 de março, telefonei para alguns prelados brasileiros que estavam em linha direta com cardeais que participariam do Conclave. Eles ainda apontavam o cardeal italiano Angelo Scola, arcebispo de Milão, como o favorito. Além dele, também apareciam com chances de conquistar um número expressivo de votos no primeiro escrutínio o canadense Marc Ouellet, prefeito da Congregação dos Bispos, e o brasileiro Odilo Scherer.

Por esse cenário, Ouellet e Odilo poderiam surgir como os candidatos anti-Scola. Seria algo semelhante ao que ocorreu em 2005, quando o próprio argentino Jorge Mario Bergoglio funcionou como o candidato anti-Ratzinger. "Ninguém abre totalmente os votos, mas tudo indica que esses serão os mais votados nos primeiros escrutínios", observou um prelado. Ainda no sábado, um bispo brasileiro fez o seguinte comentário depois de conversar por telefone com um purpurado que participaria do Conclave: "Eu não ficaria surpreso se Odilo ganhasse". Àquela altura do campeonato, o principal cabo eleitoral de Scherer era o cardeal italiano, Giovanni Battista Re, prefeito emérito da Congregação para os Bispos e presidente emérito da Pontifícia Comissão para a América Latina. Mas ficaria muito claro, ao final do Conclave, que o lançamento de Bergoglio foi um fator decisivo para desidratar as candidaturas do canadense e do brasileiro.

Para prelados brasileiros, os demais nomes citados pela mídia não apareciam nas conversas reservadas dos cardeais naqueles dias. Apesar da forte especulação da imprensa italiana, o cardeal americano Timothy Dolan, de Nova York, aparecia com pouca chance de ser escolhido papa. Essas mesmas fontes descartavam a eleição de qualquer outro cardeal americano. O estilo informal de Dolan impediu a consolidação de sua candidatura. Bispos brasileiros que já tiveram contato com Dolan relatavam que o americano tinha uma postura muito descontraída para os padrões tradicionais da Santa Sé. "Ele é muito despachado", disse um bispo brasileiro. O bispo contou que, quando conheceu Dolan, a primeira pergunta que o americano lhe fez foi sobre Pelé.

Outro que aparecia como papável na mídia, mas que tinha chances reduzidas entre os cardeais, era o purpurado da Hungria, Péter Erdö, arcebispo de Budapeste. Apesar de muito jovem, 60 anos quando aconteceu o Conclave, ele já havia presidido os conselhos episcopais da Europa, o que abriu interlocução direta com cardeais de vários continentes.

Na reta final, também perdeu força o nome de outro papável: o cardeal italiano Gianfranco Ravasi, presidente do Pontifício Conselho para a Cultura do Vaticano. Ele chamou muita atenção do episcopado brasileiro ao lançar o projeto "Pátio dos Gentis", uma iniciativa inédita que ganhou muita força na Santa Sé por promover o diálogo com agnósticos e ateus. "Ele foi muito citado no início. Ravasi é um intelectual brilhante, mas não tem experiência pastoral. Nunca comandou uma arquidiocese", observou um cardeal durante as congregações gerais. O sucesso de Ravasi com os bispos brasileiros não era por acaso. O italiano chegou a sugerir ao secretário-geral da CNBB, dom Leonardo Steiner, trazer para o Brasil o projeto "Pátio dos Gentis". A arquitetura das igrejas projetadas pelo brasileiro Oscar Niemeyer foi o tema sugerido pelo purpurado italiano, uma espécie de ministro da Cultura do Vaticano, para os primeiros debates por aqui. Na Europa, contou dom Leonardo, essa iniciativa de Ravasi começou a fazer grande sucesso. "Que debate interessante: a arquitetura de um ateu que aproxima o homem de Deus", disse dom Leonardo ao citar a Catedral de Brasília.

O cardeal de Aparecida (SP), dom Raymundo Damasceno, também reforçava os elogios dos brasileiros ao purpurado italiano. Comentou Damasceno antes do Conclave:

> Ravasi é um cardeal de uma cultura muito vasta, muito grande. Sua formação é biblista, tem uma facilidade muito grande de comunicação. Hoje, é um dos cardeais mais conhecidos em Roma por sua produção literária. Você encontra em todas as livrarias católicas, e mesmo em outras livrarias em Roma, livros de autoria do cardeal Ravasi. Sem dúvida nenhuma, é um cardeal muito capaz e muito culto. Preparado. Conhecedor das línguas orientais, línguas modernas. Já tive contato com ele em vários momentos. Portanto, é um perfil muito interessante também, que certamente os cardeais terão em conta.

O jornal espanhol *El País* chegou a apontar Gianfranco Ravasi como um nome que poderia agradar aos purpurados conservadores e liberais. A reportagem "Un papable en la sombra", do vaticanista Juan Arias, ressaltava que Ravasi era apreciado por Bento XVI. Tanto, que havia sido escalado para fazer a preparação da Quaresma pouco antes do anúncio da renúncia do papa. Segundo o *El País*, o cardeal Ravasi poderia ser um papável na sombra, em uma referência ao jargão do Vaticano. Arias explicava que esses cardeais são figuras com menor visibilidade que "podem surgir de repente como um candidato de consenso quando há enfrentamento entre os *papables al sol*", deixando os favoritos sem votos suficientes para que sejam eleitos.

Pouco antes do Conclave, outros nomes ainda eram citados como papáveis, mas, na prática, já eram descartados pelos cardeais. Nesse grupo estava o cardeal Luis Tagle, arcebispo de Manila. "É muito jovem", observou um cardeal. Outro papável da mídia com pouca chance real no Conclave foi o cardeal Peter Turkson, de Gana. A explicação foi dada por um bispo brasileiro com trânsito na cúria romana: "O Vaticano ainda não está pronto para um papa africano", em uma referência à falta de tradição do catolicismo no continente africano. Esse mesmo bispo descartou antecipadamente a eleição do cardeal de Nova York, Timothy Dolan. "Dificilmente a Santa Sé atual abrigaria um papa americano." Para esse bispo, a forte tradição italiana da cúria romana demonstrava resistência à escolha de um papa dos Estados Unidos. Além disso, alguns vaticanistas ressaltavam que um papa com origem americana poderia atrapalhar a diplomacia da Santa Sé. "Um papa vindo de uma superpotência poderia tirar do Vaticano o símbolo de neutralidade para intermediar conflitos", ressaltavam.

Diante de tantas especulações, o cardeal emérito de São Paulo, dom Cláudio Hummes, fez um alerta ao lembrar que quem entra papa em um Conclave costuma sair cardeal. O cardeal dom José Freire Falcão, arcebispo emérito de Brasília, também foi cauteloso, e independentemente das especulações até aquele momento, avisou: os papáveis só seriam conhecidos no primeiro escrutínio do Conclave. "Creio que são muitos nomes. Diferente do cardeal Ratzinger, que já era muito falado, agora os preferidos só serão conhecidos no primeiro escrutínio. Portanto, qualquer que seja o escolhido, não deixa de ser uma surpresa", observou dom Falcão em entrevista ao G1. Em 2005, Falcão foi um dos quatro cardeais brasileiros que participaram da escolha de Bento XVI. Mas, em 2013, já estava com 87 anos, e por causa da idade não participou do Conclave do papa Francisco.

Já na terça-feira, dia em que teve início o Conclave, o cardeal português Saraiva Martins estava extremamente cauteloso. Atravessou esbaforido a Praça São Pedro sem contemplar o impressionante conjunto de 284 colunas jônicas projetadas pelo artista napolitano Gian Lorenzo Bernini. Insistia em manter a recomendação de ficar em silêncio antes do Conclave. Prefeito emérito da Congregação para a Causa dos Santos, Saraiva Martins foi o responsável pela canonização de frei Galvão, o primeiro santo genuinamente brasileiro. Ao ser perguntado sobre o ambiente interno entre os cardeais, brincou: "faz chuva, faz sol". Ele não participou do Conclave por já ter mais de 80 anos. Mas, ao ser abordado pouco antes de entrar em seu apartamento, que fica ao lado dos muros do Vaticano, Saraiva Martins concedeu uma rápida entrevista ao Jornal das Dez: "A Igreja não tem cor. Qualquer um pode ser papa". E acrescentou, deixando escapar um clima de indefinição: "Tudo pode acontecer". Àquela altura, os cardeais eleitores já estavam dentro da Capela Sistina.

Logo depois do Conclave, começaram a vazar as primeiras informações daquela que é considerada a eleição mais secreta e misteriosa do mundo. O cardeal de Buenos Aires, Jorge Mario Bergoglio, já apareceu com força no Conclave desde os primeiros escrutínios. O argentino só fez ampliar, de forma consistente, sua vantagem nas votações seguintes. A primeira inconfidência sobre o Conclave foi revelada pelo cardeal Christoph Schönborn, arcebispo de Viena. Ele confirmou que desde o início Bergoglio surgiu como um candidato forte, vencendo a eleição em apenas cinco votações. Apenas um escrutínio a mais que no Conclave que elegeu Bento XVI, que já entrou como favorito em 2005. "Não vou dizer como foram as conversas. Isso é assunto interno. Mas uma coisa pode ser dita com certeza: o cardeal Bergoglio não teria se tornado papa no quinto escrutínio se não fosse um candidato forte desde o início", afirmou Schönborn aos jornalistas, acrescentando: "Um Conclave que dura menos de vinte e quatro horas, um dos mais curtos na história do papado, mostra uma grande unanimidade e um forte entendimento comum sobre quem achamos que Deus designou neste momento como o sucessor de Pedro". O cardeal emérito de Salvador, dom Geraldo Majella, também apontou o favoritismo do argentino: "Bergoglio foi chamado e não teve nenhuma dificuldade de ser aclamado. Ele tem 76 anos, mas pode, em pouco tempo, fazer muito. Seu testemunho vai ser muito importante para o mundo, vai chamar a atenção do mundo".

O vaticanista Carlo Marroni, do jornal *Il Sole 24 Ore*, relatou que a primeira votação do Conclave, na terça-feira, ficou dividida entre Scola, o canadense Marc Ouellet e Bergoglio. Mas já nos escrutínios da manhã de quarta-feira, dia 13 de março, verificava-se o crescimento significativo da candidatura de Bergoglio. Aos poucos, novos detalhes do Conclave começaram a ser revelados. O portal brasileiro G1 revelou que muitos cardeais estavam inseguros em relação à candidatura do purpurado argentino Jorge Mario Bergoglio. Por isso, a maior dificuldade do grupo de cardeais da América Latina foi passar a confiança de que, se eleito, Bergoglio aceitaria ser papa. Essa insegurança poderia dificultar o apoio de cardeais de outros continentes ao arcebispo de Buenos Aires. Por isso, os purpurados da América Latina explicitaram, em conversas reservadas antes do Conclave, que a candidatura era para valer. E que o arcebispo de Buenos Aires aceitaria ser papa, caso eleito. Tanto cuidado não foi por acaso. A imprensa italiana já havia noticiado que no Conclave que elegeu Bento XVI, em 2005, Bergoglio havia desistido da disputa contra Ratzinger quando ficara evidente a polarização entre os dois nos primeiros escrutínios. Essa notícia nunca foi confirmada pelos cardeais que participaram do Conclave anterior. "Mas havia uma insegurança de alguns cardeais. Por isso, foi importante saber que ele aceitaria ser papa. Isso deu confiança a muitos colegas", relatou ao G1 um cardeal que participou do Conclave.

Maradiaga, o *kingmaker*

Sabe-se, agora, que além dos purpurados da América Latina, muitos cardeais da África e da Ásia avisaram que, depois da sinalização positiva do argentino, iriam votar já no primeiro escrutínio em Bergoglio. Esses votos foram fundamentais para consolidar a candidatura do arcebispo de Buenos Aires desde o início. "Sem fortes candidatos, os africanos e asiáticos passaram a apoiar Bergoglio, que representava a mudança", revelou uma fonte do Vaticano. A articulação silenciosa em torno de Bergoglio foi feita ainda no início das congregações gerais pelo cardeal de Tegucigalpa, Óscar Rodríguez Maradiaga, presidente da Cáritas Internacional. Ele foi o que os vaticanistas costumam chamar de *kingmaker* (fazedor de reis, no caso, de papa). Na condição de principal nome da Cáritas em todo o mundo, o arcebispo de Tegucigalpa tem grande capilaridade e contatos com prelados influentes da Igreja em todos os continentes. Em um Colégio dos Cardeais onde muitos purpurados não se conhecem, essa interlocução internacional passou a ser um trunfo poderoso. E o fator surpresa ajudou a preservar Bergoglio de sofrer ataques da mídia italiana. Temia-se que fossem exploradas as notícias sobre a suposta colaboração de Bergoglio com a ditadura argentina. Fato que, depois da eleição do papa Francisco, foi negado pelo Vaticano.

Segundo prelados brasileiros, a eleição de Bergoglio representou um duro golpe no secretário de Estado do Vaticano, Tarcisio Bertone. Isso porque Maradiaga, principal cabo eleitoral do argentino, havia entrado em rota de colisão com o todo-poderoso Bertone, que comandou a cúria romana com mão de ferro no pontificado de Bento XVI. Detalhe: Bertone e Maradiaga são salesianos. Desde o Conclave anterior, de 2005, Maradiaga já era apontado como um cabo eleitoral de Bergoglio. Isso explicaria, em parte, o fato de o hondurenho ser um conhecido desafeto de Bertone. Um mês depois de eleito, o papa Francisco reconheceria o trabalho de Maradiaga ao indicá-lo para integrar o Conselho de Cardeais encarregado de propor as reformas para a Igreja.

A eleição de Bergoglio representou um sinal imediato de mudança na cúria romana. Isso porque adotou o nome de Francisco, santo que é um marco em reformas da Igreja entre o final do século XII e início do século XIII, além de ser o primeiro papa jesuíta, congregação que pressionou por reformas no catolicismo do século XVII. A escolha do argentino foi uma surpresa, não só por ser o primeiro latino-americano, mas também por ser jesuíta. Ele era o único membro da Companhia de Jesus entre os cardeais. Vários membros da ordem mostraram-se espantados quando souberam que ele havia sido escolhido e aceitado ser papa. Isso porque é muito raro jesuítas aceitarem cargos de responsabilidade na estrutura da Igreja.

Além de Maradiaga, outros dois cardeais do continente tiveram um papel estratégico na eleição do papa Francisco: os brasileiros Cláudio Hummes, emérito de São Paulo; e Raymundo Damasceno, de Aparecida. Sobre a participação de Hummes no Conclave, a inconfidência foi feita pelo próprio papa Francisco, na primeira audiência à imprensa feita no sábado, 16 de março, poucos dias depois da eleição. Durante o encontro no auditório Paulo VI, dentro do Vaticano, ele disse que escolheu o nome de são Francisco de Assis inspirado pelo cardeal Hummes. E também porque desejava "uma igreja pobre e para os pobres". "O arcebispo de São Paulo, que foi prefeito da Congregação para o Clero, Cláudio Hummes, um grande amigo", disse o papa para logo em seguida acrescentar: "Quando se aproximava o 'perigo' ele me confortava". Foi uma referência à possibilidade de ser eleito. O papa também disse que quando recebeu os setenta e sete votos necessários para ser eleito, o brasileiro fez mais uma intervenção. "Ele (Hummes) então me abraçou e me beijou. E disse: não se esqueça dos pobres. Enquanto o escrutínio prosseguia, enquanto os votos eram contados, veio em meu coração o nome de Francisco de Assis", revelou o papa para uma plateia de mais de 1.500 jornalistas.

A proximidade física entre os cardeais Hummes e Bergoglio durante o Conclave — estavam sentados um ao lado do outro — se explica não pela amizade, mas pela ordem de promoção: o brasileiro era o número 30 e o argentino o número 31. Os lugares dos cardeais no Conclave não eram de livre escolha, mas estabelecidos de acordo com a precedência por ordem de promoção. Já a amizade entre os dois explica a liberdade com que Cláudio Hummes o saudou e falou com ele após o número de votos alcançar os dois terços necessários, porém, antes do fim do escrutínio e da aceitação de Bergoglio. Ao afirmar que a contagem prosseguia, o papa Francisco deixou escapar que teve bem mais votos que os setenta e sete necessários. Os relatos indicam que o cardeal Bergoglio recebeu mais de noventa votos. Nesse mesmo pronunciamento à imprensa, Francisco sinalizou que haveria mudanças no comportamento da cúria romana, ao ressaltar que para ele Jesus Cristo é a figura central da Igreja Católica, e não o papa. "Cristo é o pastor da Igreja, mas sua presença na história passa pela liberdade dos homens. Cristo está no centro, não o sucessor de Pedro. Sem ele, Pedro e a Igreja não existiriam. Em tudo que aconteceu, o protagonista é, em última instância, o Espírito Santo", afirmou com ênfase quase mística ao deixar claro qual deve ser o papel do papa dentro da Igreja.

Com a inconfidência feita pelo próprio papa, ficava esclarecido um episódio que chamou a atenção de todos no momento em que Francisco foi anunciado ao mundo: o cardeal emérito de São Paulo, que é franciscano, estava ao lado do papa durante sua primeira aparição no balcão da Basílica de São Pedro e o acompanhou em sua primeira prece após a eleição. Também chamou a atenção a proximidade do novo papa com o cardeal Damasceno. No dia seguinte à eleição, Francisco recusou pela segunda vez o carro oficial dos papas e decidiu subir no micro-ônibus com alguns cardeais. Alguns purpurados se levantaram para Sua Santidade sentar. Mas, ao avistar o arcebispo de Aparecida, ele foi direto: "Quero sentar ao lado de meu amigo Damasceno". E foi ao encontro do brasileiro. Imediatamente, o monsenhor Antonio Catelan, que é brasileiro e acompanhava o cardeal de Aparecida, brincou: "Ontem o senhor ocupou o trono de Pedro; e hoje fica com meu lugar". O papa ainda quis saber onde Catelan iria sentar. Na semana seguinte, o papa anunciou que, além de participar da Jornada Mundial da Juventude, no Rio de Janeiro, em julho de 2013, também visitaria o Santuário de Aparecida. Foi uma deferência especial ao "amigo Damasceno". Tanto Hummes quanto Damasceno são apontados como articuladores importantes da eleição de Bergoglio.

Outra revelação importante foi feita à Globo News pelo arcebispo italiano, dom Lorenzo Baldisseri. Ele recebeu a equipe de televisão brasileira dentro da Casa Santa Marta, onde o papa passou a morar. O italiano foi o primeiro cardeal indicado pelo papa Francisco, dentro da Capela Sistina, assim que foi eleito. Em entrevista ao Jornal das Dez, Baldisseri disse que ficou surpreso com o gesto, contou dom Lorenzo ao mostrar em suas mãos o solidéu vermelho que herdou do cardeal Bergoglio:

> Meus sentimentos ficaram confusos. Foi uma comoção. Não esperava que isso acontecesse. Sabia que havia uma tradição. Mas João XXIII foi o último papa que, ao ser eleito, passou o solidéu para o secretário do Conclave. Fiquei muito agradecido. No momento em que o Santo Padre fez esse gesto, todos os cardeais presentes — porque isso aconteceu na Capela Sistina — bateram palmas. Então, temos um novo cardeal. O Santo Padre depois me falou que, com o tempo, vai proclamar um consistório oficial e colocar, naturalmente, meu nome.

Ex-núncio apostólico no Brasil, dom Lorenzo Baldisseri explicou que, apesar de ter sido indicado como purpurado, ainda seria preciso a realização de um consistório para que fosse nomeado cardeal. "O gesto de receber o solidéu do papa Francisco foi o anúncio. Agora, tenho que esperar o consistório. Mas já sou o primeiro da lista", explicou dom Lorenzo. Além de ter sido secretário do Conclave, dom Lorenzo tem o cargo de secretário da Congregação para os Bispos e do Colégio de Cardeais.

Scola entrou papa e saiu cardeal

Quando o cardeal protodiácono, o francês Jean-Louis Tauran, subiu no balcão central da Basílica de São Pedro para pronunciar a clássica frase em latim *Habemus papam*, o clima de euforia tomou conta dos fiéis, que lotavam a praça desde que saiu a fumaça branca da Capela Sistina, pouco antes. Mas, nas palavras seguintes do cardeal francês, houve um silêncio absoluto dos fiéis. Todos se perguntavam quem era o cardeal Bergoglio, um desconhecido da multidão. Até então, todos na praça repetiam que o papa seria o cardeal de Milão, Angelo Scola, contaminados pelas notícias da imprensa italiana. Dentro da Capela Sistina, os purpurados perceberam o abatimento de Scola com o resultado final do Conclave. O cardeal de Aparecida, Raymundo Damasceno, foi cartesiano ao explicar por que Scola entrou papa e saiu cardeal do Conclave: "Embora muito falado, o arcebispo de Milão, Angelo Scola, não chegou a obter consenso".

Papável favorito antes do Conclave, o cardeal de Milão, Angelo Scola, chegou a ter uma boa quantidade de votos no primeiro escrutínio. Na votação seguinte, cresceu um pouco. Mas, no terceiro escrutínio, estagnou. Segundo relatos, nos últimos escrutínios houve uma hemorragia de votos do purpurado italiano. Já o canadense Marc Ouellet chegou a ser bem votado no primeiro escrutínio. Mas depois perdeu votos na mesma proporção em que o argentino ganhava apoio, até ser eleito o papa Francisco. Ouellet era considerado a segunda opção dos cardeais da América Latina. "Era uma espécie de plano B", explicou um cardeal. "Mas, logo ficou claro que o plano A ganhava força." Tanta simpatia desse grupo pelo canadense não era por acaso. Ouellet viveu na Colômbia muitos anos. Foram doze anos como professor de teologia, inclusive no seminário de Bogotá. Depois, voltou para o Canadá, foi para Roma nomeado secretário do Pontifício Conselho para a União dos Cristãos, que cuida do diálogo ecumênico. Retornou ao Canadá como arcebispo de Quebec e depois foi nomeado prefeito da poderosa Congregação dos Bispos. "Se a candidatura de Bergoglio não houvesse decolado, a América Latina despejaria em peso seus votos em Ouellet", ressaltou esse cardeal.

A divisão dos italianos foi fatal para a derrota de Scola. Com vinte e oito votos, os cardeais da Itália entraram rachados no Conclave. Dos 115 cardeais que participaram do Conclave, sessenta eram da Europa e apenas dezenove da América Latina. Entre eles estavam cinco brasileiros, três mexicanos e dois argentinos. O segundo país com maior participação no Conclave foram os Estados Unidos, com onze cardeais. Outros onze participantes eram africanos. Antes do Conclave, os purpurados da América Latina avaliavam que o arcebispo de Milão teria um bom número de votos nos primeiros escrutínios. Mas já reconheciam que ele teria dificuldade para atingir os dois terços dos votos necessários para ser papa.

O favoritismo de Scola não era por acaso. Ex-patriarca de Veneza e titular da principal arquidiocese da Itália, Milão, Scola já havia recebido sinais públicos até mesmo de Bento XVI de que teria os principais atributos para ser seu sucessor. Já estaria em campanha um ano antes da renúncia de Bento XVI. Era uma campanha sutil, mas que impressionava muitos bispos. Ele recebia cardeais de todo o mundo no Palácio Episcopal de Milão, inclusive em jantares.

Damasceno resumiu antes da votação:

> Foi cardeal em Veneza, uma sede que tem dado muitos papas à Igreja. Basta lembrar o papa João Paulo I, papa João XXIII. Hoje, é arcebispo de Milão, que é uma das arquidioceses mais importantes da Itália, se não a mais importante. Ali, houve grandes bispos, grandes cardeais, a começar pelo cardeal antecessor de Scola, Dionísio Tettamanzi, um grande cardeal; e cardeal Martini, um grande cardeal da Igreja. E hoje aí está o cardeal Angelo Scola, que também é muito conhecido no mundo da Igreja, é um bom teólogo. Tem algumas publicações. Tem a experiência pastoral de

governar grandes dioceses, no caso, Veneza, e atualmente Milão. De modo que é um cardeal que se destaca no Colégio de Cardeais.

Mas, ainda no pré-Conclave, Scola começava a encontrar resistências de cardeais de setores mais moderados da Igreja. Vários bispos demonstravam preocupação pelo fato de Scola ser ligado a um grupo poderoso da Igreja Católica, denominado Comunhão e Libertação.

Um purpurado da América Latina desabafou antes de entrar na Capela Sistina:

> O papa não pode ser de um grupo da Igreja, tem que representar toda ela. O grande problema desses grupos é que buscam o poder interno. Esses grupos, como o Comunhão e Libertação e o Opus Dei, funcionam como partidos políticos dentro da Igreja. Cada grupo quer mostrar que é mais fiel ao papa que os demais. Eles querem mostrar que são mais católicos que os outros. Isso é um perigo.

Scola era apresentado pela imprensa italiana como o papável que faria as reformas dentro da cúria romana, em um momento de grave crise. Nos bastidores, Scola era o principal nome do grupo de cardeais italianos que tentava derrubar o secretário de Estado do Vaticano, cardeal Tarcisio Bertone. Em um primeiro momento, ele acabou ganhando o apoio dos cardeais dos Estados Unidos, que não conseguiram construir uma candidatura própria. Scola aglutinava todos os cardeais insatisfeitos com a cúria romana. Mas, durante o pré-Conclave, começou a ficar claro para os cardeais de outros continentes que o arcebispo de Milão representava, de fato, todos aqueles que foram excluídos do poder na gestão de Bertone, que esvaziou a influência de seu antecessor no cargo e decano do Colégio dos Cardeais, Angelo Sodano. "Estava explícito que havia uma disputa entre dois grupos poderosos. E Scola representava um desses grupos. Mas os cardeais queriam uma renovação completa da cúria, inclusive de seus integrantes. Por isso, cresceu rapidamente a candidatura do papa Francisco", explicou um prelado com cargo na cúria romana.

A disputa entre os dois grupos foi o motivo para neutralizar a influência, neste Conclave, dos *kingmakers* italianos. Em todos os conclaves são identificados os grandes eleitores. São cardeais que têm um papel de destaque. Alguns aparecem pelo poder de articulação, e outros pela influência direta em um grupo de eleitores. Mas, geralmente, têm poucas chances de ser eleitos. Entre os *kingmakers* deste Conclave um já não tinha idade para entrar na Capela Sistina: aos 85 anos, Angelo Sodano havia sido secretário de Estado no pontificado de João Paulo II. Diplomata de carreira, tinha um bom trânsito com cardeais mais antigos. Já o camerlengo Tarcisio Bertone conseguiu fazer grandes inimigos, mas também seguidores fiéis entre os purpurados durante o pontificado de Bento XVI. A disputa entre os dois assustou os purpurados que chegavam a Roma para participar do Conclave e reduziu o papel deles nas articulações para a escolha do novo papa.

Durante as congregações gerais, chamou a atenção dos cardeais o silêncio do arcebispo de Milão, Angelo Scola, nos intervalos. Segundo o relato de um purpurado, o italiano evitava conversar com os colegas. "Ele é um pouco fechado. Mas, se mudasse de comportamento, poderia parecer que estava em campanha", observou um cardeal. Na terça, durante a missa para a eleição do papa dentro da Basílica de São Pedro, um prelado brasileiro fez outra observação: "Scola parecia preocupado. Até tenso. É como se já começasse a sentir o peso de um pontificado". Ou, talvez, Scola já percebia que a disputa no Conclave seria bem mais difícil.

A campanha para desconstruir Odilo Scherer

Cotado inicialmente como um dos favoritos para o Conclave, o cardeal brasileiro Odilo Scherer teve um desempenho sofrível.

Recebeu poucos votos no primeiro escrutínio. Com isso, perdeu as condições de disputar o Conclave nos escrutínios seguintes. Para alguns prelados, o fato de o arcebispo de São Paulo ter sido carimbado como o candidato que não faria mudanças na cúria romana colaborou para a fraca votação que recebeu no Conclave. As reportagens publicadas nos jornais italianos nos dias que antecederam o Conclave desconstruíram a imagem de dom Odilo. Para prelados brasileiros próximos ao cardeal Odilo Scherer, houve uma campanha para "queimar" o arcebispo de São Paulo. Um deles chegou a dizer que o objetivo seria reduzir as chances de dom Odilo dentro do Conclave. Uma reportagem publicada no dia do Conclave pelo jornal italiano *La Repubblica* acendeu o sinal de alerta entre os interlocutores próximos ao arcebispo de São Paulo. Segundo o texto jornalístico, Scherer tomou uma posição oposta à de outro cardeal brasileiro, João Braz de Aviz, e saiu em defesa da cúria romana no último dia de reunião das congregações gerais. Braz de Aviz, prefeito da Congregação para os Institutos da Vida Consagrada, havia feito um ataque pessoal ao ex-secretário de Estado do Vaticano, cardeal Tarcisio Bertone, ao questionar as finanças da Santa Sé. A matéria relata que Bertone não gostou das críticas e acusou Braz de Aviz de vazar as informações para a imprensa italiana. Houve tréplica do brasileiro. Nesse momento, Odilo Scherer teria feito uma intervenção para defender a cúria.

"Dom Odilo defendeu o legado de Bento XVI. Mas querem queimá-lo quando tentam associá-lo ao cardeal Bertone e como defensor da cúria romana. Enquanto isso, o cardeal Angelo Scola (Milão) aparece como o candidato que vai reformar a cúria", rebateu um prelado brasileiro que é do grupo de Odilo Scherer. Depois do Conclave, ao conceder entrevista ao Jornal das Dez, Odilo negou que o episódio houvesse acontecido. "Isso não existiu", disse. Em entrevista concedida ao vivo à jornalista Patrícia Poeta, do Jornal Nacional, dom Odilo foi além e defendeu a necessidade de mudanças na cúria. Em uma coletiva realizada no Colégio Pio Brasileiro, em Roma, criticou duramente a especulação antes do Conclave. "As cotações prévias foram todas para o espaço." E depois, acrescentou em tom de desabafo: "Mas, afinal, com que critérios foram fazendo os cálculos, as cotações? Há que se aprender uma coisa: a Igreja não é feita só de cálculos humanos. Quando analisamos a Igreja com critérios humanos, o resultado será míope, se não errado". O brasileiro revelou que, uma semana antes do Conclave, visitou o túmulo de são Francisco de Assis. E que, ao chegar lá, encontrou o cardeal de Viena, Christoph Schönborn. "Mas um dominicano em um lugar tão franciscano?", perguntou o arcebispo de São Paulo. O cardeal da Áustria respondeu: "Seria bom que a Igreja tivesse um papa com espírito franciscano". Outro cardeal que também foi a Assis no período pré-Conclave foi o arcebispo emérito de Salvador, dom Geraldo Majella. "Rezei naquela hora para que o papa pudesse realmente ser aquele que fizesse as vezes de são Francisco", contou dom Geraldo. Para Odilo Scherer, a passagem por Assis teve um significado: "É um sinal para o que a Igreja quer e precisa fazer". Em seguida, advertiu que não haveria uma mudança brusca: "Não se fazem saltos mortais na Igreja".

Para vaticanistas italianos, ao assumir uma posição impopular, fato que o próprio cardeal negou, Scherer fez um movimento para conquistar votos de cardeais ligados à cúria romana. No segundo dia do Conclave, quando todos já estavam incomunicáveis dentro do Vaticano, o cardeal brasileiro dom Odilo Scherer voltou a ser alvo de duras críticas da imprensa italiana. O *La Repubblica* destacou que o arcebispo de São Paulo começava a perder as chances reais de competição no Conclave, o que de fato aconteceu. Na principal reportagem do jornal sobre o Conclave, o vaticanista Marco Ansaldo ressaltava que o papável brasileiro cometeu três gafes consecutivas: confundiu o quinto com o sétimo mandamento; deixou cair a hóstia de suas mãos na missa de domingo, e, por último, assumiu a defesa da cúria de Tarcisio Bertone de duras críticas feitas por outros cardeais. O fato incomodou prelados brasileiros que estavam no Vaticano. Em reação, o padre Michelino Roberto, da paróquia Nossa Senhora do Brasil, em São Paulo, lembrou o recado de dom Odilo antes de partir para o Conclave. "Ele disse que acompanhássemos o Conclave em clima de oração, e não em clima de disputa." "A imprensa italiana fez uma campanha para desconstruir a imagem de dom Odilo. Isso é inaceitável", reagiu o monsenhor Antonio Catelan, da Comissão Episcopal para a Doutrina da Fé da CNBB, que também estava no Vaticano. Depois do Conclave, integrantes do episcopado brasileiro ficaram em alerta com a campanha de desconstrução da imagem do cardeal Odilo Scherer. "Ele foi alvo de muitos ataques da imprensa italiana. Era um sinal de que Odilo chegou a ser um forte candidato em algum momento. Por isso, houve muita plantação contra ele. Isso pode deixar sequelas na imagem de Odilo", desabafou um arcebispo. "Tem gente que gosta, e tem gente que não gosta de Odilo. Mas um ataque dessa magnitude ao nome dele acaba atingindo de alguma forma toda a Igreja do país. É preciso um limite", acrescentou esse arcebispo, assustado com a avalanche de notícias negativas.

Antes mesmo do início do Conclave, integrantes da CNBB já estavam preocupados com o lançamento precoce da candidatura do cardeal de São Paulo. A avaliação reservada é que isso poderia tirar as chances de Odilo Scherer como um candidato competitivo. Isso porque a grande exposição dele no pré-Conclave levantou aspectos positivos, mas também negativos para a escolha de Odilo como o próximo papa. Entre os aspectos positivos levantados estava o fato de ele ser da América Latina, o que poderia simbolizar uma renovação no Vaticano. Dom Odilo também já tinha experiência na cúria romana, onde trabalhou na Congregação para os Bispos. Além disso, ele tem uma atuação classificada de "corajosa" no comando de uma das maiores arquidioceses do mundo. O fato de o cardeal brasileiro ter enfrentado pessoalmente estudantes da PUC, em fevereiro, era apontado como um traço forte de sua personalidade. Apesar de ter sido agredido verbalmente, ele não se intimidou e manteve o ato religioso no pátio da universidade. Mas a visibilidade excessiva de Scherer fez que vários integrantes do episcopado brasileiro fossem consultados por colegas de todo o mundo para traçar um perfil do arcebispo de São Paulo. O próprio episódio da PUC também explicitou a personalidade mais rígida do cardeal de São Paulo. A notícia foi rapidamente repassada para integrantes da Igreja em várias partes do mundo. "Todo o mundo tinha curiosidade de saber quem era Odilo Scherer", revelou um bispo.

Outro fato que chamou a atenção foi a baixa aceitação dos bispos brasileiros ao nome do cardeal de São Paulo. Em 2011, ele perdeu a disputa para o comando da CNBB. Na ocasião, o cardeal de Aparecida, dom Raymundo Damasceno, foi eleito no segundo escrutínio com 196 votos (71% dos votos válidos). Dom Odilo recebeu setenta e cinco votos. Esse placar mostrou que havia resistência ao nome de dom Odilo entre integrantes do episcopado no país. De perfil conservador, ele foi apontado como um cardeal pouco político no trato com os bispos brasileiros. "Tem um estilo mais alemão. É muito direto e objetivo. Não é de fazer política", resumiu um influente prelado que conviveu com dom Odilo na CNBB, quando ele foi secretário-geral da entidade. De alguma forma, esses comentários acabaram contaminando os cardeais que participariam do Conclave, principalmente os da América Latina.

Esse prelado, que é próximo do cardeal, observou:

> O grande problema é que lançaram muito cedo a candidatura de dom Odilo. Quiseram transformá-lo no adversário ideal para ser derrotado por Scola. Mas os italianos não esperavam o fator surpresa. Bergoglio foi lançado e virou o papa Francisco. Certamente, se Bergoglio houvesse sido lançado com muita antece-

dência, teria sido destruído com vazamentos seletivos para a mídia italiana, como aconteceu com Odilo.

Os primeiros sinais de mudança

A quarta-feira, dia 13 de março, foi um dia de muita chuva em Roma. Em frente à Basílica de São Pedro, uma multidão de fiéis estava em vigília desde cedo, apesar do frio. Depois dos dois primeiros escrutínios, saiu fumaça preta da chaminé da Capela Sistina. A multidão deixou o local por alguns momentos. Mas, por volta das 17 horas, muitos fiéis já lotavam novamente a praça do Vaticano. Um boato tomou conta das ruas de Roma: o novo papa seria eleito no quarto escrutínio, como havia ocorrido com Bento XVI. Mas, sem sinal de fumaça, o boato não se confirmou. Parecia mais uma noite sem papa. Subitamente, a fumaça branca saiu com força às 19h06, horário de Roma. Já estava escuro. Os sinos da Basílica de São Pedro não deixaram dúvida: o novo papa havia aceitado a missão de comandar a Igreja. "Sou um grande pecador, confiando na misericórdia e na paciência de Deus. No sofrimento, eu aceito", afirmou o argentino. O fato foi revelado pelo cardeal Angelo Comastri, arcipreste da Basílica de São Pedro, com a permissão de Francisco, em uma entrevista ao Centro Televisivo Vaticano.

Poucos instantes depois, os sinos da Catedral de Milão; de São Francisco, em Assis; e de Florença, também começaram a tocar. Os primeiros sinais indicavam que o Conclave rápido de dois dias e apenas cinco escrutínios era o resultado de um consenso entre os cardeais nas votações finais. Segundo relatos, o intervalo para o almoço naquela quarta-feira, depois dos três primeiros escrutínios, teria permitido uma conversa mais livre entre os cardeais. À tarde, ficaria claro que a maioria já apoiava Bergoglio.

O primeiro papa latino-americano e o primeiro jesuíta a ser pontífice apareceu na sacada cerca de uma hora depois de sair a fumaça branca, ao lado do amigo franciscano, o cardeal brasileiro Cláudio Hummes.

Disse o papa Francisco:

> Vocês sabem que o objetivo do Conclave era dar um bispo a Roma. Parece que os meus irmãos cardeais foram quase até o fim do mundo para me buscar. Mas, aqui estamos. Obrigado. E, antes de mais nada, gostaria de fazer uma oração por nosso papa emérito, Bento XVI. Oremos todos juntos por ele, para que o Senhor o abençoe e Nossa Senhora o guarde.

Assim que foi eleito, o novo papa telefonou a Bento XVI. Já na sacada da Basílica, pediu aos fiéis que rezassem por ele. "Rezem por mim, para que eu seja abençoado", disse Francisco. O gesto de humildade antes de abençoar a multidão contagiou os fiéis, que ainda estavam perplexos com a escolha de um papa argentino. "Até breve", declarou o papa Francisco, e desejou boa-noite e bom descanso a todos. A escolha do nome de são Francisco de Assis, o padroeiro da Itália, conquistou Roma imediatamente. Os fiéis começaram a gritar juntos: "Francesco, Francesco, Francesco...".

Dentro do Vaticano, o novo papa já dava os primeiros sinais de mudança de comportamento na Santa Sé. O luxuoso carro papal estava à sua espera para levá-lo à Casa Santa Marta, onde estava hospedado. Mas ele recusou. E, em um gesto, decidiu voltar junto com os demais cardeais. "Como protocolo, ofereceram o carro oficial do papa, mas ele recusou e quis voltar como veio, no ônibus junto com os outros cardeais, não quis ir de limusine", revelou dom Odilo Scherer no dia seguinte. O jantar de comemoração teve champanhe e foi marcado por uma brincadeira do papa Francisco. "Que Deus os perdoe por terem me escolhido", disse Francisco dirigindo-se aos cardeais e arrancando risos de todos os presentes.

Na sexta-feira, em sua primeira audiência pública, o papa Francisco pediu aos cardeais que cedessem menos ao pessimismo, que conseguissem atrair mais fiéis à Igreja com novos métodos de evangelização, e levassem o catolicismo a todas as partes do planeta. A fala de Francisco foi interpretada como um recado de que pretende fazer reformas, dentro e fora dos muros da Igreja. E que essas mudanças devem atingir a cúria romana, responsável pela administração da burocracia da Igreja Católica. São mais de 3 mil pessoas empregadas no Vaticano. Mas o poder está concentrado em um grupo muito pequeno: cerca de cinquenta homens. São cargos de primeiro e segundo escalões, em congregações, conselhos e tribunais, que se dividem nos poderes Executivo, Legislativo e Judiciário da Santa Sé. A cúria tem influência direta no cotidiano de mais de 5 mil bispos e 412 mil padres espalhados pelo mundo. O papa confirmou os cargos de seu antecessor, inclusive os do cardeal Tarcisio Bertone na poderosa Secretaria de Estado. Mas sinalizou que faria mudanças. "Na Igreja, as mudanças não são imediatas. É uma tradição confirmar os cargos do antecessor", explicou o cardeal Odilo Scherer.

Depois de sua primeira audiência, o papa Francisco fez um desabafo com alguns cardeais mais próximos. De forma reservada, demonstrou preocupação com cristãos do Oriente Médio e de países africanos que são frequentemente ameaçados por professar o cristianismo, em todas as suas ramificações, nos países de maioria muçulmana. "Esses cristãos são os verdadeiros mártires de hoje. Muitos pagam com a própria vida pelo fato de serem de uma religião minoritária nessas regiões", observou o papa, segundo o relato de um purpurado. Aos poucos, Francisco começaria a demonstrar sua personalidade nos primeiros dias de pontificado e a causar espanto em integrantes da cúria por seu jeito extremamente simples para os rígidos padrões do Vaticano. Ao quebrar os lacres do apartamento papal no Palácio Apostólico para tomar posse daquela que seria sua nova casa, Francisco demonstrou que não seria enquadrado pela cúria. "Há espaço para trezentas pessoas aqui", teria dito. "Não preciso de todo esse espaço." Alguns dias depois, o Vaticano anunciou que o papa havia preferido morar, pelo menos no primeiro momento, na Casa Santa Marta.

O papa Francisco abraça o papa emérito Bento XVI em Castel Gandolfo, a 23 de março de 2013.

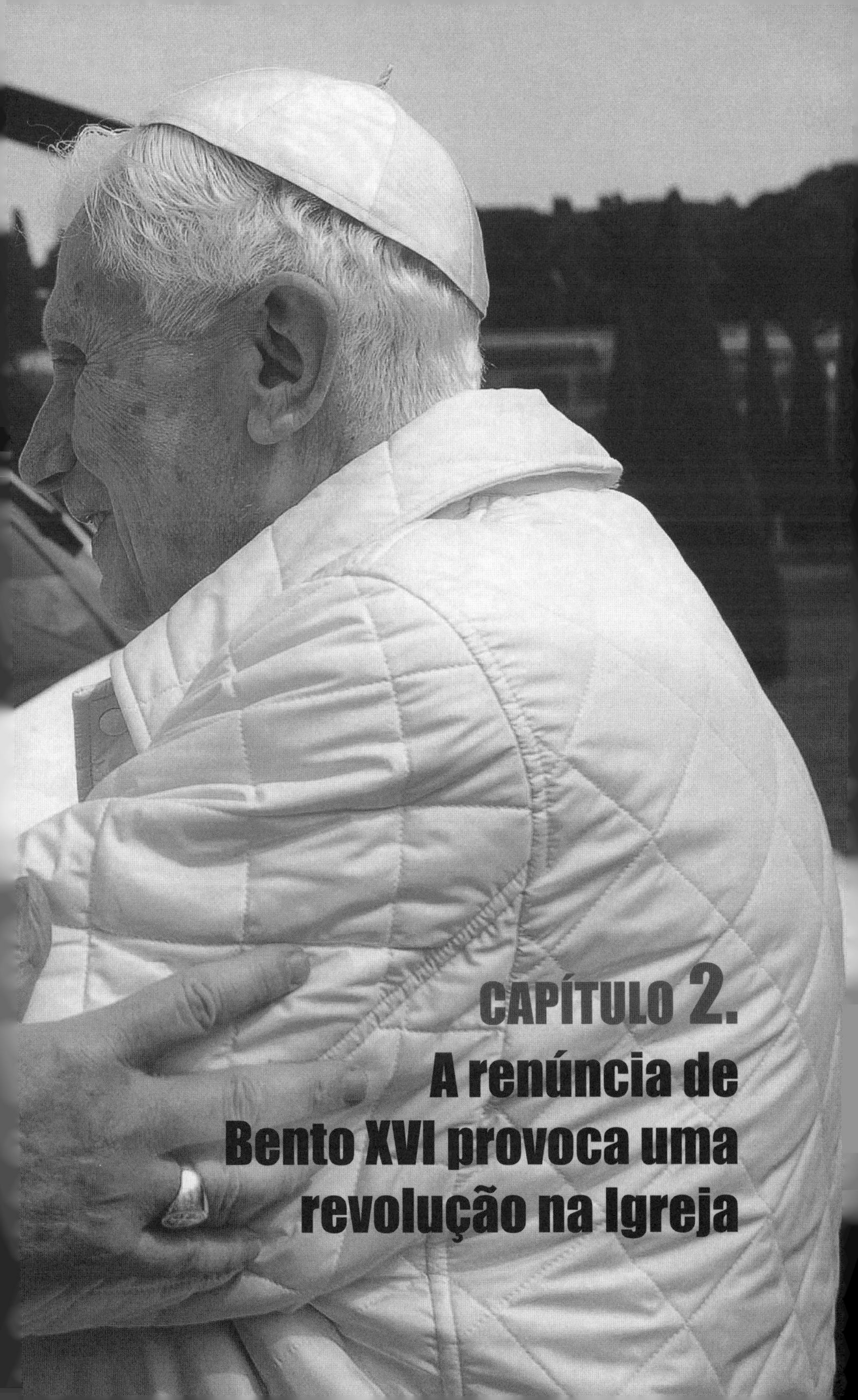

CAPÍTULO 2.

A renúncia de Bento XVI provoca uma revolução na Igreja

Nos dias que antecederam o Conclave que elegeu o papa Francisco, a jornalista da agência de notícias italiana Ansa, Giovanna Chirri, voltou a ser muito assediada pela imprensa internacional. Um mês antes, ela havia sido responsável pelo furo mundial do anúncio da renúncia de Bento XVI. Muito solícita, atendia, sempre que possível, a jornalistas de outros países interessados em contar sua história. Nesses dias de Conclave, Giovanna havia se tornado uma personagem popular, bem mais conhecida que muitos dos cardeais que entrariam na Capela Sistina. Na modorrenta manhã do dia 11 de fevereiro de 2013, a Igreja Católica seria abalada por uma notícia sem precedente em 2 mil anos de história. Pela primeira vez um papa decidia, de forma espontânea, anunciar sua renúncia. Ela foi a primeira a dar a notícia por saber latim e entender antes dos outros jornalistas que estavam na sala de imprensa do Vaticano — que eram muito poucos — as palavras do papa. Foi na língua morta, que até o Concílio Vaticano II era a única permitida para as celebrações das missas, que Bento XVI comunicou sua decisão aos cardeais que estavam em um consistório para a canonização de beatos. Giovanna Chirri acompanhava a cerimônia pelo monitor e teve um sobressalto quando, pouco depois das 11h30 da manhã, a reunião acabou; mas, no mesmo tom, o papa começou a dar em latim um importante comunicado. "O papa disse que faria um anúncio importante para o futuro da Igreja, que estava ficando muito velho para governar. Fiquei aterrorizada", contou a jornalista italiana em entrevista ao *Fantástico*, da Rede Globo.

Dessa forma, Bento XVI anunciava sua renúncia, justificando não possuir mais o vigor físico e espiritual para governar a Igreja, aos 85 anos. "Depois de ter examinado repetidamente minha consciência diante de Deus, cheguei à certeza de que minhas forças, devido à idade avançada, já não são idôneas para exercer adequadamente o ministério de Pedro", disse Bento XVI em latim, para depois acrescentar:

> No mundo de hoje, sujeito a rápidas mudanças e agitado por questões de grande relevância para a vida da fé, para governar a barca de são Pedro e anunciar o Evangelho é necessário também o vigor quer do corpo quer do espírito; vigor este que, nos últimos meses, foi diminuindo de tal modo em mim que tenho de reconhecer minha incapacidade para administrar bem o ministério que me foi confiado. Por isso, bem consciente da gravidade deste ato, com plena liberdade, declaro que renuncio ao ministério de bispo de Roma, sucessor de são Pedro, que me foi confiado pela mão dos cardeais em 19 de abril de 2005, pelo que, a partir de 28 de fevereiro de 2013, às 20 horas, a sede de Roma, a sede de são Pedro, ficará vacante e deverá ser convocado, por aqueles a quem tal compete, o Conclave para a eleição do novo Sumo Pontífice.

Foi como profundo conhecedor do direito canônico que Bento XVI informou que, depois de quase oito anos de pontificado, já não tinha condições físicas para levar adiante o comando da Igreja.

Giovanna Chirri completou:

> Fiquei muito nervosa, tentei confirmar quando o papa acabou de falar. Então, o cardeal Angelo Sodano disse que a notícia tinha a força de um raio em um céu claro. Eu estava sentada e minhas pernas tremiam. Era a demissão de um papa. Depois que escrevi, comecei a soluçar.

Também ao *Fantástico*, o cardeal brasileiro dom João Braz de Aviz, prefeito da Congregação para os Institutos da Vida Consagrada e Sociedades de Vida Apostólica, relatou sua surpresa. Ele estava na sala com Bento XVI:

> Eu perguntei: "O papa está se demitindo?". O papa não mudou nem o tom de voz, nem ergueu os olhos. Realmente, foi uma surpresa muito grande para nós, para todos que estavam ali. Realmente, uma novidade que não víamos há muito tempo.

A última vez que um papa renunciou ao cargo foi há seis séculos. Em 1415, o papa Gregório XII anunciou a saída do cargo para encerrar uma disputa com um candidato rival à Santa Sé. Na época, a Igreja Católica vivia uma grande crise, chamada de Grande Cisma do Ocidente, que durou de 1378 a 1417 e levou a três sedes papais: Roma, Avignon, na França, e Pisa. Consequentemente, o poder passou a ser disputado por três pontífices, um papa, de Roma, e dois antipapas. Gregório XII enfrentou a concorrência de Bento XIII e Alexandre V. Em 1415, Gregório XII abdicou do cargo no Concílio de Constança, após grande pressão dentro da Igreja, e morreu dois anos depois. O concílio elegeu em 1417 o papa Martinho V. Gregório tinha 90 anos à época e sua renúncia fez que a crise estancasse. O gesto surpreendente de Bento XVI fez que o diretor de redação do influente jornal italiano *La Repubblica* escrevesse sobre seu espanto:

Veremos uma sucessão de ineditismos. Não há história, literatura, doutrina, sequer uma prática estabelecida à qual se referir. O Conclave não ocorrerá depois das exéquias, mas com um papa vivo. Esse Conclave deverá se confrontar não somente com a memória do papa, mas com a força de seu pensamento — neste caso, um papa teólogo, intelectual.

Apesar da surpresa do mundo católico, Bento XVI já dava sinais de que pensava nessa possibilidade de renunciar ao trono de Pedro em entrevistas, conversas reservadas e até mesmo em gestos. Talvez, o sinal mais evidente de sua reflexão interna tenha acontecido bem antes, quando, na Basílica Santa Maria de Colemaggio, em Áquila, o papa rezou diante do túmulo de Celestino V, um papa que abdicou. A renúncia de Celestino aconteceu em 1294, em um evento que não teria nenhuma semelhança com o gesto de Bento XVI. Celestino foi imortalizado por Dante Alighieri em *A divina comédia*. Aparece na obra de Dante na primeira parte, na qual descreve o Inferno. Ele é citado por Dante pela omissão de não ter enfrentado até o fim seu papado, e deixado que fosse entregue ao papa Bonifácio. Mas foi canonizado por ter fundado a ordem monástica dos Celestinos. Na prática, o papa Celestino V foi forçado a abdicar do cargo apenas cinco meses depois de eleito, e Bonifácio VIII o sucedeu. Celestino foi aprisionado por seu sucessor em um castelo e morreu dez meses depois. Na ocasião, o fato gerou controvérsia. A legitimidade de Bonifácio chegou a ser questionada por alguns cardeais, que alegavam que a autoridade pontifícia conferida por Deus por intermédio do Espírito Santo só poderia ser retirada pelo próprio Deus. Ou seja, com a morte. Talvez por tudo isso, Bento XVI era seu admirador, e utilizou sua passagem em Áquila para sinalizar que já pensava no tema da renúncia.

Os motivos que teriam levado o papa a renunciar passaram a ser discutidos por vaticanistas, teólogos e até mesmo por influentes prelados nos dias seguintes. Além da ausência do vigor físico, outras razões passaram a ser levantadas. Rapidamente, a imprensa italiana começou a resgatar fatos recentes, como as denúncias de pedofilia, as divisões na Igreja, os escândalos financeiros e o caso do vazamento de documentos secretos. Tudo isso teria abalado profundamente o papa. Em suas primeiras homilias depois do anúncio, Bento XVI começou a mandar recados para a Igreja. Ao celebrar a missa da Quarta-Feira de Cinzas, Bento XVI fez sua fala mais crítica. Convidou a viver a Quaresma como um tempo para refletir sobre como "o rosto da Igreja é por vezes desfigurado por pecados contra sua unidade e divisões do corpo eclesiástico". O papa também falou em superar o "individualismo e a rivalidade" como um "sinal de humildade". E destacou que Jesus denunciou "a hipocrisia religiosa" e aqueles que buscam o aplauso e a aprovação do público em vez da simplicidade. Dias depois, em outro pronunciamento, Bento XVI voltou a fazer advertências aos integrantes da Igreja. Condenou o que classificou de ambições pessoais e o "carreirismo" entre o clero. "Quem aspira ao sacerdócio para um crescimento de seu próprio prestígio pessoal e do próprio poder compreendeu mal, na raiz, o sentido deste mistério", declarou. O papa falava na homilia da missa de ordenação de catorze novos sacerdotes, que presidiu na Basílica de São Pedro. Em tom de alerta, Bento XVI defendeu que "o sacerdócio nunca pode representar uma maneira de atingir a segurança na vida ou de conquistar para si uma posição social".

Vatileaks

Muitos interpretaram as palavras de Bento XVI nos momentos finais de seu pontificado como um recado direto ao enfrentamento de grupos dentro da Igreja. O escândalo que ficou conhecido como Vatileaks era apenas a parte mais visível da rede de intrigas que tomava conta da Santa Sé nos últimos anos. E teria influenciado na decisão do papa, apesar das negativas oficiais. Uma reportagem do jornalista Marcos Uchôa, no Jornal Nacional, destrinchou o escândalo. Um ano antes da renúncia, em fevereiro de 2012, documentos secretos do Vaticano foram revelados, ao longo de duas semanas, pelo jornal *Il Fatto Quotidiano* e pelo canal de tevê La7. Eram cartas para o papa assinadas e carimbadas. Todas confidenciais. Os documentos publicados pelo jornalista Gianluigi Nuzzi foram base para o livro *Sua Santidade*, que revelava um antagonismo crescente entre o papa e o número dois do Vaticano, o secretário de Estado, Tarcisio Bertone. Um dos documentos era uma carta que levantava suspeitas sobre casos de superfaturamento na gestão dos gastos do Vaticano. O autor dela, arcebispo Carlo Maria Viganò, reclamava por ter sido afastado do cargo de administrador e mandado para os Estados Unidos para ser núncio apostólico em Washington, uma espécie de embaixador da Santa Sé. Várias dessas cartas criticavam diretamente o secretário de Estado. O poderoso Bertone mandava e controlava os negócios internos da Igreja, e demitiu, sem explicação, Carlo Viganò, apesar do trabalho que este último fez para tirar as contas do Vaticano do vermelho.

Foi o porta-voz do Vaticano, padre Federico Lombardi, que, ao responder aos jornalistas, batizou o escândalo de Vatileaks, uma referência ao caso Wikileaks, quando documentos do governo americano foram igualmente vazados para a imprensa. Uma investigação apontou como responsável direto o mordomo de Bento XVI, Paolo Gabriele, que servia ao papa desde 2006. "O mordomo foi acusado, julgado e condenado a uma pena de dezoito meses de prisão. Mas foi logo perdoado pelo próprio papa. Tudo se passou em um período de poucos meses. Outro funcionário também foi condenado. Mas o problema era bem maior, e o mordomo era apenas a ponta do *iceberg*", registrou a reportagem de Uchôa. Paolo Gabriele confessou o roubo de documentos justificando que queria provocar um choque para colocar a Igreja no bom caminho. Vários cardeais chegaram a falar, depois, que o mordomo não agiu sozinho. Em dezembro de 2012, o papa foi pessoalmente anunciar seu indulto. "Foi uma questão chata, porque alguém da intimidade, do dia a dia do papa, com uma atitude que não tem muito a ver com o que ele fazia. Não se pode pensar em um homem que age assim tão perto do papa", afirmou ao *Fantástico* o cardeal Braz de Aviz.

A outra ponta do escândalo envolvia diretamente o Instituto para Obras Religiosas, o IOR, mais conhecido como Banco do Vaticano. Alguns documentos do Vatileaks revelavam os confrontos travados por causa dos problemas do IOR para cumprir normas internacionais de transparência. Em 2010, havia estourado o escândalo envolvendo o Banco do Vaticano. A Justiça italiana chegou a abrir uma investigação sobre a instituição. Houve o bloqueio de 23 milhões de euros das contas do IOR por suspeita de violação das normas do sistema de lavagem de dinheiro e até mesmo de ligação com a máfia. O administrador do banco, o italiano Ettore Gotti Tedeschi, ligado à prelazia Opus Dei, foi colocado pelo papa para tentar sanear as finanças da instituição e adequar o banco às regras da União Europeia. Mas, em maio de 2012, Tedeschi foi sumariamente demitido pelo cardeal Tarcisio Bertone. O argumento usado foi que Tedeschi foi demitido por causa de desentendimentos com a cúria romana. A saída dele do Banco do Vaticano aconteceu no mesmo período em que o mordomo do papa foi preso. Segundo o boletim *Vatican Insider*, do jornal italiano *La Stampa*, a demissão de Tedeschi "foi acompanhada de uma demolição de sua figura humana e profissional, que não tem precedentes na história recente da Santa Sé".

Depois do Vatileaks, Bento XVI encomendou, em 25 de abril de 2012, uma investigação a três cardeais de mais de 80 anos. O líder deles, Jozef Tomko, foi o purpurado eslovaco que chefiou um setor do Vaticano ligado à contraespionagem. Durante todo esse tempo, a cada semana, eles se reuniam com o papa. No dia 17 de dezembro do mesmo ano, entregaram um relatório de mais de trezentas páginas. Esse relatório foi fechado em um cofre. Só seria entregue ao sucessor de Bento XVI, o papa Francisco. Segundo a imprensa italiana, o relatório que foi lido por Bento XVI revelaria as conexões de pessoas próximas a ele com o esquema de lavagem de dinheiro do Banco do Vaticano.

Segundo vaticanistas, o papa teria ficado impotente em relação à demissão de seu homem de confiança no comando do Banco do Vaticano. Chamou a atenção o fato de o cardeal Tarcisio Bertone pressionar pela nomeação imediata do novo presidente do banco, depois que Bento XVI anunciou sua decisão de renunciar. O ex-secretário de Estado e decano do Colégio de Cardeais, Angelo Sodano, era contrário à decisão de nomear o novo administrador do IOR no apagar das luzes do pontificado de Bento XVI. Ele considerava que essa deveria ser uma atribuição do novo papa. Mas Bertone acabou impondo sua vontade. Com isso, mesmo depois de ter anunciado hora e data para a renúncia, Bento XVI, como um dos últimos atos de governo, colocou no cargo vago o alemão Ernest von Freyberg. Seu nome foi sugerido pela empresa americana de *head hunters* Spencer Stuart.

A reportagem do Jornal Nacional ressaltou:

> Os documentos do Vatileaks não tratavam só de dinheiro. A rivalidade brutal entre os cardeais, a ambição de vários deles, o favorecimento e a briga pelo poder também foram revelados com o Vatileaks. Apareceu, de forma clara, a mistura de interesses entre a política italiana e os assuntos do Vaticano. A cúria, o aparato de instituições com sede em Roma, ficou muito desmoralizada.

Essa disputa de poder entre integrantes da cúria passou a preocupar cardeais que estavam com passagem marcada para Roma. A percepção de que era preciso renovar a estrutura da Santa Sé influenciou de forma decisiva os rumos do Conclave. Pouco antes, os cardeais cobravam transparência e acesso aos documentos. "Se quisermos tomar uma boa decisão, teremos que ter informação sobre isso", cobrou o cardeal sul-africano Wilfrid Napier. "Queremos saber o que está acontecendo dentro do Vaticano", reforçou o cardeal francês Philippe Barbarin.

Em fevereiro de 2012, outra reportagem do jornal italiano *Il Fatto Quotidiano* provocou muitos comentários dentro dos muros da Santa Sé. Revelou que haveria um complô para matar o papa e que o sucessor seria o cardeal de Milão, Angelo Scola. Segundo a reportagem, a revelação teria sido feita pelo cardeal de Palermo, Paolo Romeo, em uma conversa reservada, durante visita à China. Apesar de negar publicamente, o próprio cardeal Romeo chegou a relatar a alguns bispos próximos que estava convencido da existência de um complô para matar Bento XVI. Esse relato chegou a ser feito pessoalmente pelo purpurado italiano a um influente bispo da América Latina, como revelou depois o portal brasileiro G1. Segundo o jornal italiano, um relatório dessa conversa teria sido entregue ao papa em forma de documento confidencial escrito em alemão pelo cardeal colombiano Dario Castrillón Hoyos. Prefeito emérito da Congregação do Clero, o colombiano é um grande amigo do papa. Quando a notícia foi publicada, o porta-voz do Vaticano, padre Federico Lombardi, disse que a informação estava "tão fora da realidade e tão pouco séria", que não podia ser levada em consideração. "Parece incrível, e não quero nem comentar", acrescentou Lombardi na ocasião. Já o cardeal de Palermo, Paolo Romeo, negou as informações e disse que não havia qualquer fundamento na reportagem. Romeo admitiu ter ido à China, mas disse que foi "uma viagem particular" e "de curta duração, limitada só à cidade de Pequim". "O papa não foi assassinado, mas renunciou ao cargo, e Scola aparecia como favorito antes do Conclave. Isso foi muito comentado no Vaticano", ressaltou um importante prelado brasileiro, preocupado com o clima de beligerância que havia tomado conta da cúria romana naqueles meses.

Escândalos de pedofilia

Um dia antes de deixar o comando da Igreja, Bento XVI fez um discurso em que admitiu que enfrentou "águas agitadas" durante os oito anos de seu papado. Falando para uma multidão na Praça São Pedro, no Vaticano, em sua última audiência geral, disse que seu papado foi um "fardo pesado", mas que foi guiado por Deus e que sentiu Sua presença "todos os dias". "Senti-me como são Pedro com seus apóstolos no Mar da Galileia", afirmou o papa, em referência a uma história bíblica em que Jesus Cristo teria aparecido para discípulos nesse local. Era o último recado do papa e uma referência não só às disputas e crises internas, mas também aos escândalos de pedofilia na Igreja. Casos de padres que abusaram de crianças e demoraram para ser julgados pelo Vaticano também foram um duro golpe para Bento XVI. Interlocutores nunca esconderam que as denúncias de pedofilia abalaram profundamente o antigo papa.

Até aquele momento, o número exato de cardeais que participariam do Conclave ainda estava incerto. O cardeal escocês Keith O'Brien havia renunciado pouco antes ao cargo de arcebispo de St. Andrews e Edimburgo, em resposta a acusações feitas sobre "atos impróprios" cometidos por ele contra padres nos anos 1980. O'Brien manteve o posto de cardeal e poderia participar do Conclave, mas anunciou que ficaria fora da eleição do novo papa para não desviar as atenções da mídia sobre a escolha do novo pontífice. Com a decisão de O'Brien, cresceu a pressão para que cardeais acusados de acobertar escândalos de abusos sexuais cometidos por sacerdotes, como o arcebispo emérito de Los Angeles, Roger Mahony, ou o cardeal primaz da Irlanda, Seán Brady, também ficassem de fora do

Conclave. Mas os dois não recuaram. A presença deles na Capela Sistina foi motivo de muito desconforto para vários cardeais. A tentativa de acobertar os casos de pedofilia na Irlanda chegou a incomodar o próprio Bento XVI. A denúncia era de que muitas crianças haviam sido abusadas por padres entre 1996 e 2009. O escândalo estourou em 2010. Mas os bispos irlandeses silenciaram. O papa chegou a escrever uma Carta Pastoral aos católicos da Irlanda para que reagissem e censurassem seus bispos pelo acobertamento da pedofilia. Além disso, os processos abertos pelo Vaticano andavam lentamente. O papa teria constatado sua impotência em reagir aos casos de pedofilia que se multiplicavam em todo o mundo.

O vaticanista Marco Politi afirmou ao *Fantástico*, da Rede Globo:

> A importância de Bento XVI na luta contra a pedofilia é sua posição muito clara: não se pode mais tolerar a pedofilia. Os padres culpados devem ir para a justiça comum. O que faltou fazer? Um decreto que obrigasse os bispos a denunciar os padres pedófilos.

As expectativas dos cardeais brasileiros

Enquanto o Vaticano ainda tentava entender a primeira renúncia de um papa nos últimos seis séculos, os cardeais que iriam eleger o futuro pontífice já se mostravam preocupados com o perfil daquele que herdaria o trono de Pedro. Duas semanas antes do Conclave, o Jornal das Dez, da Globo News, ouviu, com exclusividade, três dos cinco cardeais brasileiros que participariam do Conclave. Ao todo, foram cinco reportagens especiais que incluíram, além do perfil do futuro pontífice, a disputa interna, os escândalos recentes, o legado de Bento XVI, além das expectativas para o próprio Conclave.

Em Salvador, o cardeal dom Geraldo Majella fez um alerta importante: o futuro papa não poderia integrar nenhum grupo específico da Igreja — como Comunhão e Libertação, ou o Opus Dei. E comparou esses segmentos a partidos políticos.

Dom Geraldo advertiu:

> Ser representante ou ser membro de um partido, isso já separa do consenso que é necessário, grande. Então, sei que há pessoas, até cardeais que vêm de algum grupo, não é? São também capazes de vencer. Mas aquela lembrança de que ele faz parte daquele grupo já é uma barreira, que, muitas vezes, pode se colocar e crescer.

Em São Paulo, o cardeal dom Cláudio Hummes apontou a principal característica que deveria guiar a escolha."Que ele seja um homem de fé, de Deus. Um homem santo, em quem as pessoas possam ver, por assim dizer, Deus", ressaltou. Em Aparecida, o presidente da CNBB, dom Raymundo Damasceno Assis, afirmou que o novo papa deveria equilibrar o lado espiritual e a sintonia com os problemas contemporâneos:

> Creio que o papa deve ser, sobretudo, um pastor. Um papa bastante atualizado, bastante aberto às questões do mundo de hoje, mas, ao mesmo tempo, muito fiel às questões do depósito da fé. Porque a Igreja está submetida a esse depósito, ela é guardiã desse depósito.

"Tem que ser alguém que estude, que tenha essa disposição de sempre estudar", acrescentou dom Geraldo.

Perguntados sobre o voto no Conclave, os cardeais brasileiros se mostraram cuidadosos. Ao ser questionado sobre se já tinha candidato, dom Geraldo respondeu: "Sim, tenho, quer dizer, mas não definitivo. Mas tenho, naturalmente, alguns que eu conheço de perto e são pessoas a quem eu daria meu voto". Dom Cláudio

Hummes foi direto: "Mesmo que eu houvesse decidido, diria que não decidi ainda". Já o cardeal de Aparecida era mais cuidadoso: "Não tenho candidato ainda. Porque creio que a escolha de um candidato se dá em um processo mais longo".

Os cardeais também faziam avaliações sobre a idade do futuro pontífice. As previsões iniciais não foram confirmadas. Falava-se que o futuro papa não deveria ser nem tão jovem, como o cardeal Karol Wojtyla, nem de idade tão avançada, como Joseph Ratzinger. Até então, era considerado satisfatório na Igreja um papado de cerca de quinze anos — como foi o de Paulo VI.

Dom Cláudio sugeriu:

> Nós tivemos um papa, um longo papado, João Paulo II, que foi eleito aos 58 anos. E depois tivemos um papa que foi eleito aos 78 anos. Quem sabe se agora se escolhe uma idade mais ou menos entre esses dois extremos.

Outra questão em debate era a origem do futuro papa. "Creio que não é tão importante a origem do papa, o continente onde ele nasceu, o país onde ele nasceu. Como também não é importante sua cor", disse dom Damasceno. Para dom Geraldo Majella, não haveria impedimento à escolha de um papa não europeu:

> Em quatrocentos anos, os papas foram todos de origem italiana. Então, João Paulo veio da Polônia e Bento XVI veio da Alemanha. Acho que não há dificuldade de ser recebido, não. O mundo, a Igreja, de modo particular, vai imediatamente ver e acolher.

Segundo dom Geraldo, o próximo papa poderia provir de qualquer parte do mundo, inclusive do Brasil. Na segunda reportagem especial do Jornal das Dez, os cardeais brasileiros que se preparavam para participar do Conclave falaram sobre as divisões e disputas internas da Igreja Católica. E foram unânimes: o novo papa teria que reformar as estruturas de poder no Vaticano. Não por acaso. Desde que divulgou a decisão de renunciar, o papa Bento XVI passou a mandar recados durante as homilias. No pronunciamento mais forte, afirmou que a "divisão do clero" e a "falta de unidade" estão desfigurando o rosto da Igreja. A mensagem foi recebida como um alerta. Dom Raymundo Damasceno (Aparecida), uma das vozes mais importantes da Igreja na América Latina, concordou com o papa: era preciso combater o carreirismo:

> Na Igreja, todo cargo deve estar a serviço dos outros, deve ser exercido com amor, simplicidade e humildade. Sem nenhuma pretensão de se considerar superior aos outros, sem buscar o poder. O carreirismo existe em toda parte, em toda sociedade, e também na Igreja.

Até recentemente, dom Cláudio Hummes era prefeito da Congregação do Clero, um dos principais cargos do Vaticano. E conhece como poucos o funcionamento da cúria romana. "A Igreja é humana e é divina. E em seu aspecto humano, também entra em conflitos, tensões. O que não pode acontecer é que isso gere um conflito que crie divisão. Isso é outra coisa. Divisão já é um mal. A Igreja deve ser una, unida", advertiu o cardeal emérito de São Paulo.

Apesar das negativas oficiais, havia uma avaliação de que, além da idade avançada, a disputa de poder que marcou o Vaticano nos últimos anos do pontificado teria pesado na decisão de Bento XVI. Essa disputa tinha dois personagens principais. De um lado, o poderoso secretário de Estado, cardeal Tarcisio Bertone — que teria trabalhado para isolar o papa de integrantes da cúria. De outro, seu antecessor e decano do Colégio de Cardeais, Angelo Sodano, que nos bastidores reagia às ações de Bertone. Com a experiência de quem viveu quase uma década no Vaticano, dom Geraldo Majella falou de forma sincera sobre o conflito interno na Santa Sé. "Não podemos generalizar que todo o mundo está na pior, na pior situação. Não! Eu vi, no tempo em que eu trabalhei em Roma, pessoas que estavam ali trabalhando, verdadeiros santos. Mas vi também alguns que deixavam a desejar", reconheceu o cardeal emérito de Salvador. Para dom Geraldo, a solução para o conflito são reformas periódicas na burocracia da cúria. "Hoje, as coisas não podem ser feitas para continuar do mesmo jeito durante cem anos. Hoje, dez anos já são muitos anos. Se não houver uma revisão, então, que se tomem as medidas necessárias", defendeu.

Ao ser questionado se seriam mudanças de estruturas e de pessoas, dom Geraldo respondeu: "De pessoas também, de pessoas, da constituição de cada um daqueles instrumentos, daquelas Congregações e Conselhos Pontifícios. Então, tudo isso tem que passar por uma revisão periódica".

Dom Cláudio e dom Damasceno concordaram. "Às vezes certas pessoas têm que ser substituídas, e é preciso reformar o funcionamento", observou o cardeal emérito de São Paulo. "A cúria precisa se diversificar ainda mais para ver se, de fato, está a serviço da evangelização. Não pode ser uma organização meramente burocrática, para manter o que a Igreja já tem e já adquiriu", reforçou o cardeal de Aparecida.

Na terceira reportagem da série especial do Jornal das Dez, os cardeais brasileiros analisaram os escândalos recentes na Igreja. A decisão de enfrentar os problemas foi um ato de coragem — ressaltaram eles. Para dom Geraldo Majella, Bento XVI foi corajoso ao mudar a atitude da Igreja em relação aos casos de pedofilia. "Ele já colocou: não pode haver convivência. Uma vez que haja o caso, deve ser tratado assim, drasticamente. Imediatamente tem que ser deposto de sua função, totalmente, não pode assumir mais nenhum exercício de sua missão como sacerdote", observou o cardeal emérito de Salvador.

Uma orientação simples, mas de aplicação complexa. O cardeal emérito de Los Angeles, Roger Mahony, é acusado de ter protegido padres que abusaram sexualmente de crianças. Mas, pelas regras da Igreja, nada impediria que ele participasse do Conclave que escolheria o papa Francisco. Acabou participando. "Pelo direito canônico, ele tem menos de 80 anos e direito de participar", disse dom Raymundo Damasceno. "Penso que tudo isso é de responsabilidade dele. Ele deverá resolver isso em sua consciência", completou dom Cláudio Hummes.

Outro ponto abordado pelos cardeais foi o vazamento de documentos sigilosos que apontavam corrupção nos negócios da Igreja. O mordomo Paolo Gabriele foi apontado como culpado. Ao Jornal das Dez, o cardeal de Salvador admitiu, pela primeira vez, que o escândalo que ficou conhecido como Vatileaks colocou a vida do papa em risco.

Quando lhe perguntaram se acreditava que o papa Bento XVI, ao pôr o dedo na ferida desses dossiês, desse escândalo do mordomo, corria risco de vida, dom Geraldo Majella respondeu que continuava a correr.

Meses depois, a demissão do presidente do Banco do Vaticano foi mais uma pedra no sapato vermelho de Bento XVI. Segundo o cardeal de Aparecida:

> O papa Bento XVI foi muito corajoso. Tomou decisões rigorosas. O presidente chegou a ser demitido, por razões que eu não saberia dizer. Mas ele quis, e ordenou que o banco obedecesse a todas as normas da Comunidade Europeia.

À pergunta se o próximo papa teria que colocar o dedo na ferida para resolver essas questões, dom Cláudio Hummes respondeu: "Com certeza. Isso sim. Isso será um desafio muito grande".

Na quarta reportagem da série especial do Jornal das Dez, os cardeais brasileiros falaram do legado de Bento XVI. Além do próprio ato de renúncia, destacaram sua intensa produção acadêmica. E afirmaram: mesmo com o papa emérito morando a poucos metros do futuro pontífice, não haveria perigo de duplo comando na Igreja Católica.

Na memória de dom Geraldo Majella estavam registrados os anos em que conviveu com o cardeal Joseph Ratzinger na cúria romana:

> Realmente tive uma convivência, porque morava justamente sobre a Congregação, o chamado Palácio Santo Ofício. E ele, por sua vez, morava atravessando a Praça São Pedro. Todos os dias eu descia e ele chegava, todos os dias nós nos cumprimentávamos. Ele, inclusive, teve a oportunidade de passar algumas horas em minha casa em Roma naquele tempo. Sempre conversávamos sobre alguma coisa que era da vida da Igreja.

Para dom Raymundo Damasceno, Bento XVI era um papa para ser ouvido, mais que apenas visto:

> Ele foi adquirindo cada vez mais o afeto, o carinho das pessoas, sobretudo por sua competência, sua capacidade e humildade. É um papa que atraía as pessoas a Roma para ouvir suas homilias, sobretudo nas audiências das quartas-feiras na Praça São Pedro.

Em seu último discurso antes da renúncia, Bento XVI prometeu aos cardeais "obediência incondicional" ao futuro pontífice. Diante de algumas especulações, o agora papa emérito quis mandar um recado: não haveria duplo comando no Vaticano. Os cardeais brasileiros confirmaram. "O papa já disse mesmo que vai cuidar da vida dele, da espiritualidade dele, de seu retiro. Vai se dedicar a isso. Ele não vai criar caso para outros, não é!", observou dom Geraldo. "Tenho absoluta certeza de que vai fazer isso. Porque ele é um homem extremamente correto nessas coisas", reforçou dom Cláudio Hummes.

Ao renunciar ao posto mais alto da Igreja para viver em retiro, Bento XVI obrigou a Santa Sé a rever seu caminho. “Isso deve nos fazer pensar: que as exigências são muitas, os desafios são grandes. Temos que pensar em um papa com vigor físico, com vigor mental, que possa estar à altura das exigências do pontificado”, observou dom Damasceno.

Para dom Cláudio, um dos maiores legados de Bento XVI é o diálogo. Ele lembrou como o papa enfrentou o relativismo em relação à doutrina católica:

> Esse papa Bento XVI entrou em um diálogo muito grande com essa cultura nova relativista, laicista, urbana, pluralista (...) E isso não significa que simplesmente se aceite tudo que do outro lado se diz. É, de fato, uma caminhada.

O presidente da CNBB destacou a produção teológica do papa:

> Ele causou admiração por seus ensinamentos em duas grandes encíclicas em seu pontificado sobre caridade e esperança. Seu magistério vai ficar como uma das grandes contribuições suas para a Igreja, um magistério que vai ser explorado, aprofundado com o passar do tempo. Essa é a grande herança, a grande riqueza do papa Bento XVI para a Igreja.

Na quinta e última reportagem da série especial do Jornal das Dez, três cardeais brasileiros descreveram o ambiente que já começava a tomar conta do Vaticano, no chamado pré-Conclave — um período de muitas conversas entre os cardeais eleitores. O Conclave é uma das eleições mais misteriosas do mundo. Não há candidatos declarados, nem campanha eleitoral explícita. “A chave que fecha, *con clave*, a clave é a chave”, explicou o cardeal emérito de Salvador, dom Geraldo Majella. E muitas vezes, os cardeais — que são ao mesmo tempo eleitores e candidatos — conhecem pouco os próprios colegas. "Muitos se conhecem, aqueles que trabalham na cúria romana. Aqueles que são da América Latina, alguns africanos. Mas outros são menos conhecidos, vivem na Ásia, Austrália", observou o cardeal de Aparecida, dom Raymundo Damasceno.

É no chamado pré-Conclave que os participantes começariam a conversar. Ali, surgiriam os principais nomes da disputa. "No pré-Conclave é mais aberto. (...) eles vão chegando, vão convivendo, vão se encontrando (...) e querem se ouvir, vão se visitar", relatou o cardeal emérito de São Paulo, dom Cláudio Hummes, que depois passou a ser apontado pela imprensa italiana como um dos principais articuladores da escolha do papa Francisco. "É a partir daí que começa uma troca de opiniões, uma análise da situação da Igreja, do mundo, dos desafios que vamos enfrentando. Para depois passarmos propriamente ao Conclave", acrescentou dom Damasceno.

Eles também explicaram detalhes da votação. "Recebemos, logo no início da reunião para a votação, a lista de todos os cardeais", contou dom Geraldo. O processo de eleição se dá por escrutínios — que são sucessivas rodadas de votação. Para se tornar papa, um cardeal precisa obter dois terços dos votos dos presentes antes do trigésimo quinto escrutínio. "Chegando a esse número, e nenhum deles tendo dois terços, então há um escrutínio sobre os dois mais votados do último. E esses dois não votam. E então, há um escrutínio para desempate", ressaltou dom Cláudio.

Em 2005, Joseph Ratzinger entrou no Conclave praticamente eleito. Segundo o relato de um participante, o cardeal alemão deu sinal verde para sua candidatura e mandou dizer aos colegas que aceitaria ser papa.

Normalmente se diz que quem entra favorito para papa sai cardeal. Mas, na escolha do cardeal Joseph Ratzinger, ele já era favorito e saiu papa. Segundo dom Cláudio Hummes, isso ocorre dentro de um Conclave da seguinte forma: "O povo diria assim: toda regra tem exceção. E é um dito popular isso de que quem entra papa sai cardeal. E muitas vezes tem acontecido, claro".

O Conclave de 2005 foi considerado rápido. Para este ano, o presidente da CNBB afirmava que a expectativa era outra. "Como me parece que não há uma figura de maior destaque no momento, como aconteceu no Conclave que elegeu o papa Bento XVI, creio que será um Conclave que demorará um pouco", apostou dom Damasceno. Mas a escolha do papa Francisco foi resolvida em apenas mais um escrutínio que no Conclave que escolheu seu antecessor.

A grande reforma de Bento XVI foi sua demissão, ter mostrado que o pontificado pode acabar sem a morte de um papa. Com um único gesto, o hoje papa emérito provocou uma revolução na Igreja e abriu caminho para seu sucessor, Francisco, fazer mudanças significativas na cúria romana, algo que Bento já não tinha mais vitalidade para fazer.

Ainda na manhã do dia 23 de março, poucos dias depois da eleição de Francisco, a multidão começou a se reunir na praça central de Castel Gandolfo para acompanhar um momento histórico: dois papas se encontrariam para um almoço e discutiriam o futuro da Igreja Católica. Papa Francisco levantou voo ao meio-dia em um helicóptero rumo à residência papal de verão nas colinas Albanas, ao sul de Roma, onde o papa emérito Bento XVI estava hospedado desde a renúncia, em 28 de fevereiro. O helicóptero do papa Francisco voou baixo sobre o centro de Castel Gandolfo, arrancando aplausos da multidão de fiéis reunida na Praça da Liberdade. A viagem durou dez minutos. Quando Francisco chegou, o papa emérito o aguardava no heliporto. Ambos, vestidos de batina branca, abraçaram-se calorosamente no local. Foi o primeiro encontro entre dois papas em muitos séculos. E, desta vez, em clima de cordialidade. Ao chegar à capela de Castel Gandolfo, Bento XVI ofereceu ao argentino o lugar de honra, diante do altar. Mas Francisco fez questão de se sentar no mesmo banco que o alemão para orar. "Somos irmãos, vamos orar juntos", disse Francisco.

Segundo o jornal italiano *Corriere della Sera*, logo após a oração na capela começou uma reunião privada na biblioteca do palácio, que durou quarenta e cinco minutos, entre o atual papa e Bento XVI. A portas fechadas, os dois religiosos teriam falado, inclusive, sobre o caso Vatileaks, entre outros assuntos. No fim do encontro, os dois pontífices almoçaram juntos, acompanhados de seus dois secretários pessoais. O Vaticano, porém, tentou não fazer um grande alarde em torno do almoço, para preservar o desejo de Bento XVI de se manter "escondido do mundo". E, com isso, evitar o duplo comando na Igreja. Em fevereiro, no último dia de seus quase oito anos de papado, Bento XVI prometeu obediência incondicional ao papa que o sucedesse.

Os ditadores argentinos Leopoldo Galtieri e Jorge Videla (à direita) conversam com oficiais em Buenos Aires, em 1° de janeiro de 1980.

CAPÍTULO 3.
Alerta no Vaticano: as tentativas de envolver Bergoglio com a Igreja de Videla

Naqueles primeiros dias de pontificado de Francisco, um episódio preocupava a cúpula do Vaticano: as acusações sobre uma suposta cumplicidade do então padre Jorge Mario Bergoglio com a ditadura militar argentina (1976-1983). Houve uma forte ação de integrantes da Santa Sé para esclarecer o episódio, que havia sido divulgado anos antes pelo jornalista argentino Horacio Verbitsky, ligado à família Kirchner. Quando a notícia foi publicada, o então cardeal Bergoglio tinha posições críticas em relação ao presidente Néstor Kirchner. Para integrantes da Igreja argentina, as acusações eram uma forma de desqualificar a atuação de Bergoglio, apontada como a única voz na Argentina que de fato incomodava a família Kirchner. Mesmo com esse contexto histórico, a cúpula do Vaticano temia que a disseminação dessa notícia sem um contraponto pudesse arranhar a imagem do novo papa. Nessa operação da Santa Sé para tentar explicar os fatos rapidamente, o papa Francisco recebeu em uma audiência privada no Vaticano o Prêmio Nobel da Paz em 1980, o argentino Adolfo Pérez Esquivel, no dia 21 de março. O ativista de direitos humanos rechaçou com veemência as acusações a Jorge Bergoglio de omissão e negligência no caso da prisão de dois padres jesuítas que trabalhavam em seu projeto social em Buenos Aires, na década de 1970. "O papa não teve nada a ver com a ditadura. Não foi cúmplice da ditadura, não colaborou. Preferiu uma diplomacia silenciosa", afirmou Pérez Esquivel em uma entrevista coletiva de imprensa, logo depois do encontro com o papa. "Houve bispos cúmplices, mas Bergoglio não", afirmou. "Tivemos uma reunião, foi um reencontro, porque já nos conhecíamos. Ele me pareceu bem, tentando se interiorizar, mas seguro e disposto a cumprir sua missão apostólica", contou o prêmio Nobel. Segundo Esquivel, ele e o pontífice conversaram sobre vários temas, entre eles, o desafio de Francisco por ser o primeiro papa latino-americano:

> Ele (Francisco) me disse que se deve buscar verdade, justiça, reparação... Falamos que os direitos humanos são integrais e que não se devem limitar aos assassinatos da ditadura, mas também à pobreza, ao ambiente e à vida do povo.

Diante das acusações, assim que foi eleito papa, sobre uma suposta cumplicidade de Bergoglio com a ditadura, Esquivel já havia negado publicamente as denúncias. Em uma entrevista ao portal BBC Mundo, o ativista disse que alguns bispos foram cúmplices daquele regime, mas não foi o caso do novo pontífice:

> Questionam Bergoglio porque dizem que ele não fez o necessário para tirar dois sacerdotes da prisão, sendo o superior da congregação de jesuítas. Mas eu sei, pessoalmente, que muitos bispos pediam à junta militar a liberação dos presos e sacerdotes e não eram atendidos.

O então cardeal de Buenos Aires havia sido acusado de omissão no caso da prisão de dois jesuítas. Eles ficaram presos por quase seis meses e foram torturados pelas forças de segurança do ditador Jorge Rafael Videla. Um dia após o Conclave, Pérez Esquivel disse que ele não teve culpa das prisões. "Não considero que Jorge Bergoglio tenha sido cúmplice da ditadura, mas acho que lhe faltou coragem para acompanhar nossa luta contra os direitos humanos nos momentos mais difíceis", disse o ativista, em nota. O cardeal de São Paulo, dom Odilo Scherer, reagiu às acusações contra Bergoglio. "Ele não era nem bispo. Bergoglio só virou bispo muito tempo depois, nos anos 1990, quando já não havia ditadura na Argentina", disse o cardeal brasileiro. O Vaticano também saiu em defesa do pontífice e disse que o argentino era vítima de uma campanha "caluniosa e difamatória" na Argentina, e chegou a citar as declarações do próprio Pérez Esquivel e de pessoas que afirmaram que Bergoglio protegeu perseguidos pela ditadura. "Nunca houve uma acusação concreta e confiável contra ele. A Justiça argentina o interrogou uma vez, mas como pessoa informada dos fatos, e jamais o acusou de nada. Sua origem anticlerical é muito conhecida e evidente", disse o padre Federico Lombardi, porta-voz do Vaticano.

Verbitsky dizia ter depoimentos e documentos que comprovariam que nos anos 1970, quando Bergoglio era provincial dos jesuítas na Argentina, teria entregado dois sacerdotes de sua ordem religiosa. Os padres Orlando Yorio, que morreu em 2000, e Francisco Jalics foram presos quando atuavam em uma favela de Buenos Aires. No livro *El silencio* (Ed. Sudamericana), o jornalista Horacio Verbitsky diz que Bergoglio, líder do grupo de ajuda, foi cúmplice ao denunciar os sacerdotes, considerados subversivos. Em depoimento, Jalics atribuiu à "desinformação deliberada" a sua prisão junto com Yorio, e fala do período em que estiveram presos na ESMA (Escola Superior de Mecânica Armada), principal centro de torturas que funcionou em Buenos Aires no fim dos anos 1970. O padre frisou que nem ele nem Yorio tinham ligações "nem com a junta nem com a guerrilha".

Ele contou que, mesmo assim, foram interrogados por cinco dias e ficaram presos de olhos vendados por cinco meses.

Com a polêmica em torno do novo papa, Jalics veio a público para esclarecer o episódio. "O fato é este: Orlando Yorio e eu não fomos denunciados por Bergoglio", disse o padre Jalics, que vive na Alemanha. Na condição de arcebispo de Buenos Aires, Bergoglio já havia se reconciliado com Jalics em uma missa rezada pelos dois. "Passaram-se anos até que tivéssemos a oportunidade de falar com o padre Bergoglio para conversar sobre o que havia acontecido. Depois disso, celebramos uma missa juntos em público e nos abraçamos solenemente. Considero o assunto encerrado", afirmou Jalics, que desde 1978 mora em um mosteiro no sul da Alemanha.

Também saiu em defesa de Bergoglio a juíza destituída pelos militares e ex-secretária dos Direitos Humanos do governo Néstor Kirchner, Alicia Oliveira. "Quando alguém tinha de fugir do país, ele (Bergoglio) sempre comparecia à despedida", disse Alicia. Na biografia *O jesuíta*, escrita pelos jornalistas Sergio Rubín e Francesca Ambrogetti,Bergoglio aparece com outro papel na ditadura. Segundo o livro, Bergoglio protegeu alunos e deu os próprios documentos de identidade a um estudante parecido com ele para que fugisse do país. Ao mesmo tempo, Bergoglio condenou com veemência a ditadura vivida pelo país nos anos 1970 e que deixou 30 mil desaparecidos. Na avaliação de bispos brasileiros, a reação de Bergoglio foi uma vacina ao livro *El silencio*, de Verbitsky.

Na véspera da votação que elegeu Jorge Mario Bergoglio sucessor do papa Bento XVI, cardeais participantes do Conclave em Roma teriam recebido um *e-mail* que denunciava suposta cumplicidade do argentino com a ditadura militar do país. A revelação foi feita pela biógrafa de Bergoglio, Francesca Ambrogetti. Em uma entrevista à televisão argentina, Francesca evitou revelar a autoria do *e-mail*. Mas disse que os cardeais "não levaram em conta" a denúncia, porque sabiam que ela era infundada. "Esse é um tema antigo e complexo.

Está tudo explicado no livro. Foi o contrário. Ele ajudou em tudo que pôde", ressaltou a jornalista.

Naqueles dias, uma reportagem do jornal argentino *El Clarín* revelou um vídeo exclusivo com um depoimento do cardeal Bergoglio. No vídeo, Bergoglio aparece sendo interrogado sobre o sequestro dos padres jesuítas Orlando Yorio e Francisco Jalics, e afirma ter se reunido com o ditador Jorge Videla e com Emilio Massera, chefe da Marinha, para interceder pelos religiosos. Os dois padres só seriam libertados cinco meses depois. O depoimento do cardeal argentino aconteceu no dia 8 de novembro de 2010. Durante quatro horas, ele falou como testemunha em um julgamento oral e público por crimes contra a humanidade cometidos na ESMA durante a ditadura argentina.

Em um dos momentos, o então cardeal relata como ele soube do desaparecimento dos dois jesuítas e o áspero diálogo que manteve com Emilio Massera:

> Tomei conhecimento das prisões na primeira hora da tarde de um domingo. Uma pessoa que eu não conhecia me ligou e me disse que os dois sacerdotes e alguns leigos haviam sido levados (...) Comecei a falar com padres que supostamente teriam acesso à polícia e às Forças Armadas, e me confirmaram o que havia acontecido. Mas disseram que não sabiam onde eles estavam. Depois de dois ou três dias, fiquei sabendo que haviam sido (levados por) efetivos da Marinha.

Na gravação obtida por *El Clarín*, o papa também relata como foi a conversa com Massera:

> Primeiro, ele me escutou e disse que iria averiguar o que havia acontecido, mas que não sabia de nada. Dois meses depois, como ele não voltou a entrar em contato, pedi uma entrevista para

> tentar descobrir algo. A entrevista foi muito dura e não durou dez minutos. Ele me disse que havia conversado com (monsenhor Adolfo) Tortolo (...) Eu fui direto e disse: "Olhe, Massera, quero que eles apareçam".

No livro *O jesuíta*, Bergoglio nega; disse que nunca acreditou que os dois padres estivessem envolvidos em "atividades subversivas". "Felizmente, depois foram liberados; primeiro, porque não puderam acusá-los de nada, e segundo, porque nos mobilizamos como loucos", disse Bergoglio na obra. Para ele, está tudo esclarecido, e prova disso é que "Jalics, quando vem a Buenos Aires, me visita".

Desde que assumiu o comando da arquidiocese de Buenos Aires, ainda nos anos 1990, Bergoglio passou a ser visto como um grande articulador político nos círculos de poder da Argentina. Tanto, que foi considerado pela família Kirchner a principal voz a incomodar a Casa Rosada. Sempre foi visto como um prelado de hábitos simples, que morava em um pequeno apartamento atrás da catedral, que fazia sua comida e usava ônibus e metrô para visitar as favelas da capital argentina. Nos últimos anos, chegou a sofrer uma dura derrota política no Congresso argentino, que aprovou um projeto de lei, respaldado pela presidente Cristina Kirchner, que passou a permitir o casamento entre pessoas do mesmo sexo. Bergoglio, na véspera da votação, fez uma dura homilia criticando o projeto. Em um perfil para o jornal *O Estado de S. Paulo,* o correspondente em Buenos Aires, Ariel Palacios, ressalta que ele é muito discreto sobre sua vida particular e que só demonstra intensa paixão quando fala de Fiódor Dostoiévski, seu escritor preferido. O papa Francisco tem a alma argentina em sua essência: gosta de tango, do escritor argentino Jorge Luis Borges e de rezar todas as manhãs. Filho de imigrantes italianos, Bergoglio nasceu no dia 17 de dezembro de 1936 no bairro de classe média de Flores, em Buenos Aires. Seu pai era ferroviário e sua mãe, dona de casa. Desde criança, sempre foi torcedor fanático do time de San Lorenzo, fundado por um padre no início do século. "Mas nunca pôde aspirar a jogar futebol além da praça do bairro. Seu físico, quando adolescente, era franzino", escreveu Ariel Palacios. Aos 20 anos, passou por uma grave operação para a retirada de um dos pulmões. Chegou a namorar uma vizinha. Também se formou técnico químico antes de entrar para a Companhia de Jesus. No livro *Sobre o céu e a Terra*, diálogos do arcebispo Jorge Bergoglio e do rabino Abraham Skorka, o hoje papa Francisco relatou, ao discutir a questão do celibato, que ficou encantado por uma garota quando já era seminarista:

> Quando eu era seminarista, fiquei deslumbrado por uma garota que conheci no casamento de um tio. Fiquei surpreso com sua beleza, sua luz intelectual... e, bem, andei confuso um bom tempo, pensava sem parar. Quando voltei ao seminário, depois do casamento, não consegui rezar ao longo de uma semana inteira, porque quando me dispunha a orar, a garota aparecia em minha cabeça. Tive que voltar a pensar no que estava fazendo. Ainda era livre, porque era seminarista, podia voltar para casa e tchau. Tive que repensar a opção. Tornei a escolher — ou a me deixar escolher — o caminho religioso. Seria anormal se não acontecesse esse tipo de coisas.

Entre 1967 e 1970, Bergoglio estudou teologia e foi ordenado sacerdote no dia 13 de dezembro de 1969, aos 33 anos. Três anos depois, já comandava os jesuítas na Argentina. Foi nesse período dos anos 1970 que Bergoglio seria citado, décadas depois, por ter sido omisso durante a ditadura militar. Logo em seguida, foi reitor da Faculdade de Filosofia e Teologia de San Miguel, entre 1980 e 1986, e depois passou uma temporada na Alemanha para completar sua tese de doutorado. Em 1992, Bergoglio foi nomeado bispo titular de Oca e auxiliar de Buenos Aires, ao lado do poderoso cardeal Antonio

Quarracino. Cinco anos depois, tornou-se arcebispo primaz da Argentina. Em 2001, foi nomeado cardeal pelo então papa João Paulo II, junto com o brasileiro Cláudio Hummes, de quem ficaria amigo. Naquele mesmo ano, ganharia destaque no Vaticano ao ser o relator geral do Sínodo dos Bispos em Roma.

A Igreja de Videla

Em 2007, o episcopado argentino teve que enfrentar sua mais grave crise com o governo daquele país, como registrou a reportagem de José Casado em *O Globo*. Pela primeira vez na história argentina, um sacerdote católico foi a julgamento sob acusações de violações de direitos humanos durante a ditadura militar (1976-1983): o ex-capelão da Polícia de Buenos Aires (1977-1978), Christian Federico von Wernich tinha em sua ficha a cumplicidade em sete homicídios, em sequestros, prisão e tortura de quarenta e uma pessoas. O então presidente argentino Néstor Kirchner passou a sugerir com frequência a "omissão" do episcopado argentino durante os abusos da ditadura militar, o que levou a uma reação contundente de Bergoglio, primaz da Argentina. "O demônio não se aquieta, é o pai da mentira, da divisão, da discórdia e da violência", disse em uma homilia em junho de 2007, dedicada ao governo argentino. Kirchner rebateu e chegou a afirmar que o diabo também chega "aos que usam batina". A reação dura de Bergoglio não foi por acaso. Era preciso fazer um corte entre os que colaboraram com a ditadura militar e os que fizeram justamente o contrário dentro da Igreja. Havia uma tentativa de Kirchner de aproveitar o episódio para desmoralizar a Igreja Católica como um todo. Diante da campanha de desconstrução do governo, era preciso demarcar o território.

Em 8 de outubro de 2007, o Tribunal Federal de La Plata, capital da província de Buenos Aires, condenou à prisão perpétua o padre católico Christian von Wernich, então com 69 anos. No momento em que saiu a sentença, ele vestia uma batina e um colete à prova de balas. O padre foi considerado culpado de sete homicídios, trinta e um casos de tortura e quarenta e dois sequestros durante a ditadura militar na Argentina (1976-1983). Foi o primeiro padre católico das Américas condenado por crimes contra a humanidade. Von Wernich foi condenado à pena máxima prevista na legislação argentina. Segundo testemunhas, ele ouviu a sentença sem demonstrar nenhuma reação. Horas antes do anúncio da sentença, entretanto, criticou furiosamente as testemunhas de acusação. "O falso testemunho é inspirado pelo demônio", afirmou. Durante o julgamento, o bispo Marcelo Melani, uma das cerca de cem testemunhas de acusação, fez uma espécie de *mea culpa*. "Não se trata de julgarmos Von Wernich, e sim de pensarmos que atitude teve cada um de nós, nossas comunidades e toda a Igreja ante o avassalamento da vida e dos direitos mais elementares", disse.

Centenas de pessoas, incluindo membros de grupos de defesa de direitos humanos e de partidos políticos, foram às ruas para festejar a condenação de Von Wernich. "Que Deus o perdoe, porque nós já o condenamos", dizia um cartaz exibido por um grupo de manifestantes. Eles queimaram um boneco que representava o religioso. "Este é um dia histórico, não pensávamos que íamos viver para ver isso", celebrou uma das líderes das Mães da Praça de Maio, Tati Almeyda. A Igreja Católica vinha mantendo silêncio sobre o caso, mas, depois do julgamento, a Conferência Episcopal Argentina (CEA) divulgou um comunicado manifestando sua "dor" pela "participação de um sacerdote em delitos gravíssimos". No comunicado, a CEA também pediu a reconciliação dos argentinos, afirmando que os passos da Justiça "são um chamado para que nos distanciemos tanto da impunidade como do ódio e do rancor". Após o fim da ditadura, Von Wernich fugiu para o Chile, onde morou até 2003, quando foi descoberto e extraditado para a Argentina. O regime

© Diego Goldberg/Sygma/Corbis

O general Videla foi ditador da Argentina entre 1976 e 1981.

Adolfo Pérez Esquivel, Prêmio Nobel da Paz de 1980, no Vaticano em 21 de março de 2013. Esquivel defendeu o papa Francisco das acusações de ter colaborado com a ditadura militar argentina.

militar foi responsável pelo assassinato de 30 mil civis. A condenação de Von Wernich voltou a pôr em foco a atuação da Igreja no último regime militar. O ex-capelão da Polícia não foi o único membro da instituição a apoiar a ditadura. A alta cúpula eclesiástica era próxima ao regime, e há relatos da participação de religiosos nos chamados "voos da morte", em que os presos eram atirados de aviões.

O general Jorge Rafael Videla tomara o poder na Argentina "em nome dos Santos Evangelhos", como afirmou em março de 1976, na presença de boa parte dos capelães militares. Era uma repetição de homilias como a do monsenhor Vittorio Bonamín, que afirmava que "quando há efusão de sangue, há redenção", e que Deus ia redimir a Argentina por suas Forças Armadas. Como relatou o jornalista José Casado em reportagem especial do jornal *O Globo*, nove em cada dez argentinos desaparecidos (mais de 9 mil) sumiram quando o general Videla era presidente. Como a Justiça definiu ao julgá-lo, nos anos 1990, foi a "experiência criminosa mais premeditada e excepcional — pela extensão, metodologia e detalhamento do *modus operandi* — de que se tem notícia na história sul-americana". Em contrapartida, foram 687 as vítimas de terroristas (511 militares e 176 civis) em atentados e confrontos — calcula o Círculo Militar de Buenos Aires. Sem desaparecidos.

A reportagem de *O Globo* mostrou em 2007 que a Igreja Católica argentina manteve uma postura singular na América do Sul durante a ditadura militar: omitiu-se em público sobre a matança. A hierarquia do episcopado apoiou o regime. "Compreendemos muito claramente que as excepcionais circunstâncias que o país tem atravessado exigiam uma autoridade firme e um exercício severo", dizia um comunicado da Conferência Episcopal Argentina, presidida pelo cardeal Raúl Primatesta, no final de 1976. Na época, a Anistia Internacional contabilizava 1,5 mil mortos e 5 mil presos políticos. Por cautela, não estimou o número de desaparecidos. Cadáveres de presos políticos apareciam boiando no rio da Prata, e o papa Paulo

VI cobrava "os desaparecimentos e os assassinatos de pessoas". Mas a hierarquia do episcopado tergiversava, como o bispo de La Plata, Antonio Plaza: "Nem todos os que reclamam por direitos humanos têm razão. Muitos falam por falar, ou sem fundamento".

Como registrou a reportagem de José Casado, a Igreja foi o esteio dogmático dos golpes de Estado produzidos na Argentina no século XX, período no qual o ideário do nacional-catolicismo se tornou hegemônico na hierarquia episcopal. Nessa concepção doutrinária, o cristianismo deveria monopolizar a estrutura do Estado, e, por consequência, o catolicismo deveria ser a religião nacional. "Esse espírito de Cruzada permeia a Constituição há 153 anos", observou Casado em um levantamento profundo sobre a Igreja na Argentina. O jornalista de *O Globo* completou: "Condicionou a formação nos quartéis, influenciou as intervenções militares na política depois da Segunda Guerra Mundial e redundou na 'aliança sagrada' entre bispos e generais nos anos 1970 — transformando o país em laboratório do radicalismo católico anticomunista".

Entre os expoentes católicos da era Videla, destacou-se o padre francês Georges Grasset, que atuara na Guerra da Argélia interpretando o Evangelho segundo as ideias do filósofo Jean Ousset — o fundador da organização Cité Catholique, de Paris. Ousset é autor de justificativas teológicas para o emprego da tortura como arma na guerra contrarrevolucionária. Tinha parceiros como Marcel Lefebvre, que nos anos 1980 deflagrou um cisma na Igreja Católica. No Brasil, as ideias de Ousset e Lefebvre encontraram eco na diocese de Campos (RJ), com o bispo Antonio de Castro Mayer, respaldo em Gustavo Corção, colunista de *O Globo*, e ativismo em Plínio Correa de Oliveira, líder do grupo Tradição, Família e Propriedade (TFP). O jornalista José Casado também constata em sua reportagem que foi longo, e pouco visível, o embate entre esses personagens e dois cardeais brasileiros influentes na defesa das reformas do Concílio Vaticano II: um mais conservador e anticomunista, Eugênio Sales

(Rio); e outro, mais liberal, Paulo Evaristo Arns (São Paulo). Ganharam os reformistas. Lefebvre foi excomungado pelo papa João Paulo II em 1988, junto com o bispo de Campos e vinte e cinco sacerdotes, depois de ter criado quatro conventos no país de Videla, em acordo com chefes do episcopado local.

O general do papa

Diferente do que aconteceu na Argentina e em países latino-americanos, a Igreja no Brasil sempre teve uma atuação em defesa da redemocratização. Havia modos distintos de atuação. Enquanto o então arcebispo de São Paulo, cardeal dom Paulo Evaristo Arns, denunciava publicamente as torturas praticadas pela ditadura brasileira, o arcebispo do Rio de Janeiro, cardeal dom Eugênio Sales visitava presos e escondia militantes procurados, em imóveis da Igreja. Assim que foi eleito papa Francisco, a diplomacia silenciosa de Bergoglio para enfrentar a ditadura na Argentina dos anos 1970, foi comparada à atuação de dom Eugênio, no Rio, nesse mesmo período.

No dia 2 de março de 2008, reportagem de José Casado em *O Globo* revelou que o então cardeal arcebispo do Rio de Janeiro, dom Eugênio Sales, já falecido, abrigou mais de 4 mil pessoas perseguidas pelos regimes militares do Cone Sul entre 1976 e 1982. A notícia deu nova dimensão histórica à hierarquia do episcopado brasileiro. Para integrantes da Conferência Nacional dos Bispos do Brasil (CNBB), a atuação do cardeal, de linha conservadora, durante o regime militar explicitou seu papel estratégico para a unidade da Igreja no Brasil. Bispos ressaltaram que a ação silenciosa de dom Eugênio foi fundamental para manter a identidade da Igreja brasileira mesmo diante das divergências de opção pastoral daqueles tempos — entre progressistas e conservadores. Na CNBB, a postura do cardeal foi vista como um dos fatores que permitiram que a atuação da Igreja Católica do Brasil fosse diferente da atuação da Igreja Católica da Argentina durante as ditaduras militares no continente, entre os anos 1970 e 1980. Enquanto o episcopado brasileiro se unia na oposição à ditadura, a hierarquia católica argentina apoiava o regime militar. Para o ex-secretário-geral da CNBB, ex-bispo auxiliar do Rio e atual arcebispo de Campo Grande, dom Dimas Lara Barbosa, a linha de atuação de dom Eugênio integrava a Igreja em torno da defesa da pessoa e dos direitos humanos:

> O contexto histórico mostra que a atuação de dom Eugênio foi fundamental até mesmo para a unidade da Igreja no Brasil. Isso porque, apesar de divergências sobre a opção pastoral, nossa Igreja soube adotar a mesma linha na defesa dos direitos humanos. Fica claro que dom Eugênio sempre foi muito presente na defesa dos direitos humanos. Deu unidade à Igreja brasileira no que era essencial.

Dom Dimas Barbosa observou, ainda, que os fatos históricos revelaram a grande "espiritualidade" de dom Eugênio. "É um dos maiores líderes que nós tivemos." Para o arcebispo emérito de Juiz de Fora (MG), dom Eurico Veloso, a atuação do cardeal do Rio durante os anos 1970 e 1980 revelou que houve um trabalho silencioso em favor dos refugiados políticos. O arcebispo ressaltou que a influência de dom Eugênio no Vaticano permitiu a continuidade do diálogo com o governo durante o regime de exceção:

> Dom Eugênio sempre funcionou como um intermediário da Igreja. Era nosso representante diante de qualquer necessidade. Isso mostra que ele é uma autoridade que sempre esteve a serviço e nunca em busca do poder. Apesar de taciturno e calado, ele sempre soube usar sua palavra viva no momento certo e oportuno.

A avaliação reservada feita na CNBB é que não houve uma divisão acentuada da Igreja do Brasil graças à ação conciliadora de alguns setores conservadores do episcopado. Diferentemente de outros países latino-americanos, o diálogo entre os dois grupos — progressistas e conservadores — foi mantido entre os religiosos brasileiros. A habilidade de dom Eugênio Sales também é considerada fundamental para barrar algumas ações do regime militar contra integrantes do clero progressista. Gestos como esse foram reconhecidos por todos os setores do episcopado, o que acabou propiciando uma transição mais suave e um diálogo permanente. Para o bispo emérito de Jales (SP), dom Demétrio Valentini, representante da ala progressista da Igreja que presidiu a Cáritas no Brasil, o cardeal Eugênio Sales soube usar sua relação com o regime militar para ações humanitárias:

> Dom Eugênio tinha uma relação boa com as autoridades militares. Essa confiança que o governo tinha nele respaldou-o em suas ações. O bom trânsito no regime ditatorial permitiu eficiência dele ao ajudar refugiados políticos. Penso que, agora, com a distância dos acontecimentos históricos, dom Eugênio aparece em um contexto em que ressalta sua importância.

A reportagem de *O Globo* revelou a atuação de Eugênio Sales entre 1976 e 1981, quando militares argentinos transitaram pelo Rio e realizaram prisões e sequestros, com apoio local. Em documentos, funcionários do governo dos Estados Unidos registraram essas ações, assim como os temores do cardeal Sales em relação aos agentes argentinos. A partir de 1976, o Rio serviu de refúgio para mais de 4 mil refugiados das ditaduras na Argentina, no Chile, no Uruguai e no Paraguai, como registram arquivos da arquidiocese, da Cáritas local, da Comissão Brasileira de Justiça e Paz e do Alto Comissariado das Nações Unidas para Refugiados (Acnur).

Entre 1976 e 1982, os jardins e o pátio interno do Palácio São Joaquim, na Glória, retrataram o cotidiano dessa diáspora sul-americana, com os argentinos em esmagadora maioria, revelou o jornalista José Casado:

> Ironia da história: joia da influência do ecletismo na arquitetura local, na transição para o século XX, o palácio episcopal saiu da prancheta de Adolfo Morales de Los Rios, arquiteto espanhol que desembarcara na cidade por volta de 1890 como refugiado político.

O caos na sede da arquidiocese carioca aumentava na cadência da repressão no Cone Sul. A situação era crítica na Argentina: "Detidos ilegalmente chegam a milhares, muitos foram torturados e assassinados", reportava Maxwell Chaplin, número dois da diplomacia americana em Buenos Aires, em memorando a Washington. "Muitas das vítimas são inocentes", acrescentava. Foram alugados quartos em hotéis do Centro, Lapa e Copacabana. Em pouco tempo, o número de desembarques no Rio chegou a quinze por semana, liquidando previsões ou orçamentos. O sistema de apoio assentado no voluntariado entrou em colapso. O cardeal mandou abrir os cofres da Mitra, órgão administrador do patrimônio da arquidiocese. Sua única exigência foi o silêncio absoluto.

O cardeal Sales revelou a *O Globo*, em sua grande última entrevista antes de falecer, anos depois:

> Eu não tinha, e nem nunca tive, interesse em divulgar nada disso. Queria que as coisas funcionassem, e o caminho, naquele momento, era esse, o caminho de não pisar no pé [do governo]. Se eu piso no pé de quem tem uma unha encravada, posso não conseguir nada. Agora, só não posso é ser subserviente.

A ONU ouviu os apelos e autorizou transferências emergenciais do escritório local do Programa das Nações Unidas para o Desenvolvimento (Pnud) para a Cáritas. Oitenta apartamentos foram alugados de forma permanente em bairros como Centro, Lapa, Flamengo, Copacabana, Botafogo, Cidade Nova, Tijuca, Bairro de Fátima, Santo Cristo, Rio Comprido, Bonsucesso, Grajaú e Andaraí. A ajuda incluía dinheiro para gastos pessoais (comida, vestuário e higiene), assistência médica (clínica, dentária e psicológica) em tempo integral, principalmente para crianças, e auxílio jurídico na tramitação de pedidos de asilo em países europeus.

Garantia-se a sobrevivência aos refugiados, mas não a vida. Estavam em um país onde os órgãos de segurança bradavam onipotência diante do general-presidente e apoiavam as ditaduras vizinhas em ações de sequestros, prisões e torturas executadas dentro das fronteiras brasileiras. Em *Diálogos na sombra: bispos e militares, tortura e justiça social na ditadura*, o brasilianista norte-americano Kenneth P. Serbin ressalta que, se de um lado alguns bispos denunciavam a prática de tortura no exterior, como fez dom Hélder Câmara em Paris, em maio de 1970, outros manifestavam-se somente dentro do Brasil, como dom Paulo Evaristo Arns. Existiu, ainda, uma terceira vertente, dos que permaneceram sem se pronunciar abertamente — caso de dom Eugênio. Na análise de Serbin, dom Eugênio foi alguém que trabalhou permanentemente nos bastidores: "Ele foi o expoente máximo da diplomacia telefônica", argumentou, explicando que, quando necessário, o bispo telefonava a um general ou até mesmo ao presidente. Essa vertente discreta foi a que mais atuou na série de reuniões secretas — chamada de Comissão Bipartite. "A Bipartite teve diálogo o mais informal possível, entre outras coisas, porque havia grande dificuldade de saber, durante o governo de (Emilio Garrastazu) Médici, quem detinha o poder, quem mandava", analisou Serbin.

Em artigo para o jornal *Correio Braziliense*, Paulo Paniago ressalta que essas reuniões eram sigilosas. Tanto, que nem o então ministro de Estado Jarbas Passarinho sabia da existência delas, segundo constatou o próprio Serbin ao entrevistar o ex-ministro em Brasília. Mas, o que queriam, nessas reuniões, um e outro lado? Como diz o texto:

> A resposta era enganosamente simples: as duas mais importantes instituições brasileiras precisavam uma da outra. Os generais queriam a bênção dos bispos a seu regime, e os prelados queriam a garantia dos privilégios e do espaço doutrinal concedidos à Igreja, de uma forma ou de outra, desde o início da história do Brasil. Tanto os generais quanto os bispos acreditavam que poderiam modificar as ideologias uns dos outros. Os militares enfatizavam os perigos do comunismo, enquanto a Igreja apontava para a necessidade de justiça social.

A presidente argentina Cristina Kirchner e o papa Francisco no Vaticano, em 19 de março de 2013.

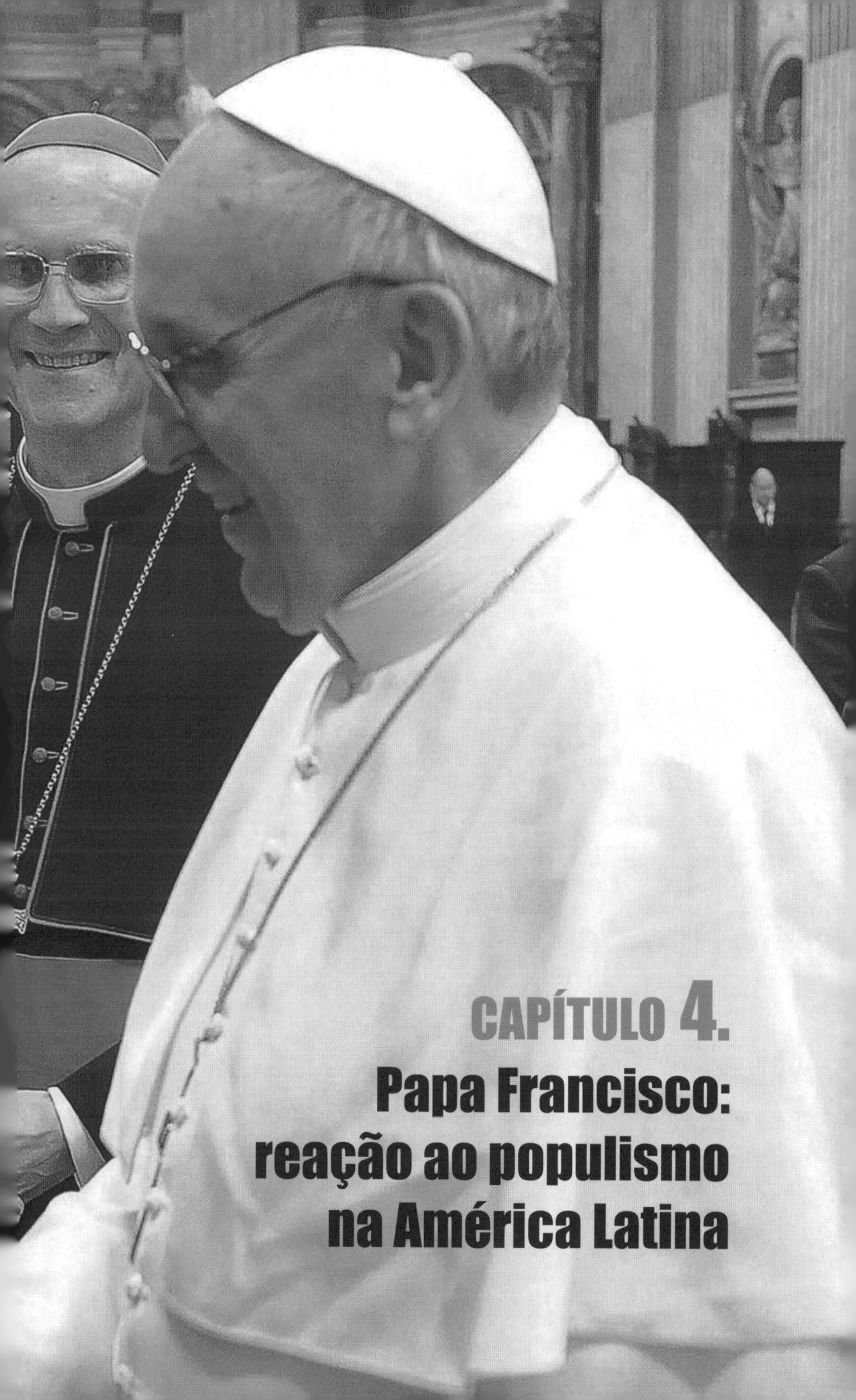

CAPÍTULO 4.

Papa Francisco: reação ao populismo na América Latina

Um dia depois do fim do Conclave, um cardeal eleitor foi categórico: a eleição do papa argentino poderia significar um importante contraponto para o surgimento em série de governos populistas e até mesmo com viés autoritário na América Latina. Dentro do Vaticano, esse cardeal foi além e traçou um paralelo importante entre a escolha de Francisco e a de João Paulo II, em 1978. Uma das principais marcas do pontificado do polonês Karol Wojtyla foi sua ação efetiva para a queda do muro de Berlim e sua atuação pelo fim do comunismo. Naquela ocasião, os cardeais foram buscar na Polônia um papa que tinha como marca pastoral a experiência de enfrentar um regime comunista para poder professar a fé católica.

Observou esse cardeal, de forma reservada:

> Agora, acontece o mesmo. Os regimes populistas na América Latina ameaçam a fé católica. Isso acontece em países como a Venezuela, Bolívia, Equador e a própria Argentina. A experiência de Francisco pode ajudar a frear o crescimento de governos que tentam enquadrar a Igreja. Uma voz independente nesses países

sempre incomoda. E a primeira reação desses governos tem sido a de desqualificar a Igreja.

Com uma ação pastoral forte em Buenos Aires e com opção clara por uma Igreja preferencial pelos pobres, o novo papa Francisco passa a ser um contraponto importante para a população carente da América Latina, que abriga 42% dos católicos de todo o mundo. A Santa Sé já atuava de forma clara para condenar governos populistas e autoritários no continente. Em Aparecida, em um duro discurso, Bento XVI chegou a condenar de forma explícita o crescimento de governos autoritários no continente.

Em uma fala que foi interpretada como um recado direto ao então presidente da Venezuela, Hugo Chávez, disse Bento XVI em 2007:

> Na América Latina e Caribe, assim como em outras regiões, tem havido uma evolução da democracia, ainda que haja motivo de preocupação diante de formas de governo autoritárias e sujeitas a certas ideologias que se imaginam superadas e que não correspondem com a visão cristã do homem e da sociedade, como nos ensina a doutrina social da Igreja.

Mas a expectativa é que, agora, com um papa latino-americano, essa seja uma questão permanente para a Santa Sé. "A própria existência de Francisco já serve como uma nova referência para a população do continente", reconheceu um arcebispo brasileiro. Esse novo xadrez político na América Latina ficaria claro nos primeiros encontros do papa Francisco com chefes de Estado. Um dia antes da missa que marcou o início de seu pontificado, Francisco recebeu para um almoço na Casa Santa Marta a presidente da Argentina, Cristina Kirchner. Foi a primeira visita de um chefe de Estado ao pontífice. Os dois tiveram uma conversa de quinze minutos antes do almoço. Em seu estilo espontâneo, Francisco quebrou o gelo com seu antigo desafeto quando era arcebispo da capital argentina ao dar um beijo no rosto da presidente de seu país. Como manda o protocolo, os dois trocaram presentes. Cristina deu de presente ao papa um *kit* para tomar chimarrão, com cuia, garrafa térmica e açucareiro, explicando cada detalhe do presente. A presidente recebeu de Francisco uma maiólica com a imagem da Basílica de São Pedro. O porta-voz do Vaticano, padre Federico Lombardi, considerou como "natural" o fato de o papa receber a presidente da Argentina, o país do pontífice, de maneira "diferente" da do restante das delegações que assistiriam no dia seguinte à missa de inauguração de seu pontificado. Mas o gesto teve um significado especial para a Argentina.

A última reunião particular entre Cristina e Bergoglio havia acontecido em 2010. A relação entre o casal Kirchner e o cardeal Bergoglio sempre foi turbulenta. Um dos principais pontos de discórdia foram as aprovações de leis sobre temas polêmicos, como o aborto e o casamento *gay*. O clima beligerante do casal com o arcebispo de Buenos Aires era tamanho que o então presidente, Néstor Kirchner, já falecido, rompeu uma tradição que acontecia desde 1810 e preferiu não ir à missa do *Te Deum* de 25 de maio, que comemora a Revolução de Maio, primeiro passo para a independência da Argentina. Ao sair do encontro na Casa Santa Marta, Cristina Kirchner revelou que pediu ao papa Francisco ajuda para forçar o Reino Unido a abrir um diálogo com seu país sobre o controle das Ilhas Malvinas. "Foi isso que pedimos ao papa Francisco. Sua intervenção para reabrir o diálogo entre as duas partes", disse Cristina. Ela lembrou que, em 1978, o então papa João Paulo II havia intercedido para encontrar uma solução diplomática, e, com isso, evitar uma guerra entre as ditaduras da Argentina e do Chile que disputavam um espaço territorial.

Independentemente do conteúdo da conversa, o encontro no Vaticano mostrou a existência de um novo ator político com legitimidade não só na Argentina, mas em toda a América Latina. Até então muito hostil ao cardeal Bergoglio, Cristina teve que mudar o tom de seu discurso assim que retornou a Buenos Aires. Ela disse em sua conta no Twitter: "Ao entrar no local, fui tocada por uma tranquilidade perfeita e me senti, pela primeira vez nesse lugar, mais argentina que nunca". Ela ainda revelou: "Antes de seguir ao refeitório, o papa voltou e me disse: 'Tenho algo especial para a senhora e quero que guarde'. Ele me entregou uma rosa branca. 'É o símbolo de santa Teresinha, para quem sempre rezo'". Pela rede social, disse que convidou o pontífice para visitar a Argentina, "seu país", e continuou explicando que, após duas horas de almoço e chimarrão — "com o que eu lhe levei", especificou a presidente —, o papa Francisco a acompanhou até a porta para se despedir. Ela postou várias mensagens para explicitar a proximidade e demarcar uma nova relação com o agora papa Bergoglio. "Também conversamos sobre os jovens, e ele disse que alcançamos algo que não se via há tempos: que a juventude se interesse pela política. Tocou-me o coração", ressaltou Cristina.

A eleição de Bergoglio havia assustado a Casa Rosada, sede do governo argentino. Uma coisa era enfrentar um cardeal. Outra bem diferente seria rivalizar com um papa argentino. Diante disso, mudou radicalmente a estratégia política. Naqueles dias, as ruas de Buenos Aires foram tomadas por um anúncio publicitário em que Cristina Kirchner aparecia na foto entregando de presente ao papa Francisco o jogo de chimarrão, com a seguinte frase: "Compartilhamos esperanças". Naqueles dias, a força do papa argentino ficaria explicitada em um gesto simples. No dia da missa que inaugurou seu pontificado, Francisco surpreendeu uma multidão de fiéis católicos argentinos que esperaram durante toda a madrugada pelas imagens do Vaticano que foram reproduzidas em um telão, em frente à catedral de Buenos Aires. Cerca de 50 mil fiéis estavam na Praça de Maio, apesar da madrugada fria. Uma voz inesperada foi ouvida por todos, proveniente dos alto-falantes. Era um telefonema do papa, direto do Vaticano: "Quero lhes pedir um favor, que caminhemos juntos, que cuidemos uns dos outros (...) cuidar da vida, cuidar da família, da natureza. Não se esqueçam deste bispo, que, apesar de longe, ama muito vocês".

A ligação foi feita horas antes da missa que inaugurou seu pontificado. A cerimônia juntou cerca de 230 mil pessoas na Praça São Pedro, em Roma, além de delegações de mais de 150 países. Compareceram trinta e um chefes de Estado, inclusive a argentina Cristina Kirchner, a brasileira Dilma Rousseff, além de outros mandatários da América Latina. Em seu discurso, Francisco pediu a defesa dos mais fracos da sociedade e do meio ambiente. E deu um conselho: "Deixem de lado a inveja e não falem mal de ninguém". Naquele dia, o papa recebeu o anel de pescador, em uma referência a são Pedro, o primeiro papa. A entrega da joia, feita pelo cardeal decano Angelo Sodano, marcou o início do 266.º pontificado da Igreja Católica. Em mais um gesto para marcar seu estilo, ele escolheu um anel de prata folhado a ouro. O anel de Bento XVI e o de vários outros pontífices eram feitos de ouro.

No dia seguinte, o papa Francisco recebeu no Vaticano a presidente Dilma Rousseff. Até então, a brasileira resistia a viajar até Roma para comparecer à posse do novo papa. Foi convencida de que sua ausência poderia desgastar ainda mais sua relação com a Igreja e de que era preciso fazer um gesto, já que a primeira grande agenda internacional do papa Francisco era a Jornada Mundial da Juventude, no Rio de Janeiro. Segundo interlocutores da presidente, também pesou em sua decisão o argumento de que o encontro geraria uma agenda extremamente positiva para a presidente Dilma, já que ela se encontraria com o papa no auge de sua popularidade. Ou seja, houve uma dose de pragmatismo na decisão de Dilma. A viagem só não foi melhor para ela por causa da notícia divulgada pelo jornal *Folha de S.Paulo*, que fez um levantamento sobre os custos da hospedagem da comitiva presidencial, que ficou em um hotel de luxo em Roma. A própria Dilma ficou hospedada em hotel, em vez de na sede da Embaixada do Brasil na Itália, situada no imponente Palácio Pamphili.

Antes da visita, havia um forte desconforto da Igreja em relação à presidente Dilma e do Planalto em relação a Bento XVI. O *site* G1 revelou no *blog* de política que o silêncio da presidente Dilma Rousseff sobre a renúncia do papa chamou a atenção de integrantes da cúpula da CNBB. Nas palavras de um influente bispo, "faltou sensibilidade à presidente Dilma". Outro bispo reforçou o sentimento da Igreja no Brasil. "A notícia repercutiu em todo o mundo. É uma pena o silêncio de Dilma", estranhou esse prelado. O consenso na CNBB era que Dilma havia guardado mágoas da campanha de 2010, quando Bento XVI enviou mensagem com uma posição da Igreja contra o aborto aos bispos do Maranhão, que o visitaram na ocasião. Os bispos ressaltaram, na época, que até o presidente dos Estados Unidos, Barack Obama, havia divulgado uma mensagem sobre a renúncia do papa. E que, por isso, a presidente do maior país católico do mundo também deveria ter se pronunciado. Só dois dias depois da renúncia, no lançamento da Campanha da Fraternidade, o ministro Gilberto Carvalho, da Secretaria Geral da Presidência, se pronunciou em nome do governo. Ao lado do secretário-geral da CNBB, dom Leonardo Steiner, o ministro afirmou que "o governo brasileiro não se apressou em fazer nenhum grande pronunciamento", mas destacou o respeito de Dilma pelo papa. "Eu quero atestar, em nome da presidente Dilma, que nossa posição em relação a Bento XVI é de respeito, reverência e de desejo muito forte de que ele possa contribuir com a Igreja no plano espiritual nessa nova vida que está escolhendo", disse Carvalho na sede da CNBB. Antes do lançamento, o ministro teve um encontro reservado com dom Leonardo. Era preciso pacificar a relação. Ao final do evento, dom Leonardo foi direto em entrevista ao Jornal das Dez, da Globo News. Questionado sobre o motivo do silêncio de Dilma, ele respondeu:

"Essa pergunta tem que ser feita à presidente Dilma". Só no dia oficial da renúncia a presidente do Brasil soltou uma nota.

Mas, até o encontro com o novo papa, ainda haveria outro episódio que causaria desconforto aos integrantes da CNBB. A primeira manifestação pública de Dilma sobre Francisco foi considerada desastrosa, inclusive por integrantes do Itamaraty. Ao sair de uma exposição do pintor italiano Tiziano, no centro de Roma, a presidente Dilma Rousseff demonstrou pouca habilidade sobre questões da Igreja. Ela afirmou que não basta ao papa defender os pobres, mas também compreender as "opções diferenciadas das pessoas". "Eu acho que ele tem um papel a cumprir. A defesa dos pobres é uma posição importante. É claro que o mundo pede, hoje, além disso. Que as pessoas sejam compreendidas e que suas opções diferenciadas sejam compreendidas", declarou Dilma. Ela não explicou que opções diferenciadas seriam essas, mas, antes de se tornar papa Francisco, o cardeal Jorge Mario Bergoglio, na condição de arcebispo de Buenos Aires, já havia se posicionado de forma clara sobre questões como o aborto e o casamento de pessoas do mesmo sexo.

Já na manhã do dia 20 de março, depois do encontro com o papa Francisco, a presidente Dilma Rousseff parecia outra pessoa em relação à Igreja. Estava extremamente simpática ao deixar o Vaticano. E chegou a fazer piada ao ser provocada por um jornalista argentino. "Eu acho que vocês têm muita sorte. É um grande papa. A Argentina está de parabéns. Agora, nós sempre dizemos: o papa é argentino, mas Deus é brasileiro." Apesar da agenda lotada daqueles dias, Francisco recebeu Dilma por meia hora. Pelo relato da presidente do Brasil, os dois conversaram sobre combate à pobreza e prevenção ao uso do *crack*. "Ele é uma pessoa extremamente carismática, e ao mesmo tempo tem um grande compromisso com os pobres", elogiou. "É um papa muito modesto. Ele comentou que não se pode ter orgulho nem pretensões. Deve-se lutar para fazer as coisas direito. E lembrar sempre que se tem um peso nas costas."

Dilma destacou o fato de ter sido a primeira a encontrá-lo depois da missa inaugural do pontificado, no dia anterior. "O papa falou: 'Você pode falar que é a primeira vez que estou recebendo alguém aqui'", ressaltou. A presidente disse também que o novo papa foi solidário para com o país pela tragédia do incêndio que matou 241 jovens em uma boate na cidade gaúcha de Santa Maria. "Ele disse: 'Fiquei muito comovido com o que aconteceu em Santa Maria. Em Santa Maria, o Brasil demonstrou força e ternura'. Eu fiquei muito agradecida." A presidente Dilma presenteou o papa Francisco com dois azulejos desenhados pelo artista Athos Bulcão e que compõem a fachada da igreja de Nossa Senhora de Fátima, conhecida como Igrejinha, em Brasília. As peças retratam a pomba do Espírito Santo e da estrela de Belém, dois símbolos da Igreja Católica. Dilma contou que ganhou do papa um livro com o texto do documento final de Aparecida, de 2007. "Ele disse assim: 'Não leia tudo, porque vai se entediar. Pegue o índice e vá lendo aos poucos'." Um exemplar do mesmo livro havia sido dado pelo papa à presidente da Argentina.

Bergoglio foi um dos principais responsáveis pelo conteúdo do documento de Aparecida. Nas 118 páginas em espanhol, que tiveram o aval de todos os bispos da América Latina e a aprovação do papa Bento XVI, um tópico sobre democracia mostra de forma clara a posição da Igreja para o continente:

> Reconhecemos como fato positivo o fortalecimento dos regimes democráticos em muitos países da América Latina e do Caribe, como mostram os processos eleitorais. No entanto, vemos com preocupação o acelerado avanço de diversas formas de retrocesso autoritário por via democrática que derivam em alguns casos em regime de corte neopopulista.

Para o anfitrião de Aparecida, cardeal Raymundo Damasceno, a eleição de Francisco dará uma nova dimensão ao documento produzido pelos bispos do continente. "Como o papa Francisco foi o autor do texto final de Aparecida, o documento passa a ter uma nova importância. Nele está contida boa parte do pensamento do novo papa para a Igreja", destacou Damasceno. Não foi por acaso a inclusão desse tópico sobre democracia no documento de Aparecida. Nos países dos continentes, houve uma ampliação significativa de confrontos entre a Igreja e os governos considerados populistas. Isto porque essas lideranças optavam, em muitos casos, por ações que eram contrárias ao pensamento católico. O posicionamento da Igreja tem sido de criticar políticas exclusivamente assistencialistas desses governos. Em resposta, presidentes da América Latina têm atacado constantemente arcebispos locais, como ocorreu com o próprio Bergoglio na Argentina. Mas esse não foi o único caso de destaque e nem o principal. Para o Vaticano, já aconteceram episódios bem mais graves no continente.

Confronto diplomático entre o governo Chávez e a Santa Sé

Os anos de 2007 e 2008 foram especialmente tensos para a Igreja Católica na Venezuela. Em novembro de 2007, no mesmo dia em que se reuniu com Bento XVI em Roma, a presidência do Celam (Conselho Episcopal Latino-Americano) enviou uma carta de solidariedade aos bispos da Venezuela diante dos ataques que o episcopado havia sofrido após expressar sua opinião sobre o projeto de reforma constitucional. A carta, enviada a dom Ubaldo Santana, arcebispo de Maracaibo e então presidente da Conferência Episcopal da Venezuela, apoiou a posição emitida pelos bispos venezuelanos no dia 19 de outubro: "Iluminar, com base em uma avaliação ética, o parecer e a decisão que sobre o projeto de reforma corresponde aos venezuelanos assumir, em assunto de tamanha importância para o presente e o futuro do país". O documento qualificou de

Papa Bento XVI usando um *sombrero* mexicano, na cidade de León, México, em 25 de março de 2012.

Fidel Castro, presidente de Cuba, e o papa João Paulo II no aeroporto de Havana, em 21 de janeiro de 1998.

"inaceitável à luz da doutrina social da Igreja" a reforma constitucional que o então presidente Hugo Chávez havia lançado naquela ocasião. Na sequência, os bispos da Venezuela publicaram um comunicado no qual reiteravam que a proposta de reforma constitucional era "inaceitável". Cerca de 16 milhões de venezuelanos estavam convocados a votar, no dia 2 de dezembro de 2007, para se pronunciar sobre a proposta do presidente Hugo Chávez, no quinto referendo nacional desde sua chegada ao poder, em 1999. Chávez acabou derrotado no referendo. O comunicado emitido pela Conferência Episcopal afirmava que "tal reforma é desnecessária, moralmente inaceitável e inconveniente para o país". "Além de restringir muitos direitos humanos civis, sociais e políticos consagrados na Constituição, cria motivos de discriminação política e introduz novos campos de confronto e polarização entre os venezuelanos", afirmava o comunicado. Com a derrota de Chávez, dom Ubaldo Santana afirmou que a Igreja seguiria chamando "aos caminhos de paz", em uma crônica ao jornal *El Universal*. O prelado se mostrou "muito orgulhoso" pelo "excelente comportamento democrático que o povo venezuelano" havia demonstrado.

Mas a crise entre a Igreja e Chávez não havia acabado. Uma semana depois, Bento XVI manifestou sua solidariedade ao cardeal arcebispo de Caracas, Jorge Liberato Urosa Savino, que fora agredido por um grupo de simpatizantes do governo venezuelano no dia 7 de dezembro. Como revelou o próprio cardeal Urosa, o ataque acontecera ao sair de sua residência de carro com seu motorista. "Foram cerca de quinze pessoas, que integram o grupo violento chamado 'La esquina caliente'", explicou em uma nota, fazendo referência a um grupo que afirmava ser simpatizante de Hugo Chávez. "Não houve proteção por parte da Polícia de Caracas, localizada às portas do Conselho Municipal", denunciou o purpurado, que tentou inutilmente estabelecer contato com o ministro do Interior daquele país, Pedro Carreño. Em fevereiro de 2008, a Conferência

Episcopal Venezuelana e o Conselho Nacional de Leigos deploraram o atentado contra a sede da Nunciatura Apostólica no país. Um artefato explosivo de baixo poder estourou em 14 de fevereiro nas portas da sede do representante do papa em Caracas, causando danos pequenos. A fachada da sede diplomática foi também pintada com mensagens políticas. Um comunicado emitido pela presidência da Conferência Episcopal Venezuelana manifestou sua preocupação com o atentado. Em 27 de fevereiro, militantes tomaram de maneira violenta o Palácio Arquidiocesano de Caracas e desalojaram os funcionários. Entre os militantes, alguns tinham o rosto coberto com capuzes e com imagens de Che Guevara. O grupo leu um comunicado no qual reivindicou o "poder do povo soberano". A ação obrigou um grupo de pessoas que trabalhava no escritório do cardeal e arcebispo Jorge Urosa a sair. A Polícia Metropolitana foi chamada. O cardeal Jorge Urosa rejeitou a ocupação do arcebispado por um grupo radical, que se declarara favorável ao presidente do país, Hugo Chávez, e afirmou na ocasião que era responsabilidade do governo venezuelano evitar que se repetissem atos de violência. "Esta escalada de violência deve cessar, e isso cabe ao governo. Todos os setores devem contribuir para que haja paz, harmonia e concórdia. As diferenças se diluem com diálogo e em democracia", declarou o cardeal ao canal privado Globovision. O purpurado lamentou que nenhuma autoridade houvesse atendido às suas ligações para denunciar a invasão da sede arquiepiscopal, e exigiu "respeito pela Igreja, pelos que trabalham comigo, por minha pessoa e pelos sacerdotes".

México e Bolívia: passado e presente

A situação delicada da Igreja com um governo na América Latina não ficou restrita à Venezuela. Em maio de 2008, o presidente da

Bolívia, Evo Morales, voltou a suscitar polêmica com a Igreja Católica com relação à participação do cardeal Julio Terrazas no diálogo entre o Poder Executivo e os prefeitos das regiões separatistas. A Igreja Católica advertiu, na ocasião, que poderia se retirar do processo de negociação se o cardeal fosse excluído. Diferentes membros do governo fizeram declarações advertindo que aceitariam a Igreja como mediadora, mas sem a presença do cardeal Terrazas. Havia desconforto do governo boliviano com a participação do purpurado no processo do referendo pelo Estatuto Autonômico de Santa Cruz. Um pouco antes, no dia 15 de março, após uma reunião com o presidente Evo Morales em Santa Cruz, o cardeal Terrazas abriu um processo de facilitação entre o Executivo e os prefeitos opositores, para o qual designou o bispo Jesús Juárez como delegado para iniciar as gestões. Após o fracasso nas negociações, no dia 7 de abril, o cardeal Terrazas e o presidente tiveram o primeiro choque. O purpurado considerou infundada a versão do Executivo com relação à existência de "escravos" na província Cordillera de Santa Cruz. Rapidamente, Morales disse que se sentia "traído pela cúpula da Igreja". Posteriormente, a decisão do cardeal Terrazas de votar no referendo do dia 4 de maio aumentou a crise com o Executivo. Morales acusou a Igreja de atuar como um "sindicato opositor" à sua gestão. A Igreja Católica, por sua parte, pediu mais respeito, diante das declarações do presidente Evo Morales. O então secretário-geral da Conferência Episcopal da Bolívia (CEB), bispo Jesús Juárez, ressaltou a importância do papel da Igreja na sociedade boliviana, razão pela qual pediu às autoridades do governo, especialmente a Morales, que fossem mais cuidadosas com as declarações. "Conhecemos o senhor presidente, mas eu penso que a instituição da Igreja merece mais respeito, consideração, e acho que essa linguagem não é digna de um primeiro mandatário de uma nação", ressaltou o bispo Juárez na ocasião. Para referendar o cardeal Terrazas, a Santa Sé o convidou a ir ao Vaticano, onde foi recebido pelo papa Bento

XVI. Com relação aos questionamentos do governo boliviano à Igreja, o cardeal afirmou:

> O Santo Padre sabe que em todos os lugares nos questionam; além disso, não só nos questionaram porque podemos dizer palavras: questiona-se sempre a palavra de Deus, a palavra do Evangelho, que, quando chega com exigências, nem sempre alegra a todos. E sabemos, também, pelas próprias palavras do Senhor, que não somos juízes daqueles que não aceitam essas palavras, e também não os podemos condenar.

A posição do Vaticano na Venezuela e na Bolívia para referendar os purpurados não foi por acaso. Está na memória da Santa Sé o registro de um passado recente de tensão no México. Tanto que, em maio de 2008, ao se completarem quinze anos do assassinato do cardeal Juan Jesús Posadas Ocampo no estacionamento do aeroporto internacional de Guadalajara, os bispos mexicanos advertiram que "as investigações do caso não avançaram o suficiente para conhecer e desvendar a responsabilidade dos autores intelectuais e materiais do crime". O assassinato do cardeal Posadas Ocampo ocorreu em 24 de maio de 1993, e no ato morreram outras seis pessoas, entre elas o motorista do purpurado mexicano. Mediante um comunicado de imprensa intitulado "15 anos sem conhecer a verdade", em nome dos bispos mexicanos, o secretário-geral da Conferência do Episcopado Mexicano (CEM) e bispo auxiliar de Guadalajara, dom José Leopoldo González González indicou que "muitos indícios apontam à hipótese de um crime de Estado, ou seja, um homicídio no qual teriam participado, como cúmplices em diversos graus, algumas pessoas que ocupavam então cargos em diferentes instâncias do governo". Aderindo às hipóteses dos advogados do caso, junto com o atual arcebispo de Guadalajara, o cardeal Juan Sandoval Íñiguez, o secretário-geral da CEM sublinhou que "foram constatadas graves falhas na investigação, inclusive a ocultação e desvio de provas e conclusões, assim como violações graves e contínuas no processo". "Isso fez com que os fatos continuem impunes e a verdade não se torne pública", indicou o prelado mexicano em um duro comunicado distribuído em Guadalajara.

Outro episódio que marcou profundamente a Igreja no continente foi o assassinato, em 1980, do arcebispo salvadorenho Óscar Romero, enquanto celebrava missa na capela do pequeno hospital Divina Providência, que atende a doentes de câncer. Ficou provado que o crime foi encomendado pelo governo de direita de El Salvador. Sua morte provocou uma onda de protestos em todo o mundo e pressões internacionais por reformas no país. Apesar de conservador, dom Óscar Romero fazia uma defesa contundente de uma Igreja preferencial pelos pobres. Mais de três décadas depois do assassinato, a expectativa é que o papa Francisco acelere o processo de beatificação do arcebispo de San Salvador.

A investida da Santa Sé em Cuba

Em relação à ditadura comunista em Cuba, o Vaticano decidiu seguir a estratégia adotada para o Leste Europeu. Nos pontificados de João Paulo II e de Bento XVI, a Santa Sé adotou uma política para uma transição pacífica para um futuro pós-comunista na ilha caribenha. Em fevereiro de 2008, o Vaticano fez um gesto diplomático ousado em relação a Cuba. A maior autoridade do Vaticano depois do papa, o cardeal Tarcisio Bertone, secretário de Estado da Santa Sé, visitou a ilha. A viagem teve como objetivo oficial marcar o décimo aniversário da histórica visita de João Paulo II a Cuba, em 1998. Antes de ir, Bertone chegou a declarar que sua visita a Cuba não teria caráter político, mas eclesiástico. Mas a viagem teve, sim, uma marca política importante para o Vaticano. Cauteloso, Bertone chegou a fazer elogios ao regime cubano antes da visita. "Cuba é a prova de que o diálogo, quando sincero, sempre dá frutos. Desta forma, deve-se recordar que a Santa Sé sempre gozou da devida liberdade na escolha de seus próprios pastores", declarou. No que se referia às divergências da Igreja com o governo cubano, o cardeal pediu para um jornalista italiano que não as comentasse naquele momento, pois "não será delicado nem oportuno fazê-lo antes da visita".

Apesar de a Igreja em Cuba contar com poucos recursos humanos e materiais, Bento XVI explicitou seu objetivo com a visita de Bertone: uma grande missão de evangelização. O número dois do Vaticano chegou a Havana com uma mensagem do papa Bento XVI, na qual fazia alusão às restrições à Igreja ainda vigentes na ilha, cuja discussão esteve na pauta da visita. A Igreja trabalha, desde então, para aumentar os sacerdotes em Cuba, ampliar os meios de mídia próprios e ter permissão para visitar cadeias, por exemplo. "Não tema, pequeno rebanho", escreveu Bento XVI no texto em que fez menção a figuras caras ao regime, o padre Félix Varela (1788-1853), ligado ao herói da independência cubana José Martí (1853-1895). O pontífice tomou papel e caneta para dirigir-se aos bispos da ilha caribenha por ocasião do décimo aniversário da visita de João Paulo II. A carta foi entregue aos prelados pelo cardeal Tarcisio Bertone em seu primeiro dia de visita a Cuba por ocasião dessa celebração. Cuba, país com mais de 11 milhões de habitantes, dos quais 59,66% são católicos, é uma das nações do mundo com o maior número de católicos por sacerdote: 19.507. Em Togo, por exemplo, são 2.956; em Serra Leoa, 1.922; e na África do Sul, 2.798. Esse número era um claro indicativo das restrições cubanas à formação de sacerdotes. Na carta, Bento XVI reconhecia que "em certas ocasiões, algumas comunidades cristãs se veem constrangidas pelas dificuldades, pela escassez de recursos, pela indiferença ou inclusive pelo receio, que podem induzir ao desânimo". Apesar das dificuldades, o número de católicos em Cuba começava a crescer, segundo as fontes estatísticas. Na versão das Estatísticas Pontifícias de 2007, o percentual de católicos já alcançava 59,66% da população cubana. No Anuário de 2001, os católicos eram 55,26%, e no ano 1990, 41,21%. Esse crescimento aconteceu depois da aguda crise que a Igreja havia experimentado após a revolução comunista. Nominalmente, antes que Fidel Castro chegasse ao poder, os católicos eram 85%.

Um dia antes da visita, o assistente eclesiástico da associação católica internacional Ajuda à Igreja que Sofre, padre Joaquín Alliende, falou abertamente o que o Vaticano tentava esconder. Ele considerou que a renúncia de Fidel Castro naquele mesmo período seria "uma grande oportunidade para a Igreja", e animaria "todos os que amam a Igreja cubana" a acompanhá-la "nestes importantes momentos com a oração e com uma especial atenção, que nos façam ser ainda mais solidários para com ela", como divulgou a agência de notícias católicas, Zenit. Em tom ousado, o padre Alliende manifestou a esperança de que finalmente teria chegado o momento em que se tornaria realidade a visão que o papa João Paulo II formulou, dez anos antes, por ocasião de sua "inesquecível peregrinação" a Cuba. Nas palavras de Alliende, o "profeta e embaixador da liberdade de Cuba" rezou para que o povo cubano "abrisse o coração a Cristo, único redentor".

Ao chegar a Havana, Tarcisio Bertone disse esperar que sua presença desse "novo impulso" às relações entre a Igreja Católica e o Estado, para que os religiosos pudessem atuar "com a devida liberdade". Em missa na praça da catedral de Havana, o cardeal disse na homilia: "A Igreja deseja poder ampliar sem limite seu raio de ação em todos os âmbitos". Ele estava diante do então chanceler cubano, Felipe Pérez Roque, que assistia à celebração ao lado de outras autoridades. Cerca de 3 mil pessoas foram à praça, entre elas familiares de presos políticos. Um número muito pequeno. Dissidentes fizeram pedidos públicos para que o cardeal intercedesse pela soltura deles. "A Igreja pede ser reconhecida e respeitada em sua missão", continuou Bertone, que falou a favor da vida "desde a concepção". Cuba permite aborto.

Ainda que Bertone tenha dito que o objetivo da visita era "episcopal, e não geopolítico", e tenha evitado comentar as violações de direitos humanos cometidos em Cuba, sua presença na ilha colou-se à discussão da sucessão formal de Fidel, que ocorreu naquela semana. O cardeal Tarcisio Bertone também fez gestos em favor de Cuba e reforçou a oposição da Santa Sé, por razões éticas, ao embargo econômico contra aquele país.

De 20 a 26 de fevereiro, o purpurado italiano visitou quatro dioceses da ilha caribenha. Só no último dia da viagem, Bertone encontrou-se com o novo presidente de Cuba, Raúl Castro. Foi o primeiro encontro diplomático do irmão de Fidel no novo posto. No que se refere a seu encontro com o presidente Raúl Castro, o cardeal revelou que conheceu "um homem muito realista, aberto a discutir sobre todos os temas e preocupado pela manutenção dos valores, dos ideais". "Naturalmente, propus ao presidente Raúl também o problema dos prisioneiros de todo tipo, não só os prisioneiros políticos, assim como a atenção pastoral aos prisioneiros." Entre as reivindicações que fez à Igreja, o cardeal citou a falta de permissões para "a construção de novas igrejas". "Há muitas comunidades que nascem no âmbito popular, especialmente nos povoados, mas sem a possibilidade de reunir-se em uma igreja; só podem fazê-lo nas famílias."

Viagem de Bento XVI a Cuba e México

Esse encontro seria fundamental para preparar, anos depois, a viagem que Bento XVI faria a Cuba e México, que teve início no dia 23 de março de 2012. Já em 2013, depois de anunciar a renúncia, o Vaticano divulgou que a decisão de Bento XVI foi tomada depois da viagem aos dois países da América Latina, "já cansado e sem condições de cumprir uma agenda atribulada, aos 85 anos". Bertone chegou a afirmar que o papa tomou a decisão porque "notou que lhe faltam forças, embora não capacidade intelectual, que continua sendo extraordinariamente lúcida e fértil".

Mas, naqueles dias do ano de 2012, Bento XVI se esforçava para demonstrar vigor. Em uma entrevista concedida ainda a bordo do avião, ele afirmou que o comunismo não funcionava mais em Cuba e que a Igreja estava pronta para ajudar a ilha a encontrar novas maneiras de avançar sem "trauma". O papa foi além e disse a repórteres que "hoje, é evidente que a ideologia marxista, na forma como foi concebida não corresponde mais à realidade". Ao responder a uma pergunta sobre sua visita à ilha, o papa disse que "novos modelos devem ser encontrados com paciência e de uma maneira construtiva (...) queremos ajudar". Ele também pediu liberdade de consciência e religiosa para a ilha. Sobre o México, Bento XVI pediu que o narcotráfico fosse combatido e afirmou que era preciso "desmascarar o mal e a mentira", assim como a "idolatria do dinheiro, que converte os homens em escravos". No México, o papa foi recebido pelo presidente Felipe Calderón, e depois programou um longo descanso para se recuperar das catorze horas de voo.

Mas a grande expectativa era em relação a Cuba. No dia 28 de março, já na ilha, o papa encontrou-se com Fidel Castro, após realizar uma missa campal em Havana. Foi o primeiro encontro entre o líder da Revolução Cubana, que estava com 85 anos, e o papa, que na ocasião tinha 84 anos. Fidel chegou a anunciar o encontro: "Vou saudar com prazer Sua Excelência, o papa Bento XVI, como fiz com João Paulo II" — escreveu o líder cubano em suas "reflexões", publicadas regularmente em um *site* oficial. Fidel Castro se reuniu duas vezes com João Paulo II, em 1996, no Vaticano, e depois em sua histórica visita a Cuba, em 1998. Mas, antes do encontro, na missa para mais de 500 mil pessoas na Praça da Revolução, em Havana, o papa defendeu um espaço maior para a Igreja Católica em Cuba. Na celebração, que teve a presença do presidente cubano Raúl Castro, Bento XVI destacou que a liberdade religiosa é essencial. "Reconhecemos com alegria que, em Cuba, estão sendo dados passos para que a Igreja realize sua missão de expressar pública e abertamente sua fé", afirmou o papa em sua homilia na praça, local de grandes manifestações comunistas. "Para poder exercer esta tarefa, a Igreja há de contar com a essencial liberdade religiosa", precisou. O papa disse que a Igreja busca dar seu testemunho não apenas nas catequeses, mas também no âmbito escolar e universitário. As escolas católicas e todos os colégios particulares foram estatizados depois da chegada de Fidel Castro ao poder, em 1959. "É de se esperar que logo chegue aqui também o momento em que a Igreja possa levar aos campos do saber os benefícios da missão que seu Senhor encomendou e de que nunca pode descuidar", afirmou o papa. Naquela manhã, católicos cubanos partiram da catedral de Havana em uma procissão com a imagem de Nossa Senhora da Caridade do Cobre até a Praça da Revolução. As procissões religiosas estavam proibidas em Cuba desde os anos 1960 pelo então governo ateu de Fidel Castro, até que foram restituídas pelo líder da Revolução durante a visita do papa João Paulo II. O Estado cubano deixou o ateísmo em 1991 e passou a ser simplesmente laico. Em 1998, na mesma Praça da Revolução, e na presença de Fidel Castro, João Paulo II celebrou uma histórica missa na qual pediu que "Cuba se abra para o mundo para que o mundo se abra para Cuba".

Quase um ano depois, o jornal italiano *La Stampa* revelou que o *sombrero* típico do México que foi usado por Bento XVI naquela ocasião ajudou a esconder um machucado em sua cabeça; ele teria se acidentado na noite anterior. Segundo a reportagem, Bento XVI acordou de madrugada no quarto em que estava alojado, na cidade mexicana de León. Desorientado pelo sono, e sem encontrar o interruptor de luz, ele teria batido a cabeça na pia. O Vaticano confirmou o acidente, mas negou que isso houvesse afetado os compromissos do papa ou influenciado em sua decisão sobre a renúncia. Mas já era um sinal evidente dos limites de Bento XVI.

Papa Francisco lava pés de um detento na prisão juvenil Casal del Marmo, em Roma.

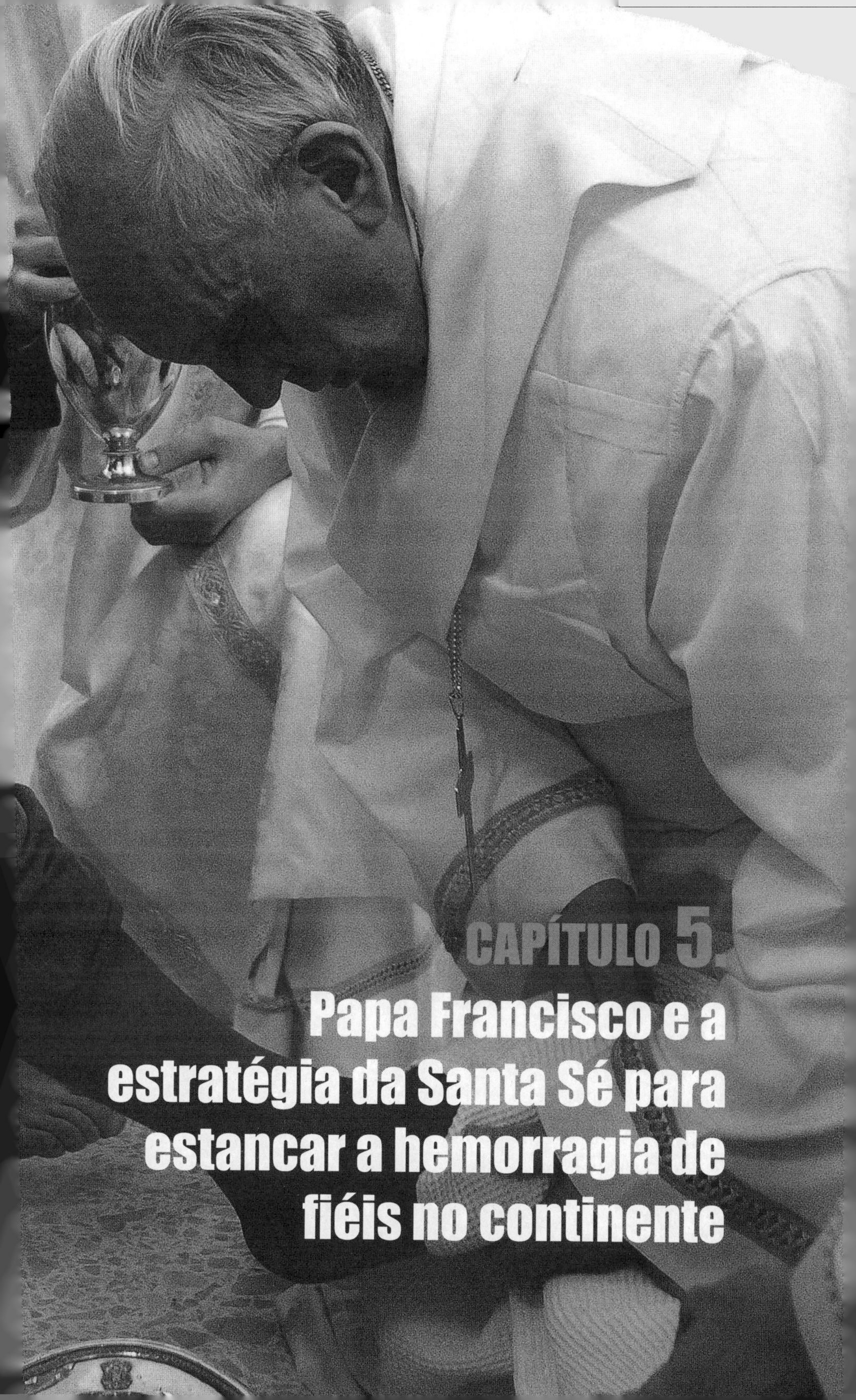

CAPÍTULO 5.
Papa Francisco e a estratégia da Santa Sé para estancar a hemorragia de fiéis no continente

O gesto do papa Francisco chamou a atenção do mundo. Mas, principalmente dentro do Vaticano. Houve certa resistência e espanto de algumas autoridades com a decisão do papa de quebrar uma tradição nas celebrações da Quinta-Feira Santa. Mas, depois, foram obrigadas a aceitar. Ele deixou o Vaticano para lavar os pés de doze presos de uma prisão de menores, entre eles duas moças. Pela primeira vez essa cerimônia não foi realizada no Vaticano ou na Igreja de São João do Latrão, em Roma. A inovação teve um grande significado para o mundo eclesiástico. O rito conhecido como lava-pés é uma tradição nas cerimônias católicas que antecedem a Páscoa. É uma referência ao gesto de Jesus Cristo, quando lavou os pés dos doze apóstolos. O local escolhido por Francisco para fazer o mesmo com doze jovens foi o Instituto Penal para Menores de Casal del Marmo. Ele beijou os pés de dez rapazes e duas moças — uma católica e outra muçulmana. Francisco deixou escapar, pela primeira vez, uma característica que já era apontada por alguns cardeais durante o Conclave: depois de muito tempo, o Vaticano passaria a conviver com um papa místico. "Quando me perguntaram qual lugar eu queria visitar, a escolha por Casal del Marmo me veio do coração. E as coisas do coração não têm explicação", contou Francisco.

Em vez da cerimônia solene com a presença do famoso coral do Vaticano, Francisco optou por algo simples. Os cantos eram embalados por música de violão. Participaram da celebração da missa os quarenta e seis jovens da instituição, com idades entre 14 e 21 anos, dentre os quais oito eram italianos e trinta e oito estrangeiros, a maioria do norte da África, e de diferentes religiões. Houve troca de presentes. Ele distribuiu pães e ovos de chocolate aos internos. E recebeu um crucifixo e um genuflexório — estrado em que as pessoas se ajoelham para rezar — feitos pelos próprios detentos. Francisco ainda beijou os adolescentes durante o momento da paz de Cristo e lhes deu pessoalmente a comunhão. Durante a homilia, pediu aos jovens que mantenham a esperança, mesmo dentro da prisão. "Estou feliz por estar aqui com vocês. Sigam em frente e não deixem que lhes roubem a esperança. Entenderam? Sempre com a esperança, adiante", disse Francisco. Na sequência, deu um conselho. "Esqueçam as irritações e as brigas. Ajudem uns aos outros. Isso é o que Jesus nos ensina. Ajudem-se sempre, assim se faz o bem."

Se foi novidade para o Vaticano, o gesto do novo papa já era uma tradição para ele. Quando era arcebispo de Buenos Aires, o então cardeal Jorge Mario Bergoglio costumava visitar a periferia da capital argentina com frequência para pregar e conquistar fiéis. Fazia seus deslocamentos de ônibus ou metrô. Além de prisões e centros de detenção de adolescentes, ele costumava visitar hospitais e organizações que cuidam de pessoas com câncer e com Aids. Certa vez, chegou a lavar os pés de pacientes com HIV. Ao comentar sobre a missa, Francisco disse que considera o lava-pés um carinho de Jesus. "Entre nós, quem está mais alto deve estar a serviço dos outros. É um dever como bispo e sacerdote."

Pouco antes, na missa da crisma, na Basílica de São Pedro, o papa Francisco mandou sua mensagem para 1,6 mil sacerdotes que estavam presentes: saiam para as periferias, onde há derramamento de sangue e prisioneiros de muitos senhores maus. E conclamou os padres católicos a se dedicarem a ajudar os pobres e sofredores, em vez de se preocuparem em fazer carreira como "gestores" da Igreja. Afirmou que os que não vivem perto do povo correm o risco de se tornar tristes e se transformar em colecionadores de antiguidades. Foi um duro recado para a Igreja. "Precisamos sair, então, a fim de experimentar nossa própria unção (como padres) (...) até as periferias, onde há sofrimento, derramamento de sangue, a cegueira que anseia por visão, e prisioneiros servos de muitos senhores maus", disse na missa. Ressaltou que os padres não devem se acomodar na "introspecção".

> Aqueles que não saem por si mesmos, em vez de serem mediadores, gradualmente se tornam intermediários, gestores. Sabemos a diferença: o intermediário, o gestor não põe sua própria pele e seu próprio coração na linha de frente, nunca escuta uma palavra calorosa e compungida de agradecimento.

E foi além ao dizer que os que não vivem em humildade, perto do povo, correm o risco de se tornar "colecionadores de antiguidades ou novidades, em vez de serem pastores vivendo com o cheiro das ovelhas".

Não era a primeira vez que Francisco falava sobre esse tema. No dia anterior, em sua primeira audiência pública, o papa disse que recolhia o testemunho de Bento XVI e pediu aos fiéis que ajudem os "esquecidos" que moram nas periferias. "Viver a Semana Santa seguindo Jesus quer dizer aprender a sair de nós mesmos, ir ao encontro dos outros, ir à periferia, sermos os primeiros a buscar nossos irmãos, sobretudo aqueles que estão longe, esquecidos, que precisam de compreensão, consolo e ajuda", disse. Ele criticou, ainda, alguns cristãos, que dizem não ter tempo para professar a religião, e disse que isso põe em perigo a sobrevivência do catolicismo. Cerca de 20 mil pessoas assistiram à cerimônia, que começou com desfile em papamóvel descoberto. Como em outras ocasiões, Francisco desceu do carro, beijou crianças e cumprimentou fiéis.

Uma reportagem de Silvana Arantes, publicada na *Folha de S. Paulo* em 18 de março de 2013, revelava que os moradores da favela Villa 21, em Buenos Aires, se lembravam do cardeal Jorge Bergoglio como "um homem simples, que caminhava pelas ruas sem se importar em sujar os pés de barro e aceitava todo tipo de comida que lhe ofereciam pelo caminho", conforme relato da doméstica Cristina Aguilar, de 57 anos. Ao falar sobre o agora papa Francisco, Cristina chorou. "Não vou mais ter a chance de beijar a cruz que ele leva no peito", afirmou. Era o que ela fazia, segundo contou, a cada visita de Bergoglio à Villa 21. "Enquanto eu me curvava para beijar a cruz, ele punha a mão sobre minha cabeça e me abençoava", disse.

Evasão de fiéis

Tanto esforço para mostrar uma Igreja mais humilde e próxima do povo tinha uma razão de ser. O novo papa colocou como prioridade no Vaticano uma realidade perigosa para a Igreja, que enfrentava de perto quando comandou uma das principais arquidioceses da América Latina: a evasão de fiéis. Quando o papa Francisco assumiu seu pontificado, a Igreja enfrentava um duro teste. Segundo dados do próprio Vaticano, entre 1970 e 2010 o catolicismo encolheu em participação na população de seus maiores redutos: Europa e América Latina. Em compensação, avançava na África, Sul da Ásia e Europa Oriental. Segundo números divulgados em dezembro de 2010 pelo Anuário de Estatística, havia exatos 1.195.671.000 seguidores em todo o mundo. Dos quase 1,2 bilhão de católicos, 586 milhões viviam no continente americano, incluindo 483 milhões (41,3%) na América Latina. O Brasil, com 123 milhões de fiéis, de acordo com dados do último censo, mantinha o posto de país com o maior número de católicos do mundo. Em seguida aparecia o México, com quase 93 milhões, também de acordo com o censo local.

A IGREJA CATÓLICA EM NÚMEROS	
Católicos	1.195.671.000
Padres	412.236
Fiéis por padre	2.900
Bispos	5.104
Escolas maternais	70.544 (6.478.627 crianças)
Escolas de ensino fundamental	92.847 (31.151.170 alunos)
Escolas de ensino médio	43.591 (17.793.559 estudantes)
Universitários	3.338.455
Hospitais	5.305
Asilos	17.223

No Brasil e no México, os dois países com mais católicos no mundo, os fiéis perdiam espaço com o avanço das igrejas evangélicas. O mesmo acontecia com a Argentina, com 36 milhões de fiéis. A Colômbia, com seus 42 milhões de fiéis, também tentava evitar uma sangria para os evangélicos.

Na Europa, o problema também era de evasão. Mas por motivos diferentes. O grande enfrentamento passou a ser a ausência de fé em um mundo secularizado. Segundo os dados do Vaticano, a Europa, que há um século concentrava dois terços de todos os católicos, aparecia em 2010 com 285 milhões de fiéis batizados. Apenas 24% do total. A Itália era o país com mais fiéis no velho mundo: 57 milhões.

Os dois continentes onde a Igreja Católica mostrava crescimento entre o final do pontificado de Bento XVI e a eleição de Francisco eram a África — especialmente a região subsaariana —, com 186 milhões de fiéis (15%), e Ásia, com 130 milhões (12%). A Oceania aparecia com 9,5 milhões de católicos.

Apesar de o catolicismo ser a confissão cristã majoritária, outro bilhão de cristãos pertencem às diversas famílias protestantes (calvinistas, luteranos, evangélicos, metodistas e pentecostais) ou às igrejas anglicana, ortodoxa e "pré-calcedonenses" ou orientais. Com 2,2 bilhões de integrantes, os cristãos são o maior grupo religioso do mundo, à frente de 1,6 bilhão de muçulmanos, 1 bilhão de hinduístas e 500 milhões de budistas.

No Brasil, a situação é ainda mais dramática para a Igreja. Dados divulgados pelo Instituto Brasileiro de Geografia e Estatística (IBGE), com novas informações do Censo de 2010, mostravam uma forte hemorragia de fiéis. Entre 1960 e 2010, o país viu a parcela de sua população que se declara católica cair de 93,1% para 64,6%. A pesquisa revelou que a queda na proporção de católicos foi acompanhada pelo crescimento dos evangélicos, que em 1960 eram apenas 4% da população e em 2010 alcançaram 22,2%. O número de pessoas sem religião também teve aumento expressivo, passando de 0,6% para 8% nesse período de cinco décadas. O número de evangélicos no Brasil aumentou 61,45% em dez anos, segundo os dados do IBGE. Em 2000, cerca de 26,2 milhões se disseram evangélicos, ou 15,4% da população. Em 2010, passaram a ser 42,3 milhões. Em 1991, o percentual de evangélicos era de 9%, e em 1980 de 6,6%. Mesmo com o crescimento de evangélicos, o título de maior país católico do mundo era do Brasil, com 123,3 milhões de fiéis em 2010. No levantamento feito em 2000, eles eram 124,9 milhões, ou 73,6% dos brasileiros. A queda foi de 1,3%. O Estado do Rio de Janeiro, sede da Jornada Mundial da Juventude em 2013, apresentava o menor percentual de católicos do país: apenas 45,8% da população. Do total de brasileiros, 15,3 milhões de pessoas disseram não ter religião. Desses, 615,1 mil afirmaram expressamente ser ateus e 124,4 mil agnósticos. Outras religiões citadas foram o espiritismo (2,8 milhões), a umbanda (407,3 mil), o candomblé (167,4 mil), o budismo (244 mil), o judaísmo (107,3 mil), o islamismo (35,2 mil) e o hinduísmo (5,6 mil).

CATÓLICOS						
1950	**1960**	**1970**	**1980**	**1991**	**2000**	**2010**
93,5%	93,1%	91,8%	89%	83,3%	73,7%	64,6%

EVANGÉLICOS						
1950	**1960**	**1970**	**1980**	**1991**	**2000**	**2010**
3,4%	4,0%	5,2%	6,6%	9,1%	15,4%	22,2%

NÚMERO DE BRASILEIROS EM CADA RELIGIÃO/CENSO 2010	
Religião	**População**
Católica apostólica romana	123.280.172
Evangélicas	42.275.440
Espírita	3.848.876
Umbanda, candomblé e religiões afro-brasileiras	588.797
Outras religiões	5.185.065
Sem religião	15.335.510

Fonte: IBGE

A Igreja no divã: a busca de identidade

Ao chegar ao Brasil, em maio de 2007, o papa Bento XVI encontrou a Igreja no divã. Depois de mais de duas décadas de um processo interno de reestruturação, a Igreja no Brasil ressurgia à procura de uma nova identidade. O clero latino-americano — mas principalmente o brasileiro — estava em busca de respostas para a queda no número de fiéis e preocupado em encontrar um equilíbrio entre a superficialidade dos movimentos de massa e a ação social dissociada da espiritualidade. A avaliação de teólogos e católicos, além do próprio episcopado do país, era de que, em um passado recente, a dimensão da fé havia sido negligenciada em favor do social. Ao ser confrontado com a perda de fiéis para as seitas evangélicas, o arcebispo de São Paulo, cardeal dom Odilo Pedro Scherer, foi categórico: "Temos que tomar consciência desse fenômeno. Nenhum pastor fica tranquilo com a saída de fiéis. Não se resolve esse problema com uma guerra religiosa. A Igreja tem que fazer bem sua parte".

Foi necessário fazer um diagnóstico preciso da hemorragia, que nos anos 1990 chegou a 1,4 milhão de fiéis por ano. A viagem de Bento XVI ao Brasil teve um objetivo específico: barrar a evasão exponencial de fiéis católicos, principalmente para seitas evangélicas. Essa percepção ficou explicitada em uma longa entrevista concedida pelo então prefeito da Congregação do Clero, da Santa Sé, cardeal dom Cláudio Hummes, ao jornal *O Globo*, em 2007. A preocupação no Vaticano era muito maior do que se admitia até aqui. O cardeal brasileiro revelou que no Sínodo de outubro de 2005, na condição de arcebispo de São Paulo, chegou a fazer um grave alerta: naquela data, cerca de 67% dos brasileiros declaravam-se católicos, contra 83% em 1991. Ou seja, uma queda de 1% de fiéis ao ano. Nessa entrevista, dom Cláudio Hummes fez um diagnóstico preciso: advertiu para o distanciamento da Igreja do povo e para a necessidade de uma reaproximação. Ele foi além, fez uma análise sobre as causas do afastamento dos fiéis e reconheceu os erros da Igreja nas últimas décadas. Citou como um dos problemas a migração e a incapacidade da Igreja de acolher a população que chegou às cidades nestas últimas décadas, principalmente nas periferias.

Abordou, também, a crise da fé na Europa, outro motivo de preocupação para Bento XVI.

Segue um trecho da entrevista:

O Globo: Qual o novo desafio da Igreja no Brasil?

Dom Cláudio: No Brasil, sabemos que a Igreja está diante do grande desafio da evasão de católicos. Na realidade, 1% ao ano nas últimas décadas. E a maioria desses que saem da Igreja acaba indo para as seitas pentecostais.

OG: O que a Igreja Católica pode fazer para reverter esse quadro de perda acentuada de fiéis?

DC: Isso exige, de fato, uma atitude por parte da Igreja. Não em termos de entrar em conflito com as seitas, mas de perguntar a si mesmo: o que ela (Igreja) deveria fazer para que esses católicos que nós batizamos tenham uma fé mais enraizada, mais de convicção pessoal, e, portanto, mais firme diante de um mundo que hoje é secularizado, laico e que não apoia mais simplesmente uma prática religiosa? Hoje, a prática religiosa vem de convicções internas, pessoais.

OG: Como seria feito esse trabalho para reconquistar os fiéis?

DC: Tanto os padres, os religiosos, mas também os leigos das paróquias e dos movimentos precisam ser qualificados para que possam ir, novamente, ao povo, visitar o povo, encontrar o povo onde ele está. Sobretudo os mais pobres da periferia. É preciso visitar fisicamente. Isso porque o povo quer sentir a presença de sua Igreja, que parece distante. Parece falar bonito, mas à distância. O povo precisa sentir a vizinhança, a presença, a solidariedade, o apoio, o calor de sua Igreja. O povo precisa muito disso. Porque perde a referência e acaba sendo levado por outras propostas que vêm à sua porta.

OG: Qual seria esse modelo, já que os evangélicos avançam em todas as direções?

DC: Por exemplo, as visitas domiciliares são importantíssimas, sobretudo nas periferias pobres das cidades. Onde ao mesmo tempo se escuta o povo, se dá apoio ao povo, e se consola o povo, mas também se evangeliza. Temos que apresentar novamente a pessoa de Jesus Cristo e de seu projeto de salvação. Ao mesmo tempo, deve ser feito um trabalho de solidariedade social.

OG: A que o senhor atribui esse afastamento dos católicos da Igreja? Como analisa esse fenômeno?

DC: Aconteceu o fenômeno da nova cultura urbana, pluralista, secularizada, na qual a religião não é mais o centro. A população migrou do interior para as cidades nas últimas décadas. Hoje, a maioria do povo brasileiro vive em cidades. E ali, o povo se encontrou desenraizado de sua tradição, de onde tinha o apoio de sua comunidade e de sua fé. E, na grande cidade, já não tem mais esse apoio. O homem ficou muito solto.

OG: E qual a responsabilidade da Igreja nesse processo de migração?

DC: A Igreja não soube acolher a todos que vieram de fora da cidade. Não conseguiu acompanhá-los. Essas pessoas já vinham sem uma evangelização fundamental suficiente, era muito mais uma religião tradicional, no interior. E na cidade, essa religião tradicional não tem a força suficiente. Isso porque é preciso que as pessoas tenham convicção pessoal.

OG: Hoje, os evangélicos chegam onde a Igreja Católica não consegue atingir.

DC: Do outro lado, há a pobreza. Ela faz que o povo, principalmente em nossas periferias, tenha muitas carências, sobretudo de saúde. E as seitas pentecostais oferecem curas milagrosas da saúde, oferecem exorcismos para expulsar os demônios que seriam a causa de todos os males, das doenças e do desemprego das pessoas. As seitas oferecem solidariedade, oferecem uma pequena comunidade de apoio. A falta de evangelização e a pobreza de nosso povo, que fica sem apoio nas periferias, são causas da evasão.

OG: E quando essa evasão ocorre em outras classes sociais?

DC: A evasão já acontece na classe média e em outros estratos sociais. E aí, entram outros motivos: a falta de uma convicção pessoal anterior e uma religião mais enraizada, principalmente dentro do pluralismo religioso da cidade. As pessoas acabam sendo abordadas por pregadores e seus agentes, que vão de casa em casa, e acabam encontrando respostas que não haviam encontrado em nossa Igreja. Nossa Igreja tem as respostas, mas, de fato, não conseguiu levá-las.

OG: O senhor relatou ao papa Bento XVI essa situação dramática de evasão de fiéis no Brasil e na América Latina. Qual foi a reação do Santo Padre?

DC: O papa tem consciência de que nosso povo católico está saindo para as seitas por falta de uma evangelização que deveríamos levar a ele. Fomos nós que batizamos esse povo e nos comprometemos a evangelizá-lo. Essa evangelização precisa de uma atitude missionária. Ou seja, sair em busca, de novo. E o papa vê essa necessidade. Quando tive a primeira audiência com ele, na condição de novo papa, logo depois do Sínodo (outubro de 2005), ele me disse por três vezes que a missão — as visitas domiciliares —, sobretudo aos pobres, é fundamental para a evangelização da América Latina, neste momento.

OG: E qual é o enfoque da Igreja na Europa, onde também há grande evasão de fiéis?

DC: O papa trabalha muito aqui na Europa, que é de uma sociedade descristianizada, indiferente, laica, de um laicismo militante, e muitas vezes antirreligioso. E ele procura dialogar com esse mundo e essa cultura nova. E procura mostrar que a Igreja tem muito a contribuir para a civilização e que pode oferecer valores importantes. Isso também vale para a América Latina. Até porque as classes dirigentes, intelectuais do mundo universitário, do mundo da mídia, da política, também já entraram muito nessa questão de uma cultura pós-moderna, na qual setores chegam a considerar a religião algo retrógrado, ultrapassado e anticientífico.

O alerta de dom Cláudio Hummes ao então pontífice Bento XVI não foi por acaso. Dados do estudo "Economia nas Religiões", divulgado em 2007 pela Fundação Getúlio Vargas, mostravam que o número de pastores já superava, em 2000, o de padres. Existiam 17,9 vezes mais pastores evangélicos por fiel que de padres por católico. O número absoluto de pastores era 3,7 vezes maior que o de padres. A proporção era de um para um em 1991. De acordo com o pesquisador da FGV Marcelo Néri, coordenador da pesquisa, os dados apontavam para uma tendência de aumento dessa diferença. Dados do IBGE e do Atlas da Filiação Religiosa apontam que, em 1980, havia no Brasil 89,2% de católicos, número que caiu para 83,3% em 1991 e para 73,8% em 2000. Se compararmos com décadas anteriores, o quadro é ainda mais grave. Em 1940, havia 95,2% de católicos. Nos anos 1970, esse número era de 91,1%. Na linha inversa, houve um crescimento dos evangélicos, que eram apenas 2,7% da população nos anos 1940; o número pulou para 5,8% nos anos 1970 e foi para 6,7% em 1980. Em 1991, os evangélicos já somavam 9%. E seguiu crescendo desde então. Identificada em outras pesquisas — como "Retratos da Religião no Brasil", lançada em 2005, com dados do Censo de 2000 —, a tendência à concentração dos evangélicos pentecostais nas periferias dos grandes centros urbanos também foi confirmada pelo estudo da FGV. O catolicismo prosperou nas zonas rurais, o que explicaria sua estabilidade no país, na avaliação do economista Marcelo Néri para a imprensa naquela ocasião. De acordo com o estudo, havia 84,26% de católicos nas zonas rurais para 7,17% de evangélicos. Já nas periferias metropolitanas, a concentração de evangélicos era de 15,8% e a de católicos, de 65,19%. Em 2000, o Rio de Janeiro já aparecia como a penúltima cidade em percentual de católicos, com 61%, em uma comparação com dezoito capitais brasileiras e o Distrito Federal.

Segundo análise de Marcelo Néri, de 2000 a 2005, a faixa mais pobre do país, concentrada nas áreas rurais, atravessou um período de "crescimento chinês", e que isso evitou a proliferação das igrejas pentecostais nessas áreas. De alguma forma, os programas sociais do governo ajudaram a Igreja Católica. Ele lembra que a melhoria dos indicadores nessas regiões começou com a Constituição de 1988, que determinou o pagamento de aposentadoria ao homem do campo. Os dois últimos anos do governo Fernando Henrique Cardoso, segundo ele, deram os passos iniciais da política social incrementada pelo governo Luiz Inácio Lula da Silva. Para Néri, hoje o quadro tende a ser ainda mais favorável à prosperidade católica nas áreas rurais. "As igrejas pentecostais estão ocupando o lugar do Estado. E isso pode ser visto nas periferias dos grandes centros. Quanto mais presente o Estado, com seus serviços básicos, mais conservadora é a escolha pela religião. E a religião mais conservadora é a católica", explicou Néri em maio de 2007, quando lançou o estudo. Ao avaliar os números sobre a evasão de fiéis católicos para as seitas evangélicas, o então arcebispo de Belém e hoje do Rio de Janeiro, dom Orani João Tempesta, foi direto ao diagnóstico: "A Igreja tem que chegar a seu povo. Há uma distância ainda não vencida".

Nos anos 1970, a Igreja no Brasil iniciou um processo de forte atuação social, influenciada, principalmente pela Teologia da Libertação. Nesse período surgiram as Comunidades Eclesiais de Base (Cebs), com influência em todo o país — das periferias das grandes cidades até os seringais do Acre. Mas, nos anos 1980, setores da Igreja entraram em conflito com as determinações do Vaticano. Houve um processo de reavaliação e de divisão desses setores da Igreja. Foi nessa época que começou o grande sangramento de fiéis, reconhecem de forma reservada alguns bispos brasileiros. A constatação é que o racha interno em várias dioceses e arquidioceses ajudou a Igreja a perder o foco na manutenção de fiéis, principalmente nas periferias. Atualmente, a Igreja se pergunta como partir para uma ação evangelizadora, para reconquistar os católicos, sem abandonar uma atuação social. "A dimensão da fé foi negligenciada em função do social. Hoje, nosso desafio é reconquistar o entusiasmo, fazer que o fiel retome a alegria de ser cristão e a convicção de sua fé", constatou o subsecretário da Conferência de Aparecida, em 2007, padre Martinho Lenz, doutor em teologia pela Universidade Gregoriana de Roma.

Na avaliação de estudiosos, a Igreja vive um momento de transição depois da mudança de perfil das últimas décadas. O teólogo Fernando Altemeyer, da PUC-SP, foi além, e considerou positivo o processo de autoanálise da Igreja. Ele defende que a

Igreja reconheça seu passado, inclusive no tratamento dispensado aos índios e negros, e assuma sua memória, não enterrando a atuação progressista de membros recentes, como do arcebispo dom Hélder Câmara. "É bom que a Igreja esteja no divã e que faça uma autoanálise. Ela está em um momento crítico, mas de uma crise positiva. Esse caminho reforça a espiritualidade contra o superficialismo", disse Altemeyer em 2007, lembrando que na Igreja da Europa do Leste esse processo já estava adiantado, inclusive com a revelação de padres que ajudaram o nazismo durante a Segunda Guerra, em países como a Polônia e a República Tcheca.

Segundo ele, a Igreja procura um caminho de reafirmação de sua fé em quatro vertentes distintas e que representam grupos católicos diferentes: na tradição da instituição; na ação carismática, de tom mais superficial; na atuação social; e no reforço da experiência espiritual, com um predomínio de grupos mais qualificados em detrimento da quantidade. O primeiro desses grupos é representado pela própria CNBB, hoje de perfil moderado. O segundo grupo, o dos carismáticos, tem seu rosto mais visível na fórmula "show-missa" do padre Marcelo Rossi, que já ganhou vários adeptos no clero e até mesmo em setores reduzidos do episcopado. Já a atuação social, que no passado era representada pelos teólogos da libertação, hoje é representada pelas pastorais, como a da terra e a carcerária, entre outras. O último grupo, menor, mas com grande influência, é simbolizado por tendências mais conservadoras, como o Opus Dei. "O ideal seria extrair o melhor de cada tendência para que Igreja no Brasil pudesse encontrar um novo projeto, qualidade, quantidade e visibilidade. O dilema do catolicismo é que não pode ser uma resposta fragmentada. Ela se propõe a ser uma resposta em sua totalidade", analisou Altemeyer.

Às vésperas da viagem de Bento XVI ao Brasil, em 2007, a constatação na CNBB era que um dos problemas estava na tendência atual das pessoas em construir seu mundo religioso sem precisar de intermediação da Igreja. Na avaliação de padre Martinho Lenz, é por isso que a Igreja passou a se preocupar com as razões da fé moderna e da nova cultura da linguagem. Ele citou, ainda, a pressão da sociedade que leva o católico à satisfação do imediato. E, nessa situação, acrescentou, as igrejas pentecostais costumam ganhar força ao "vender" felicidade de modo enganoso. "Temos que encontrar um novo dinamismo evangelizador e nos preocupar com as razões da fé. É preciso procurar um diálogo com as novas mídias. Há uma mudança de cultura com uma nova linguagem. Temos que saber comunicar sem superficialidade", observou Martinho Lenz.

Para dom Odilo Scherer, os desafios da Igreja no Brasil são ainda maiores. O arcebispo de São Paulo registra entre os principais problemas que devem ser enfrentados pelos católicos brasileiros as questões sociais, inclusive a violência e a distribuição de renda, a cultura da globalização, a urbanidade do país e o fortalecimento das seitas evangélicas. Ele reconhece que é preciso que a Igreja entenda esse fenômeno religioso como substrato cultural. Segundo dom Odilo Scherer, serão necessárias algumas diretrizes para que a Igreja enfrente esses problemas: a missão, a atuação especial nas áreas urbanas e a necessidade de atrair leigos, sem perder a linha social. Essa talvez seja a grande mudança de conceito da Igreja no Brasil.

Segundo explicou o arcebispo de São Paulo,

> na globalização, a religião passou a ser usada para resolver problemas pessoais. Virou um produto para quem está procurando um milagre, uma cura, um problema imediato. Isso explica o sucesso de quem apresenta a religião como uma via de prosperidade. Nós, católicos, temos que reforçar a atuação da Igreja no mundo do sofrimento. Mas, ao mesmo tempo, não

podemos deixar nossa atuação social. Mas essa atuação tem que ser em decorrência da fé.

Os brasileiros e a religião

Essa preocupação da Igreja com a evasão de fiéis podia ser identificada em outras pesquisas e estudos divulgados em 2007. A pesquisa que mais chamou a atenção foi feita pelo Instituto Datafolha. Intitulada "Os Brasileiros e a Religião", a pesquisa foi publicada em um caderno especial sobre religião do jornal *Folha de S.Paulo*, no dia 6 de maio daquele ano. O levantamento do Datafolha revelou que a Igreja Católica continuava perdendo fiéis para os protestantes. Segundo os números, em 2007, 64% dos entrevistados se declaravam católicos, contra 70% em 2002, 72% em 1998 e 74% em 1996. Quando o Datafolha fez essa pergunta aos brasileiros pela primeira vez, em agosto de 1994, 75% dos brasileiros se diziam católicos, 10% evangélicos pentecostais e 4% evangélicos não pentecostais. De acordo com a pesquisa Datafolha, 17% dos brasileiros disseram pertencer a uma religião "evangélica pentecostal", 5% a "evangélica não pentecostal", 3% se declararam espíritas kardecistas, 1% disse pertencer à umbanda e 7% declararam não ter religião.

Na avaliação feita para a *Folha de S.Paulo* pelo diretor do Datafolha, Mauro Paulino, houve uma queda mais acentuada nos anos 1990 na proporção de católicos. A diferença dos números do Datafolha com os do IBGE e do estudo da FGV podia ser explicada pelo fato de o primeiro realizar entrevistas apenas com pessoas maiores de 16 anos, enquanto o Censo do IBGE incluía toda a população. Nessa pesquisa, alguns dados chamaram a atenção. A religiosidade do brasileiro continua elevada, apesar da migração para religiões evangélicas. Segundo a pesquisa, 97% dos entrevistados disseram acreditar totalmente que Deus existe. Outras respostas revelam essa religiosidade: 86% acreditam totalmente que "Maria deu à luz Jesus sendo virgem" (o índice era de 88% entre os católicos); e 93% de todos os entrevistados (95% dos que se diziam católicos) disseram crer que "Jesus ressuscitou após morrer na cruz".

Outro dado revelador era que os evangélicos avançavam na periferia das metrópoles, mesma tendência verificada pelo estudo da FGV. Segundo o Datafolha, os evangélicos representavam 29% da população do entorno das regiões metropolitanas (sete pontos acima da média nacional). Nelas, a proporção de católicos (55%) ficava nove pontos abaixo da média nacional. O Sudeste, que concentrava as maiores metrópoles do país, tinha 25% de evangélicos (20% pentecostais e 5% não pentecostais), contra 59% de católicos. Proporções similares também eram verificadas no Norte, com 26% de evangélicos (22% de pentecostais e 4% de não pentecostais) e 61% de católicos; e no Centro-Oeste, com 24% de evangélicos (18% de pentecostais e 6% de não pentecostais) e 63% de católicos. O Nordeste aparecia na pesquisa como a região mais católica — 71% dos fiéis contra 17% de evangélicos (14% pentecostais e 3% não pentecostais). No Sul, os católicos somavam 70% da população, contra 18% de evangélicos (13% pentecostais e 5% de não pentecostais). Outro dado da pesquisa chamou a atenção e foi destacado pelo jornal *Folha de S.Paulo*: os pentecostais estavam, em maior proporção, precariamente inseridos no mercado de trabalho. A maioria (85%) vivia com renda familiar de até cinco salários mínimos. De acordo com o Datafolha, o levantamento foi realizado nos dias 19 e 20 de março de 2007. Foram feitas 5.700 entrevistas em 236 municípios.

Mas estes não foram os únicos dados preocupantes para a Igreja no Brasil no levantamento. A pesquisa Datafolha revelou, ainda, que apesar da maioria católica no país, os brasileiros divergem da Igreja em vários temas, inclusive em relação ao divórcio, ao segundo casamento e ao uso de preservativos. O levantamento também abordou outros temas polêmicos da doutrina católica, como o aborto e a pena de morte. A análise dos resultados, segundo o próprio Datafolha, mostrou que os católicos, de modo geral, têm posição parecida com a da média da população. De acordo com o Datafolha,

> a análise dos resultados estratificados pela religião do entrevistado mostra que os católicos, de modo geral, têm posição parecida com a da população. Essa semelhança é coerente com o fato de que a maioria dos brasileiros professa a fé católica. Pode-se dizer que se formam, ainda, dois outros blocos, que se posicionam de maneira semelhante em relação à maior parte dos temas: um, formado pelos evangélicos, pentecostais e não pentecostais, e outro, por espíritas, umbandistas, adeptos do candomblé e os brasileiros que não têm religião.

Sobre a camisinha, o Datafolha mostrou que a taxa dos favoráveis à sua utilização chegava a 94% do total de brasileiros, percentual idêntico ao observado entre os católicos. Entre os umbandistas, a totalidade (100%) dos entrevistados era a favor do uso de preservativos. A posição favorável também superava os 90%, ficando acima ou dentro da média entre os espíritas (99%), os adeptos do candomblé (97%), os que não têm religião (96%), os evangélicos não pentecostais (93%) e os pentecostais (92%). O percentual favorável ao divórcio era de 71% entre a população como um todo, e de 74% entre os católicos. Os menos favoráveis eram os evangélicos, mas, ainda assim, a maioria deles (59%, tanto entre pentecostais quanto entre os não pentecostais) apoiava o divórcio. A posição favorável ficava acima da média entre os espíritas (93%), os que seguem o candomblé (87%), os adeptos da umbanda (80%) e os que não têm religião (79%).

O direito de as pessoas se casarem mais de uma vez no religioso recebia o apoio de 56% dos brasileiros. Mais uma vez, percentual idêntico ao verificado entre os católicos. Entre os evangélicos, a posição favorável a esse direito ficava ligeiramente abaixo da média, sendo de 50% entre os pentecostais e de 52% entre os não pentecostais. Os mais favoráveis a mais de um casamento religioso eram os espíritas (81%), os brasileiros que não têm religião (65%), os umbandistas e os adeptos do candomblé (62% em cada segmento).

Quando se tratava da legalização da união entre pessoas do mesmo sexo, 49% dos brasileiros eram contra e 42% favoráveis. Os católicos se dividiam: 46% apoiavam a legalização (quatro pontos acima da média nacional) e 45% eram contrários à hipótese. Entre os evangélicos, a oposição a que pessoas do mesmo sexo tenham direito a uma união reconhecida pela Justiça ficava significativamente acima da média, chegando a 72% entre os pentecostais e a 68% entre os não pentecostais. Por outro lado, a posição favorável à legalização ficava acima da média entre os espíritas (70%), os adeptos da umbanda (65%) e do candomblé (62%) e entre os que não têm religião (56%).

O Datafolha registrou que a maioria dos brasileiros (57%) era contra a eutanásia (ato que apressa a morte de um doente incurável). Na pesquisa de 2007, 36% eram a favor. Entre os católicos, a posição era praticamente idêntica: 56% contra e 37% a favor da eutanásia. Os evangélicos eram os que mais rejeitavam a ideia: contra a eutanásia, 68% dos pentecostais e 64% dos não pentecostais. O Datafolha revelou, ainda, que em março de 2007, se houvesse uma consulta à população sobre a adoção da pena de morte no Brasil, 55% dos brasileiros votariam a favor, enquanto 40% dariam seu voto contra o estabelecimento da pena capital. Entre os católicos, a posição favorável à adoção da pena de morte chegava a 59%, taxa quatro pontos acima da média nacional e próxima às verificadas entre os umbandistas (57%) e entre os que não têm religião (58%). Entre os evangélicos não pentecostais a posição contrária à pena de morte ficava dezesseis pontos acima da média, chegando a 56%; entre os pentecostais essa taxa era de 51% (onze pontos superior à média). Também votaria contra a pena de morte a maior parte dos espíritas (52%) e a maioria dos adeptos do candomblé (55%).

A pesquisa Datafolha não foi a única a apontar incoerência entre o comportamento dos católicos e a fé professada pelo Vaticano. Pesquisa feita pelo Ibope e encomendada pela organização Católicas pelo Direito de Decidir (CDD), também mostrou dados nesse sentido. A pesquisa entrevistou 2002 pessoas em 141 municípios entre os dias 17 e 21 de maio de 2007, logo após a visita do papa Bento XVI. Os brasileiros foram questionados sobre métodos anticoncepcionais, prevenção da AIDS, aborto legal nos serviços públicos, Estado Laico e circunstâncias nas quais se admite a realização do aborto. Entre os resultados da pesquisa, alguns chamaram a atenção:

- 93% dos brasileiros afirmaram que os serviços de saúde deveriam oferecer anticoncepcionais gratuitamente à população. O percentual chegava a 96% no que se refere à promoção do uso de preservativos pelo governo para combater a Aids.

- 75% dos brasileiros se mostraram favoráveis ao aborto legal nos serviços públicos de saúde. O percentual chegou a 76% para os católicos.

- 83% dos entrevistados disseram que o presidente de um país católico deveria tomar suas decisões baseando-se na diversidade de opiniões, e não nos ensinamentos da Igreja Católica. Quando foi questionada a tomada de decisões por pessoas que ocupavam cargos no Legislativo e no Judiciário, o índice atingiu 85% de apoio à diversidade de opiniões.

- 70% dos brasileiros com instrução até o 4.º ano apoiavam o Estado Laico. Nas pessoas com renda familiar acima de dez salários mínimos, o apoio atingia 97%. No caso dos católicos, 82% defendiam a multiplicidade de opiniões como base de decisões por deputados e juízes.

- 47% dos católicos discordaram da condenação e da prisão de mulheres que fazem aborto por problemas financeiros, medo de perder o emprego, abandono do parceiro etc. Chegou a 57% a discordância entre as pessoas com renda familiar superior a dez salários mínimos.

- 80% dos católicos concordaram com a realização do aborto nos casos de risco à vida da mulher. Já 75% apoiavam a interrupção da gravidez no caso de o feto apresentar problema grave e sem chance de sobreviver após o nascimento. O aborto em caso de gravidez resultante de estupro era aceito por 67% dos entrevistados.

- 59% dos católicos discordaram da condenação ao aborto em qualquer caso pela Igreja Católica. O índice chegou a 64% quando foram entrevistadas pessoas com idade entre 25 e 34 anos.

A coordenadora da CDD, Dulce Xavier, afirmou na ocasião que a pesquisa contradizia o discurso dos representantes da hierarquia da Igreja no Brasil. "Esse dado evidencia a falta de sintonia do papa e dos bispos com o pensamento dos fiéis que eles dizem representar; e, mais interessante ainda, mostra que o discurso do papa no Brasil não convenceu os católicos", explicou a coordenadora em nota distribuída à imprensa, durante a divulgação da pesquisa em julho de 2007. A CNBB não reconhece a entidade como sendo da Igreja Católica e não se manifestou sobre a pesquisa.

Papa Bento XVI acena para a multidão de fiéis na praça São Pedro em 8 de abril de 2012.

CAPÍTULO 6.

Segredos do Conclave de 2005: Bento XVI, uma opção conservadora

Sabe-se agora que o processo político que elegeu o papa Bento XVI foi muito mais intenso do que se divulgou oficialmente. O cardeal alemão Joseph Ratzinger deu sinal verde para sua candidatura, mandou dizer aos colegas que aceitaria ser papa e fez uma forte campanha nos bastidores do Vaticano para ser eleito. Chegou a contar com a ajuda de um grupo influente de cardeais conservadores como cabos eleitorais. Esses cardeais pró-Ratzinger passaram a sondar os colegas em conversas reservadas logo após a morte do papa João Paulo II. Com isso, Ratzinger entrou para o Conclave, no dia 18 de abril de 2005, praticamente eleito o novo papa.

Esse relato foi feito por um dos quatro cardeais brasileiros que participaram do Conclave. O cardeal revelou os segredos e bastidores da eleição no Vaticano em uma conversa informal por cerca de três horas, em dezembro de 2005. Ou seja, apenas oito meses depois da eleição de Bento XVI. O relato publicado pelo jornal *O Globo*, em 2005, foi feito na condição de que fosse preservada a identidade do prelado. Isso porque o cardeal que quebra o compromisso de sigilo do Conclave está sujeito a penalidades graves, segundo o julgamento do papa, inclusive à pena máxima da excomunhão. A conversa foi realizada com a perspectiva de um registro histórico da Igreja Católica.

A mobilização de Ratzinger não foi nada discreta e contou com a ajuda dos principais cardeais da cúria romana e até mesmo de grupos de pressão de grandes movimentos conservadores da Igreja, como o Opus Dei, prelazia pessoal com forte influência no Vaticano e de perfil extremamente tradicionalista. Alguns dos principais cardeais que funcionaram como cabos eleitorais de Ratzinger são simpatizantes do Opus Dei, como veremos mais adiante. A estratégia montada por Ratzinger foi extremamente sofisticada. Ele deu sinal verde para alguns cabos eleitorais, que começaram a trabalhar os votos dos 115 eleitores (eram 117, mas dois não compareceram ao Conclave por motivo de saúde). Eles se dividiram por continentes. Na América Latina, os principais cabos eleitorais de Ratzinger foram o cardeal colombiano Alfonso López Trujillo e o cardeal chileno Jorge Arturo Medina Estévez, dois purpurados dos mais conservadores. Também ajudou de forma ostensiva na eleição de Bento XVI o cardeal austríaco Christoph Schönborn, colocado em Viena por Ratzinger para abafar os ventos progressistas da arquidiocese, ainda no pontificado de João Paulo II.

A base inicial da campanha de Ratzinger foi do grupo conservador da América Latina, que permitiu ao alemão entrar como favorito na Capela Sistina já para o primeiro escrutínio. Nos dias que antecederam o Conclave, os cardeais Trujillo e Medina organizaram jantares e encontros com cardeais latino-americanos, ocasiões em que faziam campanha aberta. Esses encontros ocorriam em conventos e casas religiosas onde os cardeais de todos os países se hospedaram assim que chegaram ao Vaticano, logo depois do anúncio da morte de João Paulo II. Nessas conversas pré-Conclave é que fecharam os votos necessários para que Bento XVI surgisse de forma antecipada como favorito.

Nos encontros, os dois cardeais eram enfáticos. Diziam que haviam consultado Ratzinger e garantiam que, se fosse eleito, o cardeal alemão aceitaria o cargo. Era a senha para sondar os colegas cardeais e pedir voto.

Conforme revelou o cardeal brasileiro sob anonimato:

> Quando chegamos a Roma, havia muita dúvida e incerteza. Trujillo e Medina organizavam encontros e jantares. Nessas conversas, eles deixaram claro que haviam consultado Ratzinger e garantiam que o cardeal alemão aceitaria ser papa e havia dado sinal verde para a campanha. Também listavam todas as qualidades de Ratzinger para ser o sucessor ideal de João Paulo II.

Historicamente, é dessas reuniões informais, que ocorrem entre a morte do papa e a assembleia secreta que elege o sucessor, que surgem os nomes dos principais papáveis. Esse período é chamado de pré-Conclave. Além das reuniões oficiais diárias, chamadas de congregações gerais, ocorrem os jantares de confraternização, em que os cardeais mais influentes tentam conquistar apoios. Ratzinger evitou aparecer pessoalmente nesses encontros. A dedução é de que ele não queria se expor de forma tão clara. Por isso, mandava os cabos eleitorais.

Mas não foi uma tarefa fácil para Ratzinger chegar ao Conclave como favorito. Foi preciso que seus cabos eleitorais solucionassem problemas e explicassem questões que começavam a surgir na imprensa contra ele. Na ocasião, foram vazados dossiês à imprensa italiana contra Ratzinger com o objetivo de queimar sua candidatura. Entre as notícias que mais prejudicaram a campanha do alemão estava a de que ele havia sido membro da Juventude Hitlerista.

Mas, segundo o cardeal brasileiro, o pior trabalho contra o alemão foi a divulgação pela imprensa de que ele não queria ser papa, pois estava muito velho e cansado, e que desejava uma aposentadoria tranquila. E que, por isso, sua candidatura não seria para valer. Os jornais italianos começaram a dar com destaque que Ratzinger era um candidato simbólico, "de bandeira", para conseguir arregimentar um grupo de cardeais conservadores para, em um segundo momento, lançar outro candidato mais competitivo. "Isso abalou a candidatura de Ratzinger", observou o brasileiro.

Quatro dias antes de começar o Conclave, dois dos principais vaticanistas italianos, Luigi Accattoli, do "*Corriere della Sera*", e Marco Politi, que na ocasião escrevia para o *La Repubblica*, haviam afirmado que Ratzinger já tinha pelo menos quarenta votos. Mas que estava sendo vetado pelos cardeais alemães e americanos. Accattoli foi além. Em outro artigo, afirmou que "Ratzinger teria dito aos amigos que não considera viável sua própria eleição e que não a deseja".

Era exatamente o contrário do que estava sendo feito nos bastidores. De última hora, houve novas rodadas de conversas feitas por Trujillo e Medina com os cardeais latino-americanos. O mesmo foi feito com cardeais de outros continentes. O colombiano e o chileno informaram ao brasileiro, pouco antes do Conclave, que Ratzinger continuava candidatíssimo e desmentiam o noticiário que dizia que era um nome "de bandeira".

Àquela altura, acrescentavam os cabos eleitorais, a cúria já estava fechada no apoio ao alemão. Eles também davam explicações e minimizavam o fato de Ratzinger ter sido da Juventude Hitlerista. Foi fundamental o trabalho dos cabos eleitorais, que teve prosseguimento durante o Conclave. A plataforma de campanha de Ratzinger era verbalizada ponto a ponto pelos cardeais apoiadores:

1. O fato de, na atualidade, ele ser o maior teólogo da Igreja moderna e um intelectual brilhante.

2. O fato de ser idoso. Quando foi eleito papa, Ratzinger tinha 78 anos. Depois de um pontificado longo como de João Paulo II, os cardeais optaram pelo que chamam de um papa de

transição. Os cabos eleitorais apostaram no medo de uma eleição de um papa muito jovem e errático. Ressaltaram a experiência do alemão.

3. O fato de Ratzinger ter sido o mais fiel cardeal de João Paulo II e o que ficou mais tempo na cúria, o que garantia o chamado wojtylismo sem Wojtyla. Como todos os cardeais do Conclave — exceto dois — foram nomeados por João Paulo II, havia uma tendência maior de continuidade. Ninguém melhor que Ratzinger, observaram os cabos eleitorais. Primeiro, porque ele era o mais experiente. Além disso, como havia sido nomeado por Paulo VI e participara dos dois Conclaves de 1978, Ratzinger evitava a ciumeira dos outros cardeais da cúria, tendo a capacidade de unir a burocracia do Vaticano.

O cardeal brasileiro ressaltou que a eleição quebrou dois tabus: a teoria do pêndulo, que elegeria alguém oposto a Wojtyla, e o fato de não ser tradição fazer papa um cardeal com origem na cúria. O brasileiro lembra que a mesma plataforma eleitoral utilizada pelos aliados de Ratzinger antes da eleição secreta também foi usada durante o Conclave para virar os votos necessários.

> Trujillo e Medina fizeram questão de afirmar que a candidatura era para valer. Entramos para o Conclave com essa certeza. O que ficou muito claro desde o primeiro escrutínio. Ali, tivemos a certeza que ele seria eleito rapidamente, tamanha foi a diferença. No Conclave, durante as refeições, era comum ver os mesmos cardeais trabalhando, de forma reservada, o voto de outros. A campanha aumentou nas votações seguintes.

Ele confirmou os números da votação divulgados em setembro de 2005 pela revista italiana de geopolítica *Limes*: Joseph Ratzinger foi eleito papa com oitenta e quatro votos dos 115 cardeais que se reuniram no Conclave, e o segundo colocado foi o cardeal argentino Jorge Mario Bergoglio, arcebispo de Buenos Aires, que conseguiu vinte e seis votos. A revista teria obtido um diário escrito por um dos cardeais que participaram do Conclave. Para ser eleito, Ratzinger precisava do voto de setenta e sete cardeais.

De acordo com o diário secreto do cardeal, no primeiro escrutínio, no dia 18 de abril, o alemão disparou com quarenta e sete votos. Contra ele surgiram Bergoglio, com dez votos, e o ex-arcebispo de Milão e líder da ala progressista, o cardeal italiano Carlo Maria Martini, com nove votos. No segundo escrutínio, Ratzinger subiu para sessenta e cinco votos e Bergoglio recebeu trinta e cinco. No terceiro, o alemão atingiu setenta e dois votos, e Bergoglio quarenta. O cardeal brasileiro acrescenta alguns detalhes da votação. O de que Martini usava bengala, o que prejudicou muito sua imagem. Ele seria o principal adversário de Ratzinger. Mas ficou nítido para os cardeais que ele estava muito doente. Na ocasião, foi divulgado que Martini estava com Parkinson. Outra lembrança é de que, no primeiro escrutínio, o então arcebispo de São Paulo, cardeal dom Cláudio Hummes, teria tido cinco votos. Segundo o relato feito pelo cardeal brasileiro, ao mesmo tempo que os votos foram se concentrando no alemão, Bergoglio passou a funcionar como um anti-Ratzinger.

Ele conta, ainda, que todos os cardeais recebiam papéis para acompanhar os votos. Esses mesmos papéis eram tomados de volta depois de cada escrutínio. Na quarta e última votação, quando foi alcançado o voto de número setenta e sete, todos os cardeais começaram a aplaudir o alemão. Nesse momento, o papa ficou com os olhos marejados. “Ratzinger estava visivelmente emocionado”, lembra o brasileiro. Ele conta algumas curiosidades. Na Casa Santa Marta, prédio construído no Vaticano para hospedar os cardeais durante o Conclave, as janelas dos quartos eram lacradas. Também havia um equipamento em forma de caixa-preta nos quartos para impedir comunicação via rádio e celular. Os cardeais eram alertados a não ficar assustados com a parafernália. Durante as refeições, ele conta, os cardeais conversavam e faziam uma discreta campanha.

Para o brasileiro, alguns fatores contribuíram ainda mais para a eleição de Ratzinger. O fato de haver vários cardeais novos e com pouca vida na cúria romana produziu um fato raro: o cardeal Ratzinger era um dos poucos que tinham contato com quase todos eles. Isso facilitou bastante sua eleição. Ele também era, de fato, conhecido por todos os outros 114 votantes. Raramente se escolhe alguém da cúria para papa. Aliás, um dos argumentos usados pelos eleitores de Ratzinger, lembra o cardeal brasileiro, era de que ele teria a coragem para fazer a reforma na cúria, descentralizando um pouco mais o poder de Roma. Constatou-se, depois, que Bento XVI não teve condições de fazer as mudanças necessárias na burocracia do Vaticano. E que, na prática, sua grande reforma na Igreja foi o próprio gesto de renúncia.

Também pesou o fato de, como decano do Colégio de Cardeais, Ratzinger ter rezado a última missa aberta ao público antes do Conclave. A homilia do alemão impressionou muito os cardeais. Na ocasião, ele fez uma defesa da doutrina católica e deu uma dura resposta aos que reivindicavam reformas para adaptar a Igreja aos novos tempos. Como guardião da doutrina da Igreja no pontificado de João Paulo II, protestou contra o que chamou de "ditadura do relativismo". O tom forte da homilia funcionou como bandeira de campanha. No pré-Conclave, ele já demonstrava autoridade ao recomendar que os cardeais não falassem com a imprensa, o contrário do que aconteceu em 1978, quando vários eleitores deram entrevistas. O cardeal brasileiro lembra, ainda, que Ratzinger teve vantagem ao comandar o Conclave, o que lhe permitiu demonstrar liderança e serenidade, qualidades fundamentais para um papa.

As revelações do Conclave que elegeu Bento XVI foram publicadas no jornal brasileiro *O Globo*, no dia 25 de dezembro de

2005. A reportagem repercutiu imediatamente em jornais da Espanha, Itália, França, Alemanha, Polônia, Portugal, Argentina, Chile, Nicarágua e Nigéria, entre outros países, ao revelar os bastidores da mais secreta das eleições. Nos últimos anos, essa foi uma das reportagens brasileiras com maior repercussão internacional. A reportagem mereceu um artigo do influente vaticanista Luigi Accattoli no italiano *Corriere della Sera*. O jornal espanhol *El País* destacou, em matéria escrita pelo vaticanista Juan Arias, a estratégia de Ratzinger para se tornar Bento XVI, desenvolvendo mesmo antes do Conclave "uma campanha eleitoral de escala mundial". No Chile, o *La Nación* e *El Mercurio* ressaltaram a participação do cardeal chileno Jorge Medina Estévez como "um dos principais arquitetos da eleição". O Vaticano silenciou e não fez comentário algum. A Nunciatura Apostólica, em Brasília — espécie de embaixada da Santa Sé — também não fez nenhum comentário. No Brasil, depois de um longo silêncio da Igreja, dom Eugênio Sales, cardeal arcebispo emérito da arquidiocese do Rio de Janeiro, escreveu um artigo em *O Globo*, publicado no dia 30 de dezembro de 2005. O texto sobre a eleição do papa esclarecia que "não há uma campanha pública" durante o Conclave. "Contudo, as consultas são não só normais, como previstas", escreveu dom Eugênio, confirmando de forma indireta a campanha de Bento XVI.

Oito anos antes de sua eleição para papa, o então cardeal Joseph Ratzinger, naquela época a mais alta autoridade doutrinária de João Paulo II, deixou claro que há um equívoco sobre como o Espírito Santo trabalha em um Conclave. A própria interpretação de Ratzinger abriria a brecha necessária para a campanha que o tornaria papa. A entrevista de Ratzinger sobre a atuação do Espírito Santo em um Conclave foi concedida à televisão da Baviera, em 15 de abril de 1997, e registrada pelo vaticanista americano John L. Allen Jr., do *National Catholic Reporter*, no livro *Conclave*. Ao ser questionado se acreditava que o Espírito Santo tinha seu papel na eleição do papa, o cardeal alemão foi habilidoso:

> Eu não diria isso no sentido de que o Espírito Santo escolhe o papa, porque há muitos casos antagônicos de papas que o Espírito Santo obviamente não escolheria. Diria que o Espírito Santo não controla exatamente o processo, mas, como o bom educador que é, deixa-nos muito espaço, muita liberdade, sem nos abandonar inteiramente. Assim, o papel do Espírito Santo deveria ser entendido em um sentido muito mais elástico, não de que ele dita o candidato em quem se deve votar. Provavelmente, a única garantia que oferece é que a coisa não pode ser totalmente arruinada.

As declarações cuidadosas do então cardeal Ratzinger não foram por acaso. A Igreja Católica ensina que o Espírito Santo, a terceira pessoa da Santíssima Trindade, preside a eleição do papa. Tanto que, em abril de 2005, o presidente Luiz Inácio Lula da Silva foi duramente atacado por integrantes da Igreja depois que defendeu publicamente a candidatura do cardeal dom Cláudio Hummes. A crítica era de que Lula não podia interferir em uma eleição presidida pelo Espírito Santo. Na ocasião, Lula chegou a ser chamado de "caótico" pelo então cardeal arcebispo do Rio de Janeiro, dom Eusébio Scheid.

Um cinturão conservador

Os dois principais cabos eleitorais na América Latina do papa Bento XVI, no Conclave de 2005, ganharam fama como os cardeais mais polêmicos e conservadores do continente: o colombiano Alfonso López Trujillo e o chileno Jorge Arturo Medina Estévez. Considerados ideologicamente de extrema direita, os dois foram grandes aliados do então cardeal Joseph Ratzinger no final dos anos 1970 e início dos anos 1980, quando o alemão recebeu a missão do papa João Paulo II de abafar o movimento de esquerda conhecido como Teologia da Libertação.

No livro *Conclave* (Ed. Record), o vaticanista americano John L. Allen Jr. registra que João Paulo II acabou promovendo os dois religiosos, que tinham fichas problemáticas em relação aos direitos humanos, a cargos importantes no Vaticano. Medina virou chefe da Congregação para o Órgão Litúrgico da Santa Sé. O livro ressalta passagens da vida de Medina, como o fato de ser amigo íntimo e defensor do ex-ditador militar do Chile, Augusto Pinochet. Na ocasião em que se discutia a extradição de Pinochet da Inglaterra, em 1998, Medina revelou em entrevista que estava pessoalmente envolvido nas negociações para liberar o ex-ditador e que estava rezando por ele. No Chile, o cardeal liderou uma campanha contra a pornografia. Como maior autoridade em liturgia do Vaticano, Medina alterou o ritual de exorcismo pela primeira vez depois de quatro séculos. Segundo o texto escrito pelo chileno, os católicos não têm escolha senão acreditar na existência do diabo. "A existência do diabo não é uma opinião que se pode ter ou não. Pertence à fé e à doutrina católica", afirmou Medina em 1999, para acrescentar um comentário sobre o fato de o novo ritual só estar disponível em latim: "Um exorcista pode usar essa versão hoje à noite, se quiser, porque o diabo entende latim". Em fevereiro de 2005, pouco antes de morrer, João Paulo II nomeou Medina cardeal protodiácono, que em um Conclave tem a função de anunciar ao mundo o novo papa. Foi Medina o purpurado que apareceu ao mundo para comunicar a eleição de Bento XVI.

O cardeal López Trujillo, que foi nomeado por João Paulo II chefe do Conselho Pontifício para a Família, também foi figura polêmica na cúria romana. No Brasil, ele ganhou notoriedade por ter relações pessoais com o ex-presidente da Câmara, Severino Cavalcanti (PP-PE), que usava sua amizade com o colombiano para neutralizar as denúncias de perseguição ao então arcebispo de Olinda e Recife, dom Hélder Câmara. Trujillo chegou a levar Severino para um encontro com o papa João Paulo II no Vaticano. O colombiano marcou sua trajetória de prelado por um perfil controvertido. Durante as ditaduras militares na América Latina, Trujillo apoiou o estado de segurança nacional. Em um texto, escreveu que frente às "tensões e desordens, é inevitável o apelo à força". O vaticanista Allen Jr. o classificou como um cardeal inteligente, poliglota e administrador muito competente, mas o considerou um prelado mais político que espiritual. No Vaticano, ele travou uma guerra condenando o controle de natalidade, as uniões civis, o casamento de homossexuais, o planejamento familiar e o aborto. Todas bandeiras adotadas pelo papado de Bento XVI, o que já mostrava uma sintonia fina com Ratzinger. Em 2003, foi dele a ideia de um controvertido glossário de termos sexuais lançado pelo Vaticano que afirmava que os homossexuais não são normais e que os países que permitem casamentos entre pessoas do mesmo sexo são habitados por pessoas com "mentes profundamente perturbadas". No mesmo ano, em uma entrevista, Trujillo sugeriu que o vírus HIV poderia passar através da camisinha, o que levou a OMS a condenar a Igreja. Trujillo faleceu em abril de 2008. Bento XVI fez questão de presidir a missa em memória do cardeal.

Apesar do recente processo de mudança de perfil no comando latino-americano da Igreja, os conservadores permaneciam, até recentemente, com grande influência, principalmente em países como a Colômbia, Peru e até mesmo o México. Além da liderança de Trujillo e Medina, destacavam-se alguns purpurados influentes com ideologia de direita. No Peru, a autoridade máxima da Igreja Católica é o cardeal Juan Luis Cipriani Thorne, primeiro membro do Opus Dei a se tornar um purpurado. Considerado linha-dura, foi próximo ao ditador Alberto Fujimori. Chegou a ganhar o apelido de "teólogo de Fujimori", por sua identificação com o regime do ex-ditador peruano, como registrou Allen Jr. Como líder máximo da Igreja em seu país, Cipriani teve grande influência para colocar membros e simpatizantes do Opus Dei no comando das principais dioceses peruanas. Também foi rigoroso com o teólogo da libertação peruano Gustavo Gutiérrez, o que forçou o dominicano a morar na França, para escapar do controle. De forma mais discreta, Cipriani também foi apontado pelo cardeal brasileiro como um dos purpurados do continente em campanha no Conclave pela eleição do colega alemão.

No México, o cardeal Norberto Rivera Carrera está próximo dos Legionários de Cristo, um dos novos movimentos de direita da Igreja, e costuma se posicionar politicamente sobre os temas do país. Em 1990, quando era bispo de Tehuacán, fechou um seminário acusado de ensinar pensamento marxista na Teologia da Libertação. Sob seu comando, o episcopado mexicano é um dos mais conservadores da América Latina. Tanto que, em 2007, ele chegou a propor a excomunhão de políticos mexicanos que votaram a favor de uma lei que legaliza o aborto na Cidade do México. Em maio daquele ano, em Aparecida, quando questionei o cardeal arcebispo de Guadalajara, Juan Sandoval Íñiguez, sobre a excomunhão de políticos mexicanos, ele foi firme e direto: "Não estamos excomungando os políticos. Isso está no direito canônico". Outros dois influentes cardeais de perfil conservador são o colombiano Darío Castrillón Hoyos, que antecedeu dom Cláudio Hummes na Congregação do Clero; e Nicolás de Jesús López Rodríguez, arcebispo de Santo Domingo, da República Dominicana, que deu visibilidade à sua doutrina tradicionalista na Conferência de Santo Domingo (1992). Considerado um purpurado de personalidade forte, Castrillón Hoyos chegou a desafiar os barões das drogas em seu país, além de ter recebido elogios do prêmio Nobel de literatura, Gabriel García Márquez, que o chamou de "homem rústico com perfil de águia". Foi um dos cardeais mais próximos e leais ao papa

Bento XVI, mesmo depois de ter perdido todos os cargos na cúria romana, por causa da idade. Tinha acesso direto ao papa.

De acordo com o livro *Opus Dei* (Ed. Campus), de Allen Jr., além de Cipriani, que faz parte da prelazia, outros três cardeais latino-americanos são considerados "simpatizantes do Opus Dei": Trujillo e Castrillón Hoyos, da Colômbia, e o dominicano López Rodríguez. Em 17 de dezembro de 2005, em artigo intitulado "A campanha contra o Opus Dei", publicado pelo *O Globo*, o cardeal arcebispo emérito do Rio de Janeiro, dom Eugênio Sales, também de perfil conservador, fez uma defesa veemente da prelazia. Chegou a afirmar que alguns se tornam alvo da crítica que busca neutralizar o sucesso da evangelização. E citou como exemplo "uma campanha contra são Josemaría Escrivá e a instituição Opus Dei, que tantos beneméritos serviços presta à Igreja do Senhor Jesus". Acrescentou, ainda, que os integrantes do Opus Dei vivem até as últimas consequências a fidelidade ao magistério eclesiástico, e que isso "desagrada a certas correntes de pensamento em voga". Já os críticos do Opus Dei costumam afirmar que a prelazia do Vaticano é uma organização católica profundamente conservadora, que vem sendo objeto de polêmicas recentes. Relatos de ex-integrantes da instituição afirmam que sofreram lavagem cerebral, coerção e que praticaram a "mortificação corporal".

Papa Bento XVI encontra-se com bispos na catedral da Sé, em São Paulo, 12 de maio de 2007.

CAPÍTULO 7.

Três décadas de conflito: um diagnóstico do distanciamento da cúria romana em relação à Igreja na América Latina

Em sua visita ao Brasil, em maio de 2007, o papa Bento XVI parecia não se esquecer do cardeal arcebispo emérito de São Paulo, dom Paulo Evaristo Arns, com quem teve divergências nos anos 1980. Ao ser recebido no Palácio dos Bandeirantes pelo bispo de Campo Limpo, dom Emilio Pignoli, o papa foi direto: "Lembro muito bem de sua diocese. Ela foi muito comentada no Vaticano. Dom Paulo resistiu muito a criá-la". Foi uma referência à polêmica decisão da Santa Sé, em 1989, de dividir a arquidiocese de São Paulo em quatro para enfraquecer o poder do então arcebispo titular. Na época, o cardeal progressista comandava 17 milhões de fiéis, o que tornava São Paulo a maior arquidiocese do mundo. Um dia depois da alfinetada papal a seu antigo desafeto, foi a vez de o próprio cardeal Arns ter uma audiência com Bento XVI, no Mosteiro de São Bento. Foi um encontro marcado por lembranças dos anos 1980, quando os dois estavam em lados opostos na Igreja Católica: o então cardeal Joseph Ratzinger era o responsável pela rígida doutrina da Santa Sé, enquanto Arns era uma das figuras mais importantes do catolicismo progressista brasileiro, que tinha grande visibilidade internacional por sua luta em defesa dos direitos humanos. O cardeal Arns foi o único prelado brasileiro sem cargo em organização da Igreja que o papa recebeu individualmente. Ele estava acompanhado de sua irmã, Zilda Arns, já falecida, que coordenava a Pastoral da Criança, e de dom Pedro Luiz Stringhini, então bispo auxiliar de São Paulo. O brasileiro entregou ao papa um livro de sua autoria (*Segredos do coração*) e uma série de obras sobre a vida do ex-arcebispo de Olinda e Recife, dom Hélder Câmara, morto em 1999 e também expoente do episcopado progressista que lutou contra a ditadura militar brasileira.

A maior divergência entre os dois havia ocorrido em 1985, quando o então prefeito da Congregação para a Doutrina da Fé, cardeal Ratzinger, foi surpreendido na porta de seu gabinete na Santa Sé pela presença dos cardeais brasileiros Paulo Evaristo Arns e Aloísio Lorscheider. O episódio causou enorme constrangimento ao alemão. Os dois foram a Roma defender o então frade franciscano Leonardo Boff, que teve obras condenadas pela Igreja Católica com base em análises de Ratzinger. Sob o papado de João Paulo II, o cardeal Ratzinger foi o responsável pelo desmonte doutrinário da chamada Teologia da Libertação, cujo maior expoente no Brasil era o frei Leonardo Boff. A Santa Sé temia a influência marxista na nova teologia que surgiu com força na América Latina nos anos 1970. Ratzinger era o guardião da ortodoxia doutrinária da Igreja. Com isso, foi responsável por manter sua coesão e autoridade, que lutava para conter um movimento revisionista.

Ratzinger e Boff chegaram a ter boas relações nos anos 1960 quando o primeiro ajudou a publicar a tese de teologia do brasileiro, que havia se formado em Munique. Mas, na década de 1970, os caminhos dos dois teólogos foram para lados opostos. Em 1981, o brasileiro chegou a lançar o livro *Igreja: carisma e poder*. A obra continha ideias da Teologia da Libertação. Em 1984, o cardeal alemão fez uma condenação veemente à nova teologia. Ratzinger afirmava que, ao dar um sentido de classe à opção da Igreja pelos pobres, a Teologia da Libertação atentava contra a "sã doutrina cristã", deixando de lado a evangelização. O documento denunciava sua influência na América Latina: "Diante da urgência de dividir o pão, alguns são tentados a pôr a evangelização entre parênteses, por assim dizer, e adiá-la para amanhã: primeiro o pão, depois a Palavra do Senhor. É um erro fatal separar as duas coisas, e ainda pior contrapô-las". Em 1985, o responsável pela doutrina da Santa Sé escreveu um texto com duras críticas às teses do teólogo brasileiro. Condenou a interpretação de Boff de que a Igreja, como instituição, foi fundada pelos apóstolos, e não por Jesus Cristo. O cardeal alemão foi taxativo ao afirmar que se a tese fosse aceita, significaria dizer que a Igreja não era uma criação divina, mas sim, humana. Isso retiraria a primazia da religião católica sobre as outras denominações cristãs. Ratzinger discorre longamente sobre uma frase de um documento do Concílio Vaticano II para concluir que a interpretação de Boff deságua em um "profundo mal-entendido". Ele reafirma o dogma de que a única verdadeira Igreja de Cristo é a católica. Na sequência desse embate, foi aberto um processo contra Boff na prefeitura da Congregação para a Doutrina da Fé. Foi para defender Boff que os cardeais Arns e Lorscheider foram a Roma. O processo resultou em uma punição ao teólogo brasileiro: "o silêncio obsequioso" por um ano. Boff desligou-se da Igreja em 1992.

Antes, porém, várias ações da Santa Sé já haviam conseguido neutralizar o clero progressista brasileiro. Como vimos, em 1989 a arquidiocese de São Paulo foi fatiada. Em 1985, dom Hélder Câmara foi substituído na arquidiocese de Olinda e Recife pelo ultraconservador arcebispo dom José Cardoso Sobrinho, o que resultou em grande trauma para a Igreja local. Aos poucos, a ordem foi substituir no Brasil e na América Latina o chamado episcopado progressista. Havia uma nítida divisão entre os conservadores e os simpatizantes ou mesmo militantes da Teologia da Libertação. Isso ficou claro em

1990, em uma visita do cardeal alemão ao Rio de Janeiro para ministrar o curso "O Múnus Petrino no final do milênio diante dos problemas da Igreja". Foi uma pregação sobre a doutrina, origem e unidade da Igreja universal. Compareceram noventa e seis bispos brasileiros. Mas o encontro foi boicotado pelo episcopado progressista. O cardeal Arns chegou a viajar aos Estados Unidos no dia da chegada de Ratzinger ao Brasil.

Para entender a polêmica entre a Santa Sé e um segmento da Igreja da América Latina é preciso voltar aos anos 1970. O vaticanista americano John L. Allen Jr. registra em seu livro *Conclave* que

> uma das poucas sinalizações explícitas do curtíssimo papado do cardeal Albino Luciani, papa João Paulo I, foi uma atitude crítica ao então "novo movimento que surgia na América Latina que buscava alinhar a Igreja Católica com movimentos progressistas por mudanças sociais". João Paulo I chegou a alertar que era errado afirmar que "onde há Lênin, há Jerusalém". Ele enviou o então jovem cardeal arcebispo de Munique, Joseph Ratzinger, a um congresso mariano no Equador. O alemão foi enfático ao fazer um alerta contra as ideologias marxistas que se infiltravam na Igreja.

Em 1981, o papa João Paulo II nomeou Ratzinger prefeito da instituição que até pouco tempo se chamava Santo Ofício, a ex-Inquisição: a Congregação para a Doutrina da Fé. Vigoroso pensador e teólogo, o alemão logo passou a fundamentar sua tese de que era impossível dissociar a razão da fé na Igreja. Foi com esses instrumentos que combateu a Teologia da Libertação no continente. De acordo com seu pensamento, nada havia de incoerente entre a "escolha preferencial pelos pobres" e a doutrina católica. Mas uma teologia baseada em princípios marxistas, advertiu Ratzinger, não era admissível. Como bem registra Allen Jr., a Teologia da Libertação tentava alinhar o catolicismo popular com movimentos esquerdistas pela mudança social.

No Brasil, isso fica claro com as Comunidades Eclesiais de Base. Em outros países latino-americanos havia processo semelhante.

Segundo o vaticanista americano:

> Na Nicarágua, os simpatizantes da Teologia da Libertação estavam entre os primeiros partidários da revolução sandinista. No Haiti, o levante populista que derrubou o odiado regime de Duvalier foi liderado por um padre católico, Jean Bertrand Aristide, inspirado pelos textos dos teólogos da libertação. Em Chiapas, no México, o bispo local, dom Samuel Ruíz, uniu-se à população indígena e criticou o governo mexicano.

Allen Jr. lembra, ainda, que o clero progressista imaginava que João Paulo II seria simpatizante da Teologia da Libertação, que tentava fazer na América Latina algo inspirado no que o movimento Solidariedade fazia na Polônia, opondo-se ao regime comunista com base na doutrina católica. Ledo engano.

Talvez, essa seja a grande diferença: enquanto o então cardeal polonês Karol Wojtyla lutava contra o comunismo, um regime ateu que perseguia a Igreja, no continente alguns simpatizantes da nova teologia tinham clara simpatia pelo marxismo. A estratégia da Santa Sé foi minar aos poucos todos os núcleos progressistas. Em 1991, o Vaticano foi a única nação do mundo que reconheceu o golpe militar no Haiti, que derrubou o governo de Aristide eleito democraticamente. Nessas duas décadas, vários seminários foram fechados, como o do Recife, depois que dom Hélder Câmara deixou a arquidiocese por aposentadoria compulsória. Também houve uma substituição paulatina dos bispos progressistas por nomes moderados, ou mesmo conservadores, como ocorreu em Chiapas, onde Ruíz foi esvaziado e depois aposentado. Hoje, o episcopado mexicano é um dos mais conservadores da América Latina.

O que fica claro nestas últimas décadas é que a Santa Sé, de forma deliberada, atuou para enfraquecer a chamada Igreja progressista no continente. A divisão foi explicitada nas Conferências do episcopado do continente ocorridas em Medellín (1968), em Puebla (1979) e em Santo Domingo (1992), principalmente nestas duas últimas. Criado em 1955, durante a I Conferência, no Rio de Janeiro, o Celam viveu relativa tranquilidade em sua primeira década de existência. O Celam surgiu no papado de Pio XII. Mas foi em 1968, já no papado de Paulo VI, que as divergências começam a ficar mais evidentes. Influenciada pelos ares renovadores do Concílio Vaticano II, a II Conferência, em Medellín, impulsionou a Teologia da Libertação com ênfase na atuação da Igreja como fator de transformação social. Essa linha progressista cresceu no início dos anos 1970, com a permissão de Paulo VI, que tinha simpatia pessoal por vários prelados brasileiros identificados com essa atuação social, como dom Hélder Câmara e os cardeais Paulo Arns e Aloísio Lorscheider. Mas, em 1979, já no papado de João Paulo II, a III Conferência ocorreu em um território mais conservador: Puebla. Lá, houve ajustes na linha adotada em Medellín, enfraquecendo a Teologia da Libertação. Na IV Conferência, em Santo Domingo, realizada no início dos anos 1990, houve uma forte divisão dos bispos. No discurso feito por João Paulo II na ocasião, ele deixou claro sua linha: pediu para que os católicos tivessem um encontro pessoal com Cristo em busca da santidade. Era uma mudança significativa de comportamento.

O bispo emérito de Jales, dom Demétrio Valentini, da ala progressista, evidenciou essa mudança de comportamento em uma palestra realizada na Faculdade Jesuíta de Filosofia e Teologia, de Belo Horizonte, em março de 2007, dois meses antes da V Conferência, em Aparecida. Ele lembrou que no discurso inicial de João Paulo II, em Santo Domingo, o papa anunciou sua intenção de convocar um "sínodo continental" para toda a Igreja da América, incluindo o Canadá e os Estados Unidos. "Parecia selada a história das Conferências Gerais do Episcopado latino-americano e caribenho. A impressão deixada era de que não haveria mais Conferências Gerais. Haveria sínodos continentais." A Igreja da América Latina deixaria de ser um sujeito eclesiástico, com iniciativas próprias e identidade diferenciada. As iniciativas de seu "enquadramento continental" proviriam de Roma, inseridas na estratégia de acompanhamento da Igreja no mundo com base nessa referência ampla e homogeneizadora, que são os continentes, disse dom Demétrio na ocasião. Afinal, não havia identidade nenhuma entre a Igreja no Brasil e nos Estados Unidos. A interpretação do bispo de Jales estava correta: a partir dos anos 1990 ficou ainda mais clara a decisão da Santa Sé de uma interferência na Igreja da América Latina. Dom Demétrio lembra que essa apreensão tomou forma no Sínodo da América, realizado em 1997, sob a inspiração de um *slogan* repetido com insistência: "uma só América, uma só Igreja".

Pelo relato do bispo de Jales, a partir do Sínodo das Américas pareciam esvaziadas as Conferências Gerais na América Latina:

> Tanto que, ao ser anunciada esta Conferência, alguns manifestaram sua estranheza, e até contrariedade. Em uma das reuniões do Conselho pós-sinodal, o cardeal canadense Turcotte manifestou sua contrariedade diante da proposta de uma Conferência de âmbito só latino-americano.

Segundo ele, a oportunidade para superar essa "quase fatalidade" e reverter as expectativas surgiu na Assembleia do Celam em Caracas, em 2001, quando o cardeal hondurenho Maradiaga propôs uma nova Conferência, com a finalidade de celebrar o jubileu do Celam. "A longa demora de sua realização denota o difícil caminho que precisou ser percorrido. Era preciso sair do improvável, passar pelo possível, chegar ao recomendável e conseguir o parecer de João Paulo II, que parecia ter desautorizado a continuidade das Conferências", observou dom Demétrio. O então presidente do Celam, o cardeal chileno Errázuriz, fez uma consulta oficial à Igreja na América Latina e do Caribe. Das vinte e duas Conferências Episcopais, vinte se manifestaram favoráveis à realização da Conferência Geral. Já entre os cardeais latino-americanos, o placar foi mais apertado: dos trinta purpurados, dezoito foram favoráveis. "Apresentados esses dados ao papa, em um almoço com a presidência do Celam, João Paulo II sentenciou: Quero o que a Igreja da América Latina quer. Estava dado o sinal verde para a realização da Conferência", contou o bispo de Jales.

Esse relato minucioso da dificuldade para a realização da V Conferência, em Aparecida, mostra como estava a interlocução da Igreja no continente com Roma. Até então, o Vaticano havia optado claramente por outra interlocução, na América Latina, com um episcopado mais conservador, principalmente entre os cardeais. Opção, inclusive, que colocou em postos estratégicos do Vaticano prelados latino-americanos de perfil extremamente conservador. Então, por que Bento XVI, um dos responsáveis por essa estratégia no pontificado de seu antecessor, decidiu reabrir um diálogo amplo com todos os setores da Igreja da América Latina? Já que toda a Igreja progressista estava enfraquecida, por que, então, retomar a interlocução? É claro que o clero ligado aos movimentos de esquerda perdeu uma força significativa. O Vaticano simplesmente poderia ignorar esse grupo. Dom Demétrio deixa claro que havia um "enquadramento continental". Mas a intenção da Santa Sé no papado de Bento XVI de unificar todo o episcopado do continente e reabrir um diálogo único permanente com a Igreja latino-americana tem motivações bem mais complexas. Essa mudança de comportamento foi sentida pela Igreja progressista no Brasil e surpreendeu vários expoentes dessa corrente. Perguntei, de forma direta, para a então coordenadora da Pastoral da Criança, Zilda Arns, sobre o papado de Ratzinger. Ela estava com um grupo de 150 crianças com idades entre 3 e 7 anos que são atendidas pela Pastoral da Criança em vários bairros de São Paulo, como Santana, Guarulhos e São Miguel Paulista. Todos enfrentavam a garoa e o frio de onze graus para acompanhar a chegada do papa ao Campo de Marte, no dia 9 de maio de 2007. "O papa Bento XVI está surpreendendo: tem uma linguagem de amor, fraternidade e paz e traz uma mensagem de um mundo de paz", disse. A resposta da irmã do cardeal Arns foi o que mais me chamou a atenção para a mudança de comportamento da Santa Sé.

Sinal vermelho: a mudança de comportamento da Santa Sé para com o continente

Os dados apresentados até o momento reforçam a tese de que o Vaticano havia optado por uma interlocução direcionada para um episcopado mais conservador na América Latina. A maior prova disso foi o próprio Conclave de Bento XVI. Mas, como identificar a estratégia política da Santa Sé para se reaproximar da Igreja na América Latina? Como o papa Bento XVI resolveu reabrir o diálogo, depois de quase três décadas de um processo de distanciamento e uma relação pautada pelo conflito com setores mais progressistas? Aliás, a relação foi tão traumática, que muitos integrantes da cúpula da Igreja tentam minimizar as divergências, ou mesmo ignorá-las. Por isso, chamou-me a atenção a avaliação franca e direta do cardeal português José Saraiva Martins, prefeito emérito da Congregação para a Causa dos Santos. Quando esteve em São Paulo, na comitiva do papa, para a canonização de Frei Galvão, tive oportunidade de entrevistá-lo. Uma resposta em especial, chamou minha atenção:

Gerson Camarotti: No passado, quando o papa Bento XVI era prefeito da Congregação para a Doutrina da Fé, houve conflito com o clero e o episcopado do Brasil e da América Latina, de linha mais progressista. Como está a relação da Igreja do continente com a Santa Sé?

José Saraiva Martins: No passado houve problemas. Em certos momentos, talvez tenha faltado um pouco mais de diálogo. Com diálogo se resolve tudo. Mas, sem ele, não se resolve nada e se complica o problema. Com um bocadinho de diálogo, tudo poderia se resolver de maneira extraordinária.

GC: Então, agora, o senhor acha que o diálogo melhorou?

SM: Sem dúvida, sem dúvida. Agora, o momento é outro. Tenho grande consciência da importância da América Latina, e do Brasil em particular, para toda a Igreja. O Brasil não é um apêndice. É uma parte essencial da Igreja. O Brasil é um protagonista da Igreja. Não pode ser posto de lado. Por isso, é preciso diálogo para se chegar a uma posição que se imponha à comunhão e à unidade. Roma não quer impor nada. Mas, naturalmente, Roma precisa iluminar e orientar quando é preciso.

Esta é uma resposta quase desconcertante para os padrões de um purpurado da cúria romana. Por isso, é preciso fazer uma rápida análise dela. Em primeiro lugar, Saraiva Martins admite, de forma clara, que houve problemas. Depois, reconhece a mudança. Ou seja, já há essa percepção dentro da própria Santa Sé, e veremos na sequência que avaliação semelhante também é feita pelo episcopado latino-americano. Por último, o cardeal português registra a importância da Igreja no continente, e em especial no Brasil. Não por acaso: são quase 500 milhões de católicos só na América Latina, segundo estimativas do Vaticano. Esse número é pouco menos da metade dos 1,2 milhão de católicos em todo o mundo. Só no Brasil, segundo os últimos dados, estão cerca de 10% da população mundial dessa religião.

A estratégia da Santa Sé ficou explicitada na viagem de Bento XVI ao Brasil, em maio de 2007. A ordem para essa reaproximação foi dada depois da percepção do Vaticano de que havia uma evasão significativa de fiéis no continente. Esses fiéis deixavam a religião católica em direção às seitas evangélicas. No Brasil, esse número chegou a 1% ao ano na década de 1990, segundo dados do IBGE, o que acendeu a luz vermelha na cúpula da cúria romana. Ou seja, Bento XVI, na condição de chefe da Igreja, foi pragmático: não era mais o momento de conflito. Nas palavras do cardeal Saraiva Martins, era o momento de diálogo para se chegar a uma posição de "comunhão e unidade". Ele foi além e sugeriu que Roma não queria impor, mas iluminar e orientar. Fica evidente a percepção do Vaticano de que era preciso encontrar uma unidade para combater um "adversário maior": a evasão para outras religiões, especialmente para o que o Vaticano classifica de seitas evangélicas.

O avanço nas relações dos católicos latino-americanos com a Santa Sé é fruto de uma nova interlocução e também de uma renovação gradual das principais lideranças católicas no continente. O episcopado latino-americano passou a ter uma nova sintonia com Roma. Será que o Vaticano mudou e compreendeu a realidade de quase meio bilhão de católicos no continente e as diferenças com a Europa? Aliás, em seu discurso para a abertura da Conferência de Aparecida, Bento XVI reconheceria, pela primeira vez, uma Igreja própria no continente. Diferente do que aconteceu nos anos 1990, quando a Igreja na América Latina estava sob o comando de influentes cardeais de perfil conservador, nos últimos anos houve um crescimento de líderes moderados. E esse novo perfil de cardeais abriria espaço para a eleição do papa Francisco, em 2013.

Um grande exemplo dessa mudança foi a nomeação do cardeal dom Cláudio Hummes para prefeito da Congregação do Clero, em dezembro de 2006. Na eleição do cardeal Jorge Mario Bergoglio, em 2013, ele teria um papel estratégico, como revelaria depois o próprio papa Francisco. A percepção é de que a Igreja da América Latina estava representada de forma parcial no Vaticano e que os cardeais que estavam lá só tinham elo com o clero conservador. O marco na virada dessa relação do papa Bento XVI com a América Latina foi outubro de 2005, quando houve o primeiro Sínodo do pontificado de Ratzinger. Segundo relatos de bispos brasileiros que estiveram no Vaticano naquele mês, um episódio marcou profundamente a relação do papa com o então cardeal arcebispo de São Paulo, dom Cláudio Hummes. Bento XVI ficou impressionado com a exposição do purpurado brasileiro, que alertou para um declínio implacável da população católica no Brasil. Na ocasião, o cardeal Cláudio Hummes chegou a apresentar uma estatística estarrecedora da perda de fiéis na ordem de 1% ao ano. Depois da fala do cardeal brasileiro, o papa fez uma intervenção, o que não é comum. Alertou para a necessidade de evangelizar o Brasil e sair de porta em porta para reconquistar a fé da população. O episódio é apontado na CNBB como decisivo para a escolha de dom Cláudio para a Congregação do Clero, exatamente um ano depois. Poucos dias após a realização do Sínodo, em 15 de outubro de 2005, Bento XVI fazia um gesto simbólico dessa nova interlocução: anunciou que a V Conferência Geral do Episcopado Latino-Americano e do Caribe seria celebrada no Santuário de Aparecida, São Paulo, em maio de 2007.

Algo novo passava a acontecer dentro dos muros do Vaticano: depois de mais de duas décadas de distanciamento e uma relação conflituosa, a Igreja na América Latina voltava a se aproximar da Santa Sé. Especialistas e teólogos consideram a Conferência de Aparecida como um novo marco desse relacionamento. Curiosamente, o cardeal Bergoglio teria um papel destacado em Aparecida, como redator do documento final da Conferência. O avanço nas relações dos católicos latino-americanos com a Santa Sé foi fruto de uma nova interlocução e também da renovação das principais lideranças católicas no continente. "As rusgas terminaram. O episcopado latino-americano passou a ter uma sintonia fina com Roma. O Vaticano mudou e compreendeu a realidade de quase meio bilhão de católicos no continente e as diferenças com a Europa", observou o teólogo e ouvidor da PUC-SP, Fernando Altemeyer, às vésperas de Aparecida.

Dom Demétrio Valentini, bispo emérito de Jales, constatou:

> Nas últimas décadas, a Igreja da América Latina estava mal representada no Vaticano. Os cardeais que estavam lá não representavam

a Igreja. A Santa Sé digeria mal nossa caminhada. Houve um clima de suspeição, que parece ter acabado de vez. Atualmente, surgem cardeais mais despidos de preconceitos, mais abertos e com mais possibilidade de mediação.

Por ser um dos poucos representantes da ala progressista, o depoimento de dom Demétrio é especialmente significativo.

O ex-presidente da CNBB, dom Geraldo Lyrio Rocha, arcebispo de Mariana, reconheceu a tensão que havia no passado entre esses dois polos: progressista e conservador. Ele atribui esse conflito, principalmente, à divergência na implantação da Teologia da Libertação.

Em uma referência indireta à ação do então cardeal Joseph Ratzinger, dom Geraldo Lyrio observou:

> O Concílio Vaticano II provocou grande efervescência na Igreja, o que resultou em atitudes radicalizadas tanto por progressistas como por conservadores. As posições da América Latina no campo teológico provocaram momentos de tensão, principalmente com os setores da Santa Sé responsáveis pela doutrina.

Nova linha de cardeais latino-americanos

Além de dom Cláudio Hummes, outras lideranças também desempenharam papel importante na América Latina na fase de reaproximação da Igreja. Com grande influência na Argentina, o então cardeal arcebispo de Buenos Aires, Jorge Mario Bergoglio, também teve papel de destaque, e já em 2005 chegou a ser um forte candidato no Conclave que elegeu Bento XVI. Outros cardeais latino-americanos ganharam destaque ao longo dos anos 2000. Uma das principais lideranças no continente passou a ser o cardeal arcebispo de Tegucigalpa, Óscar Andrés Rodríguez Maradiaga. O hondurenho foi presidente do Celam nos anos 1990, e mesmo com perfil progressista e aberto nas questões ecumênicas, sempre manteve um bom diálogo com a Santa Sé. Ele é considerado um purpurado habilidoso e chegou a ser apontado como papável no Conclave de 2005, segundo Allen Jr. Em 2013, Maradiaga foi o principal cabo eleitoral no Conclave que elegeu o papa Francisco.

Outros quatro cardeais são considerados fundamentais para a mudança nas relações entre o continente e a Santa Sé: o cardeal de Aparecida, dom Raymundo Damasceno, que presidiu o Celam e hoje comanda a CNBB; outro ex-presidente do Celam, o chileno Francisco Javier Errázuriz; o arcebispo de Havana, Jaime Lucas Ortega y Alamino, reconhecido por sua habilidosa oposição ao regime do ditador cubano Fidel Castro; e o arcebispo de Caracas, Jorge Urosa Savino, que em 2007 rebateu a tese do então presidente da Venezuela, Hugo Chávez, de que Jesus Cristo era "socialista" porque promovia a caridade e a solidariedade entre os povos. Em relação ao venezuelano Urosa Savino, a Santa Sé tem respaldado, de forma sistemática, suas ações para barrar a ofensiva do próprio Chávez contra o episcopado daquele país, como veremos mais adiante. Sobre o purpurado Jaime Ortega y Alamino, observadores do Vaticano costumam traçar um paralelo entre sua luta em Cuba por uma transição pacífica e católica para um futuro pós-comunista na ilha caribenha, e a luta do então cardeal Karol Wojtyla na Polônia comunista, como já registrou Allen Jr.

Hummes: o influente purpurado brasileiro

Ao chegar a Roma para comandar a Congregação do Clero, em dezembro de 2006, dom Cláudio Hummes chegou a ser apontado por muitos vaticanistas como um *papabile*, termo italiano usado no Vaticano para se referir aos cardeais com chances reais de se tornar um papa. Um arcebispo brasileiro que esteve em 2007 no Vaticano ficou impressionado com o prestígio de dom Cláudio Hummes na Santa Sé. O purpurado brasileiro passou a ser identificado imediatamente pelos integrantes da Guarda Suíça nos portões do Vaticano, sendo chamado de "Il Cardinale Hummes". Era um termômetro de sua popularidade dentro dos muros do Vaticano. Seria o equivalente, no Palácio do Planalto, a servir café quente ou frio para quem está no poder, explicou um arcebispo. Vaticanistas que estiveram no Brasil em 2007 acompanhando a visita do papa comentaram que a passagem de dom Cláudio pela Santa Sé permitiu ao brasileiro formar uma poderosa rede de contatos em todo o mundo eclesiástico, justamente seu ponto fraco em 2005. Na avaliação de bispos brasileiros, Cláudio Hummes conseguiu na cúria romana fazer contatos preciosos e estabelecer relação de confiança com vários cardeais. Essa rede de contatos seria fundamental, anos mais tarde, para ajudar na eleição do cardeal Bergoglio.

No Conclave de 2005, Cláudio Hummes foi queimado antes mesmo de chegar ao Vaticano para a eleição e ter alguma chance. Na ocasião, por causa de uma gripe, demorou um pouco mais para sair do Brasil e viajar a Roma. Por isso, teve uma participação menor durante o período do pré-Conclave. Sabe-se, agora, que prelados brasileiros que passaram por Roma logo depois da morte de João Paulo II espalharam que dom Cláudio tinha influência restrita na Igreja do Brasil. Tanto, que havia sido preterido para presidir a CNBB em duas oportunidades. Em outras palavras: no Conclave de 2005, dom Cláudio Hummes teve como principal dificuldade a resistência a seu nome por parte do episcopado brasileiro. Além disso, os quatro cardeais brasileiros que votaram naquele Conclave — dom Eusébio Scheid (Rio de Janeiro), dom Geraldo Majella Agnelo (Salvador) e dom José Freire Falcão (arcebispo emérito de Brasília) e o próprio dom Cláudio — não fecharam acordo em torno de um nome único antes de embarcar para o Vaticano. Pelo contrário. Dom Cláudio não era consenso nem mesmo entre os cardeais brasileiros que participaram do Conclave, o que, na avaliação de integrantes da

CNBB, foi definitivo para seu nome perder força antes mesmo de começar a eleição. Segundo essas fontes religiosas, a maior prova da resistência ao nome de dom Cláudio foi o fato de ele nunca ter presidido a CNBB, apesar de ter disputado o cargo duas vezes. A primeira foi em 1999, quando perdeu para o bispo de Pelotas (RS), dom Jayme Chemello. Na reunião da CNBB em Indaiatuba (SP), dom Cláudio teve 122 votos contra 146 de dom Chemello, até então um bispo de pouca visibilidade. Em 2003, a derrota foi mais expressiva. De um total de 279 bispos votantes, o então primaz do Brasil e arcebispo de Salvador (BA), dom Geraldo Majella Agnelo, alcançou 207 votos, muito acima da maioria absoluta. Dom Cláudio Hummes obteve sessenta e quatro votos.

Esse não foi o único fator que prejudicou Cláudio Hummes. Até então, sem uma vivência contínua na cúria romana, segundo integrantes da CNBB, ele teve pouco poder de articulação entre os demais cardeais. "Certamente, os cardeais brasileiros que chegaram primeiro ao Vaticano foram sabatinados pelos colegas sobre dom Cláudio. Essa primeira impressão é fundamental", observou um bispo de forma reservada.

As divergências entre os cardeais brasileiros ficaram explicitadas nas declarações de dom Eusébio, em Roma, que criticou duramente o presidente Luiz Inácio Lula da Silva. Ele chegou a dizer que Lula "não é católico", mas "caótico". Na ocasião, o presidente Lula declarou publicamente o apoio à candidatura de dom Cláudio para a sucessão do papa. O então chefe da Casa Civil, José Dirceu, também esteve com o cardeal arcebispo de São Paulo antes de ele viajar para o Vaticano. Na ocasião, as críticas de dom Eusébio de que o PT, partido de Lula, seria favorável ao aborto foram interpretadas na CNBB como uma crítica implícita ao bom relacionamento de dom Cláudio com o governo petista. O Vaticano não vê com bons olhos a aproximação da Igreja com a política e tem pregado uma independência maior de seus bispos em relação aos governos. Na ocasião, o então núncio apostólico tentou amenizar a divergência entre os cardeais brasileiros, mas evitou comentar as declarações do cardeal arcebispo do Rio. "Claramente, cada um tem uma postura e maneira de ser. Agora, em um Conclave, não entramos em assuntos políticos. Os cardeais estão em um nível muito alto. Eles rezam muito até escolher o papa", ponderou dom Lorenzo Baldisseri.

Em apenas dois anos a situação mudou completamente. Dom Cláudio Hummes se tornou um nome influente na Santa Sé, e dom Raymundo Damasceno Assis seria eleito em julho de 2007, em Havana, o novo presidente do poderoso Celam, o principal órgão dos bispos no continente. Ou seja, os dois passaram a ser importantes interlocutores no Vaticano. Sabe-se, agora, que alguns critérios foram fundamentais para a escolha do brasileiro Cláudio Hummes para o cargo no Vaticano: a fidelidade ao papado, o fato de ser um homem extremamente disciplinado, a erudição, a postura equilibrada, além de ser um bispo de consenso. Sua transição de uma linha progressista nos anos 1970 — quando defendia os sindicatos do ABC paulista e tinha explícita simpatia pelo então líder metalúrgico Luiz Inácio Lula da Silva — para uma postura moderada ajudou muito a formar o conceito de dom Cláudio na Santa Sé. A arquidiocese de São Paulo foi seu grande teste. Lá, ele conseguiu ótimos resultados nos oito anos em que comandou o cargo mais importante da Igreja no Brasil. O fato de não ter criado conflito ao substituir o carismático cardeal Paulo Arns foi fundamental para a imagem de Hummes no Vaticano.

Em 2007, quando comandava a Congregação para o Clero, o cardeal Cláudio Hummes concedeu uma longa entrevista ao jornal *O Globo*, na qual fez uma análise detalhada sobre a Igreja na América Latina e seu papel no continente.

O Globo: A linha social da Igreja latino-americana foi marcante nos anos 1970, motivada, inclusive, pela Teologia da Libertação. Como o senhor analisa a Igreja da América Latina, hoje, e a transformação das últimas décadas?

Dom Cláudio: A Igreja latino-americana tem uma expressão, sobretudo, por meio dessa união de todas as conferências episcopais. O Celam procura criar uma comunhão e unidade de caminhada entre os vários países. Essa é uma realidade muito importante. Talvez, a Igreja seja uma das únicas grandes forças de união da América Latina. Ela tem uma instituição de unidade, de trabalho de décadas. É claro que houve um momento muito forte, depois do Concílio (Vaticano II), de uma conscientização sobre as questões sociais, com a Conferência de Medellín (1968).

OG: Foi a influência da Teologia da Libertação?

DC: Essa é uma das expressões. Mas houve muito mais que isso, obviamente. Teve Medellín, que foi a II Conferência, depois Puebla (1979) e Santo Domingo (1992). Todas essas conferências falaram muito da opção preferencial pelos pobres. Porque a Igreja, por meio do Concílio, quis se reinserir melhor no mundo moderno. E a Igreja da América Latina, ao buscar isso, acabou descobrindo mais fortemente a questão da pobreza e foi em busca das causas. E acabou vendo que havia uma pobreza e uma injustiça institucionalizadas. Aí, surgiram as Comunidades Eclesiais de Base, com grande trabalho no meio dos pobres, do Evangelho no meio dos pobres e de solidariedade.

OG: Mas a pobreza no continente permanece...

DC: Sim. Essas comunidades estavam em busca até mesmo de mudanças políticas, que transformassem as estruturas de pecados, como dizia o papa João Paulo II — as estruturas sociais, políticas e econômicas que eram injustas e produziam pobreza, miséria e fome. Portanto, a Igreja deve continuar a fazer esse trabalho. Porque, na verdade, a pobreza continua. Ainda temos quase 50% dos latino-americanos abaixo da linha da pobreza. E é uma pobreza também produzida pela própria globalização. Os ajustes econômicos para que o mercado se abrisse para o mundo causaram um enorme desemprego.

OG: Mas a Igreja muda sua estratégia na América Latina?

DC: Permanece o grande problema da pobreza a ser vencida na América Latina. A Igreja deve se empenhar nisso, e entender as novas causas. Mas existem, hoje, novos problemas, como a questão da evangelização, que temos que enfrentar. A questão da missão, de sair em busca dos católicos afastados, e a questão da pobreza, são os grandes desafios. Temos que observar, ainda, a questão de uma unidade política latino-americana. Não basta tratado comercial, como Mercosul, mas uma unidade latino-americana política maior, pois o continente precisa ter uma força maior no mundo.

OG: O cardeal Tarcisio Bertone, secretário de Estado, ressaltou recentemente a preocupação com os regimes autoritários na América Latina. O papa Bento XVI fará essa abordagem em sua viagem ao Brasil?

DC: É possível que o papa aborde a questão do autoritarismo na América Latina, porque há coisas recentes nesse sentido. Há sinais de nacionalismos que estão surgindo. Também temos visto o surgimento do populismo, da demagogia em alguns países. Isso, de fato, traz novas preocupações, quando se pensava que a América Latina conseguiria fortalecer sua democracia e se estabilizar mais politicamente.

OG: A Venezuela de Hugo Chávez é o país, com essas características, que ganha mais visibilidade...

DC: Claro. E também, a forma como ele (Chávez) se relaciona com Cuba. Tudo isso, obviamente, preocupa.

O arcebispo do Rio de Janeiro, dom Orani Tempesta, em fevereiro de 2013.

CAPÍTULO 8.
O novo rosto moderado da Igreja no Brasil

Para evitar conflitos e unificar a Igreja, a Santa Sé passou a buscar no pontificado de Bento XVI um perfil de bispos discretos, não só na América Latina, mas principalmente no Brasil. Talvez, esse seja o segredo para o êxito dessa reaproximação. Isso ficaria claro na Conferência de Aparecida, em maio de 2007, quando as divergências foram mínimas em comparação com outras conferências anteriores.

Após anos de forte presença da linha progressista nos anos 1970, e um embate com bispos de linha conservadora nos anos 1980, a Igreja Católica no Brasil havia mudado. Três décadas depois, assumiu um rosto moderado. O novo perfil do episcopado passou a ser marcado por arcebispos que, apesar de jovens para os padrões da Igreja, já tinham longa experiência. Em substituição a nomes que marcaram a história recente do país com uma forte participação política e social, como os arcebispos dom Hélder Câmara (Olinda e Recife) e dom Luciano Mendes de Almeida (Mariana), e os cardeais dom Paulo Evaristo Arns (São Paulo), dom Aloísio Lorscheider (Aparecida e Fortaleza) e dom Eugênio Sales (Rio de Janeiro), surgiram, com influência, os arcebispos dom Odilo Pedro Scherer, de São Paulo, de perfil conservador; dom Raymundo Damasceno, de Aparecida; dom Orani Tempesta, do Rio de Janeiro; e mais recentemente, dom Murilo Krieger, de Salvador, e dom Sérgio da Rocha, de Brasília, considerados moderados. É preciso registrar que, apesar da relativa harmonia, existe uma queda de braço constante por espaço dentro da CNBB. A eleição de dom Geraldo Lyrio para a presidência da Confederação, em 2007, foi um exemplo disso. Ele ganhou com 92% dos votos, fato raro no episcopado brasileiro, que queria diminuir a influência de dom Odilo. O mesmo ocorreu na eleição para o cargo de secretário-geral. A CNBB mostrou alguma resistência na eleição do bispo auxiliar do Rio de Janeiro, dom Dimas Lara Barbosa, que só foi eleito em terceiro escrutínio. Ele era considerado muito jovem para uma função tão importante: tinha 51 anos e apenas três de ordenação episcopal. O que ajudou dom Dimas foi a mesma estratégia para evitar o fortalecimento da arquidiocese de São Paulo, já que o bispo auxiliar dom Pedro Stringhini era seu principal opositor.

Mas, apesar das disputas naturais de poder, é praticamente consenso na CNBB que o momento atual é de maior consenso no episcopado. Bem diferente de tempos recentes, quando a Igreja ficou claramente dividida entre progressistas e conservadores. “No passado, tivemos momentos de maior tensão. Mas, hoje, a Igreja no Brasil está mais unida. Há consenso nos pontos fundamentais que norteiam nossa ação evangelizadora. Prova disso é que os documentos da CNBB são votados por unanimidade”, observou dom Raymundo Damasceno.

Dom Dedé: uma crise de vinte e quatro anos

Até chegar ao atual estágio de unidade foi preciso um grande esforço do episcopado. A tensão foi tamanha, que alguns traumas demoraram a ser superados, como o da substituição de dom Hélder Câmara na arquidiocese de Olinda e Recife. Na segunda metade dos anos 1980, seu sucessor, o arcebispo dom José Cardoso Sobrinho, silenciou com mão de ferro o clero progressista da região. Aos poucos, o Vaticano fez substituições estratégicas nas dioceses brasileiras. A interferência não foi por acaso: a Santa Sé enxergava na Teologia da Libertação — que crescia no país, com muitos líderes ligados a partidos de esquerda — um método de análise da sociedade que se baseava em uma visão marxista, com pressupostos materialistas, e não religiosos, que apresentava Cristo como revolucionário; além de deixar de lado a transcendência espiritual.

Mas, em alguns casos de substituição de bispos, houve erro de avaliação. Isso provocou problemas em várias arquidioceses. O caso mais simbólico foi em Pernambuco. A arquidiocese de Olinda e Recife viveu uma crise de vinte e quatro anos, que só foi encerrada em 16 de agosto de 2009, quando o arcebispo dom José Cardoso Sobrinho deixou o comando. Pouco antes da aposentadoria compulsória, corou sua gestão controvertida ao fazer uma afirmação polêmica: que "o aborto é mais grave que o estupro". Além de defender a excomunhão de médicos e autoridades que ajudaram a interromper a gestação de uma garota de nove anos violentada pelo padrasto, ele marcou sua gestão pela perseguição a sacerdotes de linha progressista, desarticulação das pastorais e pelo fechamento dos centros de formação teológica.

A rejeição da comunidade católica local ao nome de dom José Cardoso Sobrinho era tamanha, que houve uma grande festa para receber seu sucessor, o beneditino dom Fernando Saburido, em agosto de 2009. Para marcar as comemorações, houve foguetório, uma caminhada pelas ruas do centro e uma grande missa campal no Marco Zero, ponto tradicional de concentração popular dos grandes eventos da capital. Mais conhecido como dom Dedé, Cardoso Sobrinho sucedeu em 1985 a dom Hélder Câmara, que havia marcado sua atuação como um religioso com voz atuante contra a ditadura militar. Sobrinho desestruturou toda a obra deixada por dom Hélder e passou a demitir os padres progressistas. Foram afastados vinte. Também destituiu entidades de ação destacada em Recife, como a Comissão de Justiça e Paz, criada por dom Hélder. Fechou centros, como o Instituto de Teologia do Recife e o Seminário Regional Nordeste II, de orientação inspirada na Teologia da Libertação.

Em julho de 1989, proibiu que umbandistas lavassem a calçada da Igreja de Nossa Senhora do Carmo durante a festa da padroeira do Recife, pondo fim a uma tradição secular. Em janeiro de 2007, acionou o Vaticano contra o padre Edwaldo Gomes, com mais de cinquenta e três anos de sacerdócio e trinta e nove de atuação na paróquia de Casa Forte, um dos bairros mais sofisticados do Recife. Isto porque durante a missa do jubileu de sacerdócio o padre Edwaldo foi homenageado por um pastor anglicano. Há um preceito no Direito Canônico proibindo pessoas de outras religiões de participar da liturgia católica.

Ao anunciar sua aposentadoria, ele disse ter a consciência tranquila do dever cumprido. Inclusive no caso do aborto. Com uma nota paga, publicada nos jornais locais, afirmou que teve o apoio da Santa Sé no caso polêmico da menina grávida de gêmeos, em março de 2009. Na ocasião, para minimizar o impacto da crise, dom José Cardoso Sobrinho afirmou que os responsáveis pela interrupção da gravidez de gêmeos em uma menina de nove anos, estuprada pelo padrasto em Pernambuco, poderiam ser perdoados, desde que se arrependessem. Ele acenou com a possibilidade para a mãe da menina, que autorizou o aborto, e para os médicos que realizaram a intervenção: "Não existe pecado sem perdão, mesmo para aquele que cometeu aborto. Para receber o perdão, é preciso arrepender-se".

Dom José também aconselhou o presidente Luiz Inácio Lula da Silva a procurar a assessoria de um teólogo para se habilitar a falar de temas ligados à religião. Ele reagiu à declaração de Lula de que "a medicina está mais correta que a Igreja", em uma referência direta à posição do arcebispo. “Se o presidente deseja fazer um pronunciamento sobre um tema teológico, eu sugeriria que primeiro tivesse ajuda de assessores que conheçam a doutrina da Igreja”, reagiu dom José.

A cicatriz deixada na Igreja do Brasil só não foi maior por causa da ação conciliadora de alguns setores conservadores do episcopado. Diferentemente de outros países latino-americanos, o diálogo entre os dois grupos que ocupavam campos opostos foi mantido entre os brasileiros. A habilidade do cardeal arcebispo do Rio de Janeiro, dom Eugênio de Araújo Sales, já falecido, foi fundamental para barrar algumas ações do regime militar contra integrantes do clero progressista. Gestos como esse foram reconhecidos por todos os setores do episcopado, o que acabou propiciando uma transição mais suave e um diálogo permanente.

Sempre houve respeito dos dois lados. Além de dom Eugênio, o campo mais conservador da Igreja no Brasil era representado nos anos 1980 pelos cardeais Lucas Moreira Neves (Salvador) e José Freire Falcão (Brasília).

Paralelos entre a Igreja dos anos 1970 e a atual

Pelo menos uma semelhança é possível detectar entre o episcopado dos anos 1970 e o atual: nos dois casos, os bispos mais influentes aparecem com forte atuação na CNBB. Dom Odilo e dom Damasceno tiveram projeção nacional na função de secretário-geral da CNBB, fato que foi reconhecido pelo Vaticano. Tanto que, de bispos auxiliares, passaram a dirigir arquidioceses importantes. Mas, apesar do novo perfil mais discreto, alguns bispos progressistas ainda mantêm influência na Igreja brasileira. O maior exemplo é a atuação do arcebispo de Porto Velho, dom Moacyr Grechi, que nos vinte e seis anos em que esteve na diocese de Rio Branco foi, durante muito tempo, a única voz em defesa do movimento ecológico da região liderado por Chico Mendes e seu movimento de seringueiros. Nos anos 1990, ele também denunciou os grupos de extermínio no Acre. Mas a "aposentadoria" compulsória tirou de cena outros bispos considerados "problemáticos" para a cúria romana, como dom Tomás Balduíno, bispo emérito de Goiás, e o polêmico dom Pedro Casaldáliga, bispo emérito de São Félix (MT).

Os eleitos

Depois de dois anos do pontificado do papa Bento XVI, ficaria claro que o mapa do poder na Igreja Católica brasileira começaria a ter um novo rosto. O caso mais evidente é do arcebispo de Aparecida, dom Raymundo Damasceno, escolhido por Bento XVI para ser seu anfitrião na América Latina, em 2007, e que logo depois seria sagrado cardeal.

No outro extremo, daqueles que perderam prestígio no novo comando, aparecia o bispo de Barra (BA), dom Luís Flávio Cappio. Ele recebeu um ultimato do Vaticano, em outubro de 2005, para interromper a greve de fome no sertão pernambucano contra a transposição das águas do rio São Francisco. Mas, entre esses dois exemplos mais visíveis, já é possível identificar quem sobe e quem desce na cotação de Bento XVI. Em conversas com bispos brasileiros com trânsito na cúria romana foi possível traçar o novo mapa do poder da Igreja Católica no Brasil. Logo depois da eleição do cardeal alemão Joseph Ratzinger, o novo papa já começava a deixar cada vez mais explícita sua linha de atuação na Igreja, e, por consequência, sua preferência de interlocução no Brasil, o maior país católico do mundo.

A nova linha do papa Bento XVI para a Igreja Católica no Brasil teve características visíveis: bispos conciliadores e com capacidade de liderança, mas sem paixão por holofotes. Ou seja, um perfil mais discreto. A avaliação de alguns bispos brasileiros é de que o cardeal arcebispo emérito do Rio, dom Eusébio Scheid, não conseguiu fazer a transição perfeita na sucessão de dom Eugênio. Entre outras coisas, o Vaticano não teria aprovado o bate-boca de dom Eusébio com o presidente Lula, quando, pouco antes do Conclave, o cardeal chamou Lula de "caótico".

Dom Orani: o perfil desejado

Não era esse tipo de polêmica que Bento XVI desejava para a Igreja no Brasil. Pelo contrário. A ordem era agregar o máximo possível. Nesse novo perfil, enquadrou-se como melhor exemplo o então arcebispo de Belém, dom Orani João Tempesta, que fez uma transição modelo depois de mais de duas décadas de comando de dom Vicente Zico. Terceira arquidiocese mais antiga do Brasil, Belém tem uma importância estratégica por causa do Círio de Nazaré, uma das maiores expressões de fé do Brasil. A TV Nazaré, comandada pela arquidiocese, aumenta a influência do arcebispo local, como a TV Aparecida, em Aparecida, já que a nova ordem da Santa Sé é utilizar ao máximo os meios de comunicação para conter a queda do catolicismo. A crise na arquidiocese do Rio de Janeiro só começou a ser resolvida em 27 de fevereiro de 2009. Nessa data, o papa Bento XVI designou dom Orani Tempesta para assumir a arquidiocese de São Sebastião do Rio de Janeiro, em substituição ao cardeal Eusébio Oscar Scheid, que havia renunciado ao cargo por motivo de idade.

Moderado, dom Orani foi apontado dentro da CNBB como um conciliador e grande especialista em comunicação. Em outubro de 2004, foi eleito Arcebispo de Belém, no Pará. Antes, foi bispo de Rio Preto, no interior de São Paulo. Também foi eleito por duas vezes para presidir a Comissão Episcopal para a Cultura, Educação e

Comunicação da CNBB. De perfil conciliador e diplomático, o primeiro desafio do novo arcebispo do Rio de Janeiro foi pacificar o Palácio São Joaquim. Segundo fontes da CNBB, a habilidade política mostrada por Orani nos quatro anos de comando da arquidiocese de Belém foi fundamental para a decisão do papa Bento XVI de optar por seu nome para uma sede cardinalícia.

A escolha não foi por acaso. Na CNBB, a rápida transição feita por dom Orani em Belém foi considerada um modelo a ser seguido nas grandes arquidioceses. A falta de habilidade na sucessão de arcebispos carismáticos e de forte personalidade como dom Eugênio, no Rio, e dom Hélder Câmara, no Recife, causou traumas na Igreja brasileira que permanecem até os dias atuais. Situação bem diferente da que ocorreu em Belém, quando Orani substituiu dom Vicente Joaquim Zico, e teve como primeiro gesto convidá-lo para morar na mesma residência. Depois disso, passou a ter em dom Zico seu principal conselheiro em Belém. Na carta enviada a dom Eusébio, o novo arcebispo do Rio ressaltou que seria uma honra sua permanência na residência episcopal. O cardeal Eusébio recusou. Ao mesmo tempo, Orani fez questão de telefonar para dom Eugênio, com quem já tinha um bom diálogo.

A Santa Sé não quis arriscar em uma escolha duvidosa para a arquidiocese do Rio de Janeiro, principalmente por sua importância. Segundo bispos que estiveram no Vaticano naquele período, havia grande desconforto com a crise estabelecida entre os grupos de dom Eusébio e de dom Eugênio. Houve surpresa em Roma com a forte personalidade de Eusébio. Como arcebispo de transição, já que foi nomeado para o Rio com idade avançada, a expectativa era que ele fizesse uma passagem rápida e tranquila, o que não ocorreu.

Mas, com a escolha de dom Orani, o Vaticano quis retomar a tradição na arquidiocese do Rio de Janeiro de longas administrações, como a de dom Eugênio e a de dom Jaime Câmara, que completaram três décadas no cargo. Antes do arcebispo de Belém, alguns nomes chegaram a ser cogitados para assumir o Rio de Janeiro, como o do arcebispo de Belo Horizonte, dom Walmor Oliveira de Azevedo, e do bispo auxiliar e secretário-geral da CNBB, dom Dimas Lara Barbosa. Mas, pela característica de conciliador, a Nunciatura Apostólica, em Brasília, concentrou as principais indicações no nome de Orani Tempesta. Emocionado, em entrevista concedida ainda em Belém, o arcebispo revelou que recebeu o comunicado de Roma de que iria assumir a sede do Rio de Janeiro dias antes do anúncio oficial:

> A explicação de por que fui nomeado eu não tenho. Eu disse sim ao chamado, mas peço a Deus que me capacite. É um misto de dor ao deixar e esperança ao chegar. Quando cheguei a Belém, perguntaram-me o que vim fazer aqui. Respondi: conhecer as pessoas e depois seguir em caminhada. A mesma coisa vou fazer lá. O Rio de Janeiro é uma arquidiocese única, que vou conhecer, vou conviver com os padres, religiosos e depois ver como posso servir. Levarei a Amazônia comigo.

Na CNBB, poucos prelados possuem tanto poder de articulação como dom Orani Tempesta. Pela segunda vez presidente da Comissão Episcopal para a Cultura, Educação e Comunicação da entidade, ele conseguiu um feito inédito em 2007: a Campanha da Fraternidade foi lançada pela primeira vez fora de Brasília. Com o tema sobre a Amazônia, foi lançada em Belém. Ele também teve grande influência na escolha do tema da Campanha da Fraternidade de 2009, a segurança pública.

Na carta que enviou a dom Eusébio, ele lembrou a importância desse tema da segurança pública para o Rio de Janeiro. Outra preocupação de sua passagem pelo Rio ficou evidente nos primeiros meses de sua administração: o combate à evasão de fiéis para as seitas evangélicas. Com grande experiência na utilização de meios de comunicação para a divulgação da fé católica, esse também foi uma aposta da Santa Sé na nova administração da arquidiocese do Rio. Dom Orani também passou a subir os morros da cidade para conquistar fiéis. Em algumas favelas que haviam sido tomadas pelo tráfico, dom Orani apoiou a ação de padres e religiosos que corriam risco. O rápido reconhecimento do trabalho do arcebispo viria anos depois, quando Bento XVI escolheu o Rio de Janeiro como a sede da Jornada Mundial da Juventude de 2013. Assim que foi eleito, Francisco fez questão de confirmar sua presença no evento, que se transformou no primeiro compromisso internacional do novo papa.

Cappio: o bispo que causou uma crise diplomática para a Santa Sé

A relação do Vaticano com a Igreja no Brasil enfrentou vários problemas. O episódio mais emblemático ocorreu ainda em 2005, no primeiro ano do pontificado de Bento XVI: naquele ano, um bispo brasileiro entrou em greve de fome. A Santa Sé chegou a reprovar a posição inicial da CNBB em relação ao gesto extremo do bispo de Barra, dom Cappio. A entidade chegou a enviar uma carta ao presidente Luiz Inácio Lula da Silva pedindo o adiamento das obras de transposição do rio São Francisco, motivo da greve de fome. A CNBB também mandou uma carta de apoio ao bispo de Barra. "Sabemos que estamos diante de uma atitude extrema, mas também de grande generosidade", disse a CNBB no texto. O Vaticano também não teria aprovado a divisão do episcopado brasileiro em relação à transposição do rio São Francisco e considerou que a CNBB foi precipitada ao tomar partido no primeiro instante, o que criou problemas diplomáticos. A posição dúbia forçou uma intervenção do Vaticano por intermédio do cardeal italiano dom Giovanni Battista Re, então prefeito da Congregação para os Bispos.

Na ocasião, o Vaticano determinou a dom Luís Flávio Cappio que interrompesse a greve de fome contra a transposição das águas do rio São Francisco e condenou de forma veemente o gesto do bispo de Barra (BA). Em uma mensagem incisiva, a Santa Sé cobrou obediência de Luís Cappio. O teor da carta enviada pelo cardeal italiano dom Giovanni Battista Re foi contundente. O prefeito da Congregação dos Bispos foi direto em sua carta e pediu que dom Luís não prosseguisse no que o Vaticano classificou de "gesto radical". "Em nome da Santa Sé, peço firmemente que não prossiga com esse gesto radical. Não é esse o modo aceitável para exprimir sua solicitude e sua doação pelo Povo de Deus", escreveu Re no texto. Em seguida, o cardeal Re fez uma advertência: "A Santa Sé confia que Vossa Excelência não desobedecerá ao preceito divino de não extinguir e prejudicar sua vida, e que imediatamente V. E. colocará fim a esse gesto em obediência também à Santa Sé".

A carta do Vaticano foi datada no dia 4 de outubro de 2005, data do aniversário de dom Luís, e entregue pessoalmente pelo bispo de Floresta (PE), dom Adriano Ciocca. O teor completo do texto foi repassado para todos os bispos e arcebispos brasileiros pelo então secretário-geral da CNBB, dom Odilo Pedro Scherer. Mas, antes da mensagem do Vaticano, a CNBB chegou a prestar solidariedade a dom Luís. Segundo um integrante da cúpula da CNBB, a organização só mudou de tom em relação à greve de fome depois do posicionamento oficial do Vaticano.

Em outro trecho da carta, depois da saudação de aniversário, o cardeal Re classificou como radical a greve de fome do bispo brasileiro:

> Com referência à sua radical decisão de jejum contra o plano de transposição das águas do rio São Francisco, reclamando também sua revitalização, e diante da firme opção de Vossa Excelência de levar até o extremo a greve de fome, tenho o grave dever de recordar-lhe que os princípios da moral cristã não permitem que

leve adiante sua decisão. É necessário conservar a vida, dom de Deus, e a integridade da saúde.

Homem de extrema confiança do papa João Paulo II, o cardeal Giovanni Battista Re foi mantido no cargo pelo papa Bento XVI. Ele ocupou as mais importantes funções dentro do Vaticano, onde fez carreira e conheceu como poucos a dinâmica interna da Santa Sé. Ficou conhecido como uma espécie de gerente do Vaticano, até sua aposentadoria.

Além da carta do cardeal Re, a CNBB encaminhou para os bispos brasileiros outros documentos sobre o episódio envolvendo a greve de fome; inclusive a nota assinada pelo então núncio apostólico, dom Lorenzo Baldisseri, cargo equivalente a embaixador da Santa Sé no Brasil. A nota assinada no dia 7 de outubro, sob o protocolo 6145/05, informou o fim da greve. No texto, dom Lorenzo comunicou que levou uma bênção do papa Bento XVI pelo fim da greve de fome. "O núncio trouxe o afeto e a bênção apostólica do Santo Padre pela feliz conclusão dessa vicissitude", dizia o texto.

A nota repassou o teor da homilia feita durante a missa de Ação de Graças em que o núncio reprovou o gesto de dom Luís: "Só Deus é o dono da vida e nós não podemos tirá-la. Segundo a moral católica, o fim não justifica os meios, mesmo que o fim seja uma nobre causa". Segundo o texto, dom Luís teria pedido perdão por seu gesto. No final da missa, dom Luís pediu a palavra e se referiu à frase do núncio: "O fim não justifica os meios", e pediu perdão por ter agido "até o extremo" e pelo "sofrimento que causou à Igreja"; pediu perdão também ao pároco local e a todas as outras pessoas envolvidas no "embaraço" causado, "para um bem maior". Disse, ainda, que o núncio foi "um irmão e um pai", de acordo com a nota. Mas o impasse foi bem pior que o divulgado. Foi preciso a intervenção pessoal do então ministro das Relações Institucionais, Jaques Wagner, que viajou para o sertão de Pernambuco para negociar o fim da greve de fome.

Um ano depois, dom Luís Flávio Cappio voltou a incomodar o Vaticano com uma nova greve de fome. No dia 20 de dezembro de 2007, ele anunciou o fim de um novo jejum contra o projeto de transposição do rio São Francisco. O bispo estava desde o dia 27 de novembro sem comer. Quando completou vinte e três dias se alimentando apenas de água e soro caseiro, dom Cappio passou mal. O bispo desmaiou ao tomar conhecimento da decisão do Supremo Tribunal Federal que permitia a continuidade das obras do projeto de transposição do São Francisco.

Dom Cappio foi internado no Hospital Memorial, em Petrolina, a setenta quilômetros de Sobradinho, no sertão pernambucano. O bispo de Barra passou a noite na UTI recebendo soro. Recuperado, dom Flávio Cappio seguiu de ambulância do Hospital de Petrolina a Sobradinho. Ali, participou da missa, na qual anunciou o fim do jejum. Não foi uma solução pacífica. Diante da desobediência do bispo de Barra, que não interrompeu a greve de fome, o caso passou a ser tratado pessoalmente pelo secretário de Estado da Santa Sé, cardeal Tarcisio Bertone. Segundo bispos brasileiros que foram envolvidos na negociação com o bispo de Barra, a Santa Sé passou a tratar o assunto como um problema de Estado envolvendo o governo brasileiro e o Vaticano.

A decisão da Santa Sé de endurecer o tratamento dispensado a dom Cappio foi tomada depois que ele se negou a atender a um ultimato feito pelo cardeal italiano dom Giovanni Battista Re. Chegou a ser enviada uma carta no dia 13 de dezembro na qual o cardeal Re determinava o fim da greve de fome. "A continuação do jejum, já muito prolongado e radical, colocando em risco a própria sobrevivência, não é um meio aceitável e contradiz os princípios cristãos", escreveu Re. Em outro trecho da carta, o cardeal ordenou que ele reassumisse o cargo como bispo de Barra. Segundo o prelado brasileiro, que acompanhou o caso, essa carta foi um recado claro de que a Santa Sé poderia nomear um "administrador apostólico" para a diocese de Barra. Ou seja, tirar o poder de dom Cappio como bispo.

Na CNBB, chegou a informação, repassada pela nunciatura apostólica em Brasília, de que já se cogitava até mesmo uma carta pessoal do papa Bento XVI determinando o fim da greve de Cappio. A avaliação feita no núcleo da Igreja foi de que o bispo de Barra extrapolou todos os limites e criou uma crise diplomática para o Vaticano. A cúria romana passou a considerar o gesto de Cappio uma posição política que atingia diretamente a soberania do governo brasileiro para tomar suas decisões administrativas. Isso ficou claro no relato feito pelo então núncio apostólico, dom Lorenzo Baldisseri, às autoridades brasileiras. Também incomodou a Santa Sé o fato de Cappio desobedecer de forma reincidente à hierarquia da Igreja Católica. Isto porque, da primeira vez que fez greve de fome, em outubro de 2005, ele já havia sido advertido nesse sentido. Um arcebispo brasileiro lembrou que o Vaticano trabalha o chamado "carisma institucional" da Igreja, e não o "carisma individual". Na visão da Igreja, seria esse carisma individual que estimula o surgimento de líderes messiânicos. "Isso é tudo que a Igreja não quer. Um líder religioso sem obediência à Santa Sé. Esse gesto é contrário à hierarquia. Dom Cappio passou de todos os limites. Será preciso uma interferência direta do Santo Padre?", desabafou um arcebispo de forma reservada, na ocasião.

Essa mesma fonte ressaltou que a mudança de posição da própria CNBB em relação à greve de fome de Cappio foi resultado de uma interferência direta da Santa Sé. Até então, havia uma posição dúbia da entidade. Alguns bispos e pastorais da CNBB chegaram a defender inicialmente a forma de protesto de Cappio.

Damasceno: símbolo da nova interlocução da Igreja

Esse tipo de comportamento de Luís Cappio, classificado como "messiânico", transformou-se em um modelo negativo para o Vaticano de como não deve ser a postura do episcopado latino-americano no papado de Bento XVI. O modelo aposto foi identificado em Aparecida. O principal símbolo dessa nova interlocução ficou claro ainda no primeiro ano de pontificado, quando o papa anunciou que a V Conferência Geral do Episcopado Latino-Americano e do Caribe seria em Aparecida. A escolha pessoal pegou de surpresa à cúpula da Igreja no continente e mostrou a força e o prestígio pessoal de dom Damasceno. Uma cidade brasileira não estava cotada para sediar o encontro do Celam. Isto porque, em 1955, o Rio de Janeiro havia sediado a reunião, que depois ocorreu em Medellín (1968), em Puebla (1979) e em Santo Domingo (1992). Existia um forte *lobby* para que dessa vez o encontro fosse em Buenos Aires, na Argentina, ou na Cidade do México. Além disso, Aparecida era considerada uma cidade com pouca infraestrutura para receber um evento dessa natureza.

Bento XVI já havia sinalizado que viria ao Brasil desde junho de 2005. Ou seja, quatro meses antes do anúncio oficial. Convidado por Damasceno em um encontro no Vaticano, o papa disse que em breve visitaria o maior santuário mariano do mundo. O que motivou o papa ficou claro em outubro, durante o Sínodo, em Roma, com a intervenção de Cláudio Hummes sobre a evasão de fiéis no Brasil. Na ocasião, o recado do novo papa foi explícito ao escolher Aparecida: queria no país e no continente uma nova linha de bispos que fossem mais preocupados em evangelizar. Nesse caso, dom Damasceno cairia como uma luva para os planos de Bento XVI. Ex-secretário-geral da CNBB, e ex-secretário-geral do Celam, Damasceno era um homem de centro e com boa interlocução com a sociedade. A promoção de Damasceno foi estratégica. Ele pôde aproveitar a V Conferência de Aparecida para iniciar sua campanha e ser eleito em seguida presidente do Celam, no encontro de Havana. Aliás, a decisão do papa de fazer a Conferência em Aparecida foi um reconhecimento pessoal ao arcebispo brasileiro, que conheceu nos anos 1960, em Munique, quando era conferencista de teologia, e que depois se aproximaria como prefeito da Congregação da Doutrina da Fé.

Assim que a escolha de Aparecida foi oficializada, em outubro de 2005, dom Damasceno observou.

> Foi um gesto simbólico do Santo Padre, que nos distinguiu. A escolha poderia ser de qualquer cidade do Brasil ou da América Latina. Isso nos dá uma grande responsabilidade. Em um país como o nosso, de maioria católica, corre-se o risco de uma acomodação. Temos que intensificar a ação evangelizadora, utilizar novos métodos em nossa missão, renovar o entusiasmo diante do crescimento de igrejas neopentecostais. A conclusão do encontro deve ser uma grande missão em âmbito continental.

E foi o que aconteceu.

Errázuriz Ossa: inspiração na poética de dom Hélder

Durante a visita de Bento XVI a São Paulo, tive oportunidade de abordar o tema com o antecessor de Damasceno, o cardeal chileno Francisco Javier Errázuriz Ossa, que na época era o presidente do Conselho Episcopal Latino-Americano. Ele confidenciou que costumava ler com frequência os escritos de dom Hélder Câmara, falecido em 1999: "Os poemas de dom Hélder me emocionam muito". Nos anos 1970, o então arcebispo de Olinda e Recife foi apelidado de "bispo vermelho", pela ditadura militar. O cardeal Francisco Javier Errázuriz Ossa seria outro exemplo claro do perfil conciliador escolhido para o Vaticano para reunificar a Igreja na América Latina. Ou seja, uma Igreja sem grandes extremos. Quando lhe perguntei sobre as divergências entre progressistas e conservadores, ele foi taxativo: "Não há mais tensão na Igreja da América Latina". Afirmou que, diferente das Conferências de Puebla (1979) e de Santo Domingo (1992), nas quais havia uma tensão, o clima de Aparecida era de comunhão. Disse, ainda, que a Teologia da Libertação não é uma característica da Igreja em toda a América Latina e que está restrita a um grupo. Errázuriz Ossa foi também um dos três presidentes da Conferência de Aparecida. Na entrevista, ficou explicitada a dificuldade da Igreja para superar essa divisão e o esforço para um momento de comunhão no continente.

Gerson Camarotti: Qual a prioridade da Conferência de Aparecida?

Errázuriz Ossa: Nossa grande prioridade é fazer que cada membro da Igreja seja um discípulo e um missionário de Jesus Cristo. E que o grande serviço da Igreja na sociedade seja a vida nova em Cristo.

GC: Qual o desafio da Igreja na América Latina, principalmente depois de certo distanciamento da Santa Sé, nas últimas décadas, por causa da influência da Teologia da Libertação no clero do continente?

EO: Creio que é um grande erro pensar que o tema da Teologia da Libertação tenha deixado a Igreja latino-americana distante de Roma. O fenômeno da Teologia da Libertação está restrito a um grupo. Não é uma característica de toda a Igreja do continente. Por outra parte, a resposta de Roma foram duas instruções da Congregação da Doutrina da Fé. Uma afirma que o Evangelho tem uma dimensão e uma missão libertadoras. E, portanto, foi deixado de lado em toda essa teologia de componente marxista. Mas o Evangelho, como tal, é libertador.

GC: Mas, antes, havia certa tensão de bispos progressistas, como o cardeal Paulo Evaristo Arns...

EO: ... dom Hélder Câmara. No Chile também tínhamos nomes progressistas. São muitíssimas pessoas na América Latina. Mas essas são pessoas que buscam o progresso e que têm um grande amor pela tradição da Igreja.

GC: Qual o atual momento da Igreja latino-americana? Ela chega dividida para a Conferência de Aparecida?

EO: Acho que não. A maior tensão havia em Puebla (1979) e em Santo Domingo (1992). Eu tenho experiência de prestar serviço no Celam por quatro anos, trabalhando próximo de quarenta bispos dos episcopados latino-americanos. O clima de comunhão é extraordinário. Pode sempre existir alguma pessoa que tenha problema ou alguma posição discordante. Mas essa V Conferência se caracteriza pelo clima de comunhão na preparação, e, certamente, na celebração.

Aliás, a citação do cardeal chileno Errázuriz Ossa ao arcebispo Hélder Câmara não foi por acaso. Em sua tese de doutorado na UnB, Virgílio Caixeta Arraes registra uma passagem de um encontro entre o cardeal Paulo Evaristo Arns e o papa Montini (Paulo VI): "Este lhe havia perguntado sua opinião sobre dom Hélder. Arns responder-lhe-ia 'poeta e místico'. Depois, o papa dir-lhe-ia 'Uma síntese tão boa eu nunca vi, mas ela corresponde exatamente ao que penso. Ele é um grande místico e é um poeta'".

Na condição de cardeal, Montini havia visitado o Brasil por quatro dias em junho de 1960. Chegou a conhecer Brasília, ao lado do presidente Juscelino Kubitschek, logo depois da sua inauguração. Já no Rio de Janeiro, em companhia do então bispo auxiliar Hélder Câmara,

Montini visitou o trabalho do prelado cearense em bairros pobres daquela cidade. Exatos dez anos depois, em 1970, ao ser entrevistado por Oriana Fallaci, o já arcebispo de Olinda e Recife foi questionado se o papa Paulo VI sabia de suas inclinações à esquerda. A resposta do prelado foi direta: "Sabe e não desaprova. Ele apenas não pode falar do jeito que eu posso. Há certas pessoas que o rodeiam, pobre homem!". Aliás, depois que se tornou papa, atribuiu-se a Montini a frase de que Câmara seria seu "Bispo Vermelho", registrou Caixeta Arraes.

Aloísio Lorscheider: o brasileiro que podia ter sucedido Paulo VI

Em dezembro de 2007, na véspera do Natal, faleceu o cardeal dom Aloísio Lorscheider. Uma reportagem do jornal argentino *Página 12* definiu Lorscheider, que morreu em Porto Alegre, como um "herói do Brasil". "Reconhecido como militante dos direitos humanos e da reforma agrária, Lorscheider se identificou com a Teologia da Libertação durante a década de 1970, e teria sido um dos candidatos ao papado nos dois Conclaves de que participou em 1978", registrou o diário portenho. A morte do cardeal foi destaque também no jornal espanhol *ABC*, em reportagem intitulada "O brasileiro que podia ter sucedido Paulo VI". "Na sucessão (do papa), o nome do brasileiro era um dos mais mencionados para ocupar o pontificado, que, no fim, recaiu sobre o cardeal italiano Albino Luciani (João Paulo I)", recordou o *ABC*. O jornal disse que dom Aloísio Lorscheider se distinguiu "por sua luta ferrenha contra o regime militar que governou o país entre 1964 e 1985". Já o italiano *Il Giornale* reconheceu que dom Aloísio foi "um dos protagonistas da história da Igreja latino-americana", e lembrou que o cardeal recebeu, em sua vida, "diversas ameaças de morte por suas denúncias sociais". Dom Aloísio, arcebispo emérito de Aparecida (SP) e ex-presidente da CNBB, morreu aos 83 anos na UTI do

Hospital São Francisco, em Porto Alegre. Estava internado após sofrer um acidente vascular cerebral.

Dom Aloísio Lorscheider foi o brasileiro que teve mais chances de se tornar papa. Em 1978, durante o Conclave que transformou Albino Luciani em papa João Paulo I, dom Aloísio recebeu votos dos cardeais presentes. Uma das versões diz que o próprio Luciani votou em dom Aloísio. Entre os fatores que enfraqueceram sua candidatura estava o infarto sofrido pouco tempo antes. Anos mais tarde, em 2005, dom Aloísio acrescentaria outra razão, em entrevista sobre as chances de dom Cláudio na sucessão de João Paulo II. "Os europeus, maioria no Conclave, têm uma indisfarçável sensação de superioridade. Eu conheço bem isso. Nós, não europeus (e isso vale também para os africanos e asiáticos), sofremos certa discriminação. Tudo isso, bem entendido, é humanamente falando." Junto com bispos, como seu primo dom José Ivo Lorscheider, que faleceu em março 2007, dom Hélder Câmara, arcebispo de Olinda e Recife, que faleceu em 1999 e dom Luciano Mendes de Almeida, bispo de Mariana (MG), que faleceu em 2006, dom Aloísio tomou a frente no combate ao regime militar. Também foi um dos bispos mais ligados à Teologia da Libertação, corrente que vê a Igreja a serviço da transformação social.

Nascido em uma família alemã na cidade de Estrela (RS) em 8 de outubro de 1924, dom Aloísio esteve à frente do movimento das Comunidades Eclesiais de Base, que começaram a ser criadas no início dos anos 1960. Foi presidente da CNBB entre 1971 e 1979. Antes, entre 1968 e 1971, foi secretário-geral da entidade. Sua atuação pastoral foi marcada pelas críticas contra o regime militar. Em entrevista à *Folha de S.Paulo*, em 2005, o cardeal afirmou que sabia que era perseguido pelos militares, por "defender quem julgava que deveria defender". Foi ordenado sacerdote em 1948, em Divinópolis (MG). A ordenação como bispo só aconteceu em 1962. O religioso também foi presidente do Celam entre 1976 e 1979. Dom Aloísio foi nomeado cardeal arcebispo de Fortaleza (CE) em 1973.

Um episódio marcante ocorreu em 15 de março de 1994, quando dom Aloísio foi feito refém durante uma rebelião contra as condições carcerárias dos presos do Instituto Penal Paulo Sarasate (CE). Dom Aloísio pediu aos presos que fosse o último a ser libertado. O cardeal negociou a libertação dos demais reféns e o fim do motim. No dia seguinte, disse que sua vontade de ajudar os presos havia aumentado. "Para mim, aumentou o amor por essa gente, e a necessidade de dedicar-me mais ainda aos presidiários, que são os excluídos da sociedade."

Em 1995, com problemas cardíacos, solicitou ao papa João Paulo II sua transferência para uma diocese menor. Foi atendido e transferido para Aparecida. Em 2000, com 76 anos, dom Aloísio anunciou sua renúncia. Pelas regras da Igreja Católica, foi obrigado a renunciar ao cargo por ter passado dos 75 anos. Na ocasião, afirmou que, se fosse por vontade própria, continuaria em Aparecida. "Mas não sou eu quem decide isso", disse. No dia 28 de janeiro de 2004, recebeu a notícia da aceitação de sua renúncia. No dia 25 de março de 2004 entregou a arquidiocese de Aparecida a dom Raymundo Damasceno Assis. Em seguida, retornou para o Convento dos Franciscanos, em Porto Alegre (RS), onde passou seus últimos dias.

Bento XVI expressou sua tristeza pela morte do cardeal Aloísio Lorscheider em dois telegramas enviados a líderes da Igreja. Bento XVI reconheceu a "constante e generosa dedicação" de dom Aloísio nos diferentes trabalhos apostólicos que desempenhou ao longo dos seus quarenta e cinco anos de episcopado.

Missa de canonização de frei Galvão, celebrada pelo papa Bento XVI no Campo de Marte, em São Paulo, 11 de maio de 2007.

CAPÍTULO 9.

Frei Galvão: a nova estratégia dos santos

A missa de canonização do primeiro santo genuinamente brasileiro, o frei franciscano Antonio de Sant'Ana Galvão, teve um simbolismo político da Santa Sé tão grande, ou talvez maior, quanto o simbolismo religioso. Milhares de pessoas lotaram o Campo de Marte para acompanhar a missa celebrada pelo papa Bento XVI, naquela sexta-feira de maio. Normalmente, as canonizações acontecem no Vaticano. Mas foi um evento tão especial que, nesse caso, o papa fez questão de celebrar a missa em São Paulo. Não por acaso. Pela primeira vez, o Vaticano teve pressa na canonização de um santo brasileiro. O processo havia sido concluído em dezembro de 2006, quando já estava decidida a viagem ao Brasil. Era preciso um gesto simbólico. Durante cinco séculos, a canonização de um santo brasileiro não foi prioridade para a cúria romana. Enquanto isso, até mesmo o Japão passou a ter seus santos nativos. Nem mesmo o padre jesuíta José de Anchieta — que, apesar de nascido nas Ilhas Canárias, fez seu apostolado no Brasil do século XVI — obteve sucesso nos meandros do Vaticano. Então, por que só agora a urgência na canonização de um santo nativo em um país onde durante quatro séculos o catolicismo foi a religião oficial? E vale ressaltar que, mesmo depois da instalação do Estado Laico, a religião predominante no país continuou sendo a fé católica.

A estratégia no Vaticano mudou rapidamente depois da constatação da grande perda de fiéis no Brasil. Era preciso dar uma cor local à fé brasileira. Frei Galvão acabou sendo o primeiro de uma longa lista de futuros santos que devem começar a surgir em todas as regiões brasileiras nas próximas décadas. É preciso registrar que a estratégia política da Santa Sé de canonização de santos não é restrita apenas ao Brasil. A sensibilidade para utilizar novos santos como instrumento de realimentar a fé de católicos foi um dos marcos do pontificado de João Paulo II. Em seus vinte e seis anos de papado, foram agilizadas várias exigências para o processo de canonização. Resultado: 482 novos santos católicos no mundo em várias línguas e cores. Ele percebeu que a Igreja perdia fiéis para outras religiões. Tardiamente, o Brasil entrou nessa rota de proclamação de santos. A primeira canonização foi em 2002, de Madre Paulina. Apesar de ter nascido na Itália, ela viveu quase toda a vida no Brasil. Cinco anos depois, foi a vez de Frei Galvão, franciscano que morreu em 1822. Só 185 anos depois de sua morte, tornou-se santo, depois da comprovação pelo Tribunal Eclesiástico de um milagre ocorrido em 1999: uma mulher que tentava sua terceira gravidez de alto risco tomou pílulas de Frei Galvão e conseguiu ter o filho, mesmo com um parto complicado. A criança, Enzo de Almeida Gallafassi, o símbolo vivo do milagre, esteve diante do papa e de uma multidão no Campo de Marte, ao lado da mãe, Sandra Grossi de Almeida, e do pai, Cesar Augusto Gallafassi.

Mas a canonização do primeiro santo brasileiro teve uma característica única. De acordo com um bispo que pediu reserva, o processo de Frei Galvão foi tão apressado, que houve uma falha grave, que precisou ser corrigida à véspera da visita do papa Bento XVI ao Brasil. Descobriu-se um detalhe crucial que invalidaria o milagre da criança Enzo: os pais não tinham o sagrado sacramento do matrimônio na Santa Igreja Católica. Por esse critério, inclusive, o milagre deveria ter sido desconsiderado para questões do processo de canonização. O desconforto foi enorme e a solução encontrada foi casar os pais de Enzo de última hora, quando a criança já estava com sete anos. O casamento tardio ocorreu na capela do mosteiro da Luz, no centro de São Paulo. A cerimônia ocorreu quatro dias antes da chegada de Bento XVI ao Brasil. O jornal *Folha de S.Paulo* registrou o casamento reservado. Segundo a jornalista Laura Capriglione, sessenta e seis amigos e parentes testemunharam a cerimônia. "A noiva vestia um longo branco, símbolo da pureza virginal. Nas mãos, uma rosa vermelha fazia as vezes de buquê. Dois passos à frente ia o pequeno Enzo, sorridente dentro do meio-fraque. No altar, o pai — vestido como o filho — chorava", registrou a *Folha*:

> Na hora da troca das alianças, foi o filho quem as entregou aos pais, ao som de *Jesus Alegria dos Homens*, de Bach. Depois da bênção do padre Armênio Nogueira, a noiva desceu do altar amparada pelo marido e por Enzo. No caminho, fez questão de se abaixar para depositar a rosa vermelha sobre a pedra do túmulo de frei Galvão.

Mesmo morando em Brasília, os noivos alegaram que fizeram questão que o casamento fosse realizado no mosteiro da Luz, fundado por frei Galvão em 1774. No processo de canonização, ficou caracterizado que o nascimento de Enzo só foi possível por um milagre de frei Galvão, já que documentos e perícias médicas comprovaram que a mãe dele, Sandra, tinha uma anomalia uterina que impedia o crescimento do feto. Três gestações anteriores haviam terminado em abortos espontâneos. Questionada na ocasião, Sandra disse que o casamento na véspera da canonização não teve nada a ver com a presença do papa. Ela alegou que foi uma homenagem aos pais, que se casaram no mesmo dia. Mas não foi bem assim. De acordo com o relato de um bispo, quando se descobriu a falha processual, os pais de Enzo foram chamados para consertar o "erro", de acordo com as palavras do prelado. Esse mesmo bispo explicou que houve grande constrangimento ao se constatar que os pais da criança não eram casados na Igreja, e que, portanto, poderiam não ser recebidos pelo papa na cerimônia de canonização.

Para a Igreja Católica, do ponto de vista religioso, os santos servem para aproximar o homem de Deus. Seria uma espécie de intercessor junto ao divino e funciona como exemplo de vida a ser seguido. Mas, em um momento em que há uma evasão de fiéis, o surgimento de um santo passa a ser uma força poderosa para manter o rebanho unido. Na entrevista com o cardeal Cláudio Hummes, essa estratégia ficou muito clara. Segundo o purpurado brasileiro, a própria cultura católica valoriza muito o exemplo dos santos como modelo de como viver o Evangelho. Ele vai além, e ressalta que os santos fazem parte da religiosidade popular e latino-americana. Nas palavras de dom Cláudio, um santo brasileiro "confirma o povo em sua fé e em sua religiosidade".

Gerson Camarotti: A canonização de frei Galvão ajudará a Igreja nessa estratégia para reconquistar fiéis?

Dom Cláudio: Com certeza, sim. Porque toda a cultura católica valoriza muito o exemplo dos santos. Nós não adoramos os santos. Claro que não. Nem adoramos imagens de santos, do que somos, às vezes, levianamente acusados. Sobretudo, pelas seitas. Mas reconhecemos que os santos são um grande modelo de como viver o Evangelho. Eles são nossos intercessores junto a Deus. Assim como pedimos em favor dos nossos familiares e rezamos a Deus, assim os santos intercedem por nós no céu. Isso está muito dentro da religiosidade popular e latino-americana.

GC: Como o senhor avalia o fato de o Brasil ter seu primeiro santo?

DC: Termos santos no Brasil é muito importante. Termos um brasileiro nato, alguém que nasceu no país, que seja declarado santo, é uma alegria muito grande para o povo. E confirma o povo em sua fé e em sua religiosidade. E nós esperamos que haja mais santos a partir de agora. Até porque temos, aqui, no Vaticano, um bom número de processos — ao redor de trinta — de pessoas que poderão chegar a ser beatificadas e depois canonizadas. Como agora, haverá algumas beatificações, como a dos dois mártires do Rio Grande do Sul e como a mártir da cidade de Tubarão (SC), aquela menina que foi morta em defesa de sua virgindade. Isso, para nosso povo, é importante, porque mostra que a fé católica leva as pessoas a ter uma vida que pode ser exemplar para todo o mundo.

Tudo indica que, daqui para frente, outros processos devem andar com mais velocidade. Há cerca de trinta processos de brasileiros no Vaticano. Além da canonização de frei Galvão, 2007 foi um ano de agenda cheia para a beatificação de vários brasileiros: Albertina Berkenbrock, em Tubarão (SC); padre Manuel Gonzáles e o coroinha Adílio Daronch, em Frederico Westphalen (RS) e irmã Lindalva Justo Oliveira, em Salvador. Em 2013, ano da Jornada Mundial do Rio de Janeiro, foi dado início ao processo de beatificação de Odette Vital de Oliveira, com uma missa celebrada pelo arcebispo dom Orani Tempesta. Odetinha, como é conhecida, morreu de meningite aos nove anos, em 1939. Mas ficou conhecida por sua devoção aos pobres. “Como uma criança de nove anos tinha pensamentos profundos sobre a eucaristia, sobre sua vida pessoal, sobre a pessoa de Deus em sua própria existência e sobre a questão social também?", destacou dom Orani.

Para se tornar um beato, é preciso a comprovação de um milagre. Um segundo milagre dá a condição de santo ao beato. A Igreja reconhece que para esse processo de popularização da fé católica os santos são fundamentais. Tanto, que há uma forte pressão do episcopado do Ceará para reabilitar o polêmico padre Cícero Romão Baptista. Mas, diferente de outros processos, está longe de um consenso na Igreja a reabilitação de padre Cícero, considerado santo por milhares de brasileiros, especialmente no Nordeste. A avaliação de setores da CNBB é que, em um momento de evasão de fiéis, seria estratégico canalizar para a fé católica o maior fenômeno religioso do Nordeste. Mesmo com o empenho pessoal de dom Fernando Panico, o bispo de Crato, padre Cícero está muito longe de uma beatificação. Isto porque ele foi afastado da Igreja Católica depois que, ainda em vida, se tornou santo popular e milagreiro. Outra grande restrição do Vaticano é em relação a frei Damião. O capuchinho, que também tem fama de milagreiro, teve forte atuação política até os anos 1990. De forma polêmica, chegou a apoiar a eleição para presidente da República do então governador de Alagoas, Fernando Collor, em 1989.

Situação diferente foi a da beatificação de irmã Dulce, considerada o "Anjo bom da Bahia". Para dar uma resposta mais rápida aos nordestinos, foi tomada a decisão de apressar no Vaticano o processo que a tornou beata. O *lobby* da baiana foi poderoso. Ela contou, desde o início, com o apoio do hoje arcebispo de Salvador e primaz do Brasil cardeal dom Geraldo Majella Agnelo, que chegou a celebrar até missa em homenagem à "santa da Bahia". "Sempre aquele que chega a ser apontado pela Igreja como uma pessoa de fé, de muita fé, e, por isso, um santo, chama a atenção. Vai realmente contribuir para que algumas pessoas, ou muitas pessoas, vejam a profundidade da vivência de sua fé", disse dom Geraldo Majella depois da beatificação de irmã Dulce. A causa da beata foi considerada tão boa, que até mesmo o então governador de São Paulo, José Serra (PSDB), aproveitou a audiência com o papa Bento XVI, no mosteiro de São Bento, em 2007, para pedir a agilização do processo da baiana.

Sorridente, o cardeal português José Saraiva Martins, então prefeito da Congregação para a Causa dos Santos, mostrou-se um conhecedor dos processos brasileiros na Santa Sé. Até 2008, quando teve que se afastar do cargo por questões de idade, ele era o responsável direto pela causa dos santos de todo o mundo. Seu cargo ganhou visibilidade na cúria romana principalmente depois da redefinição de estratégia da Santa Sé. Saraiva Martins mostrou-se em sintonia perfeita com essa determinação. O purpurado português foi direto ao falar das chances dos brasileiros. Confirmou, naquela ocasião, que estava avançado o processo de beatificação de irmã Dulce, o que seria confirmado logo depois. Mas deixou claro que o processo de padre Cícero Romão seria muito difícil, por ter usado doutrina heterodoxa no início do século passado. Nesta entrevista, concedida em maio de 2007, ele se disse orgulhoso de ter trabalhado na causa de frei Galvão e chegou a fazer uma piada com a canonização.

Gerson Camarotti: Frei Galvão é o primeiro santo brasileiro. Qual o significado dessa primeira canonização de um brasileiro?

Saraiva Martins: Para brincar um bocadinho, alguém me disse: foi preciso um prefeito português para dar o primeiro santo ao Brasil (risos).

GC: Houve um lobby *lusitano?*

SM: Sim (risos). De todo caso, sinto-me muito orgulhoso por ter sido eu a dar o primeiro santo ao Brasil. Para mim, foi um privilégio trabalhar nessa causa. Desde o começo, notei logo que essa era uma causa importante não só para o Brasil ou a América Latina, mas para a Igreja universal. Frei Galvão tem uma mensagem extremamente atual e importante para a Igreja de hoje. Foi conhecido como um homem da paz e da caridade. E o mundo de hoje precisa disso. Essa caridade quer dizer: compreensão, amor, justiça. Sem justiça não há caridade. A caridade encarnada no beato Galvão é uma mensagem extremamente atual. Ele lutou pela paz com muita convicção, trabalhando como podia no contexto em que vivia, mas com muita eficácia. A paz mundial a que tanto aspiramos não deve ser uma coisa abstrata. Devemos ser construtores de paz, todos nós. Outra mensagem atual é que ele passou toda sua vida exercendo o ministério das confissões. Hoje, há uma grande crise do ministério da penitência. Ele consagrou boa parte de sua vida a ouvir as confissões dos fiéis para ser um diretor espiritual de tantos e tantos. Todos se referiam a ele como um grande homem cheio de sabedoria. E não só para a absolvição dos pecados, mas também para pedir conselhos. E, por isso mesmo, quando quiseram mudar frei Galvão para outra cidade do Brasil, a gente do povo não deixou. Por isso mesmo ele ficou aqui, em São Paulo. Eram pessoas que precisavam dele como confessor. Portanto, frei Galvão é um modelo de extrema atualidade para o homem de hoje. Sua mensagem é de extrema importância.

GC: Demorou muito para o Brasil ter o primeiro santo. Mas, a partir de agora, surgirão outros santos brasileiros?

SM: Sem dúvida. Em 2007, serão mais quatro beatos. Teremos a irmã Lindalva, na Bahia, que é uma jovem que virou mártir da castidade. Depois temos a beatificação de Albertina Berkenbrock, em Tubarão (SC), além do padre Manuel Gonzáles e o coroinha Adílio Daronch, em Frederico Westphalen (RS). Ou seja, em 2007 temos uma canonização e mais quatro beatos brasileiros.

GC: Há uma resistência na Santa Sé à reabilitação do padre Cícero Romão, que tem fama de milagreiro no Nordeste. Por que essa resistência? Estaria relacionada ao comportamento heterodoxo de padre Cícero e por ele ter sido político no início do século passado? A fé popular nele é muito grande, principalmente no Nordeste. Como se resolve esse impasse?

SM: Conheço bastante bem o padre Cícero. Porque eu tinha um amigo, que já morreu, que era muito devoto dele. Por isso aprendi bem sobre ele. O processo dele não foi adiante porque tem alguns problemas. Não é de se excluir que algum dia ele seja beatificado ou canonizado. Mas, tem certos problemas. O processo está em Roma. A causa não está esquecida. Primeiro, é preciso resolver alguns problemas, e depois é que viria a eventual reabilitação. Nós temos um trabalho íntimo com a Congregação da Doutrina da Fé nessa causa.

GC: Mas, por que esse trabalho com a Congregação da Doutrina da Fé na questão de padre Cícero?

SM: Porque há alguns problemas doutrinais no padre Cícero. Como você observa, havia heterodoxia no trabalho dele. Isso precisa ficar esclarecido muito bem. Nós estudamos bem o problema, mas em colaboração com a Congregação da Doutrina da Fé. Como é normal que seja. Mas não é uma causa que esteja abandonada. Está a se estudar.

GC: E como está o processo de irmã Dulce, conhecida como o anjo bom da Bahia?

SM: Eu conheço a causa de irmã Dulce muito bem, porque o cardeal Geraldo Majella me fala muito dela. Sei que na Bahia ela é um ídolo. Certamente, ela chegará a ser beatificada. Nós temos, na Congregação, mais de 2.200 causas à espera de estudo. E, por justiça, temos que analisar quem chega antes. Mas a causa de irmã Dulce é uma figura simpaticíssima. Acho que pode acontecer que em muito pouco tempo ela chegue à beatificação.

GC: É difícil ser prefeito de uma congregação com tantos pedidos de todo o mundo para a canonização de santos?

SM: É um trabalho muito prazeroso. É um trabalho que dá muita satisfação porque ajuda a conhecer melhor a Igreja. Dizia João Paulo II que ou a Igreja é santa ou não tem razão de existir. Tento trabalhar esses anos no problema da santidade da Igreja. Acho que é um trabalho extraordinariamente lindo.

A agenda final de Saraiva Martins

Antes de renunciar ao cargo, em 2008, por causa da idade, Saraiva Martins intensificou sua agenda na América Latina. Entre outubro e dezembro de 2007 foram efetivadas beatificações de brasileiros que estavam previstas. Eles chegaram ao penúltimo estágio do processo de santificação. Esse reconhecimento faz parte de uma clara mudança no posicionamento da Igreja. Entre as medidas que tomou para conter a evasão de fiéis, o papa João Paulo II incentivou os processos de canonização. No Brasil, metade dos santos e beatos foi elevada a esse *status* nos últimos dezesseis anos. Até o fim da década de 1990, havia trinta e cinco pleitos brasileiros em Roma. Em 2007, já havia cinquenta e sete, um aumento que reflete, também, o maior empenho das dioceses em promover seus candidatos à santidade, como constatou na ocasião a reportagem da revista *Veja*. Em fevereiro de 2008, outra leva de pedidos de beatificação começou a sair do papel. Pela primeira vez, um documento da Igreja pediu a beatificação de dom Hélder Câmara. A reivindicação foi protocolada no documento final no Encontro Nacional dos Presbíteros, que ocorreu em Indaiatuba. O nome de dom Hélder foi ratificado por mais de 400 padres exatamente no ano em que se iniciariam as comemorações do centenário de seu nascimento.

Pouco antes, no dia 2 de dezembro de 2007, cerca de 25 mil fiéis participaram, no Estádio do Barradão, em Salvador, da beatificação de irmã Lindalva Justo de Oliveira (1953-1993). A cerimônia foi presidida pelo cardeal José Saraiva Martins, prefeito da Congregação para as Causas dos Santos, concelebrada pelo arcebispo de Salvador, cardeal Geraldo Majella Agnelo e diversos bispos e padres. Irmã Lindalva foi assassinada em uma Sexta-feira Santa, dia 9 de abril de 1993, no Abrigo Dom Pedro II, em Salvador. Ali, ela coordenava uma enfermaria com quarenta idosos e era responsável pela ala do pavilhão masculino. A freira, membro da Companhia das Filhas da Caridade de São Vicente de Paulo, foi morta a facadas por Augusto Peixoto, quarenta e seis anos, um dos internos do abrigo, sob a alegação de que a religiosa não correspondia ao amor que ele dizia sentir por ela. Ao início da celebração, o cardeal Saraiva Martins afirmou que, com a beatificação, a Igreja consagrava "o holocausto cruel de irmã Lindalva para que sigamos com ela os passos de Cristo". Até mesmo uma imagem da beata foi apresentada aos fiéis. A política de popularizar imagens também foi retomada com força pelo Vaticano. O maior exemplo ocorreu em Havana. O papa João Paulo II coroou, em 24 de fevereiro de 1998, a imagem da padroeira de Cuba, Nossa Senhora do Cobre, declarando-a "Mãe da reconciliação" para Cuba. Naquela ocasião, o papa lhe pediu encarecidamente que unisse seu povo.

Mas a estratégia de santos locais não ficou limitada ao Brasil. Em janeiro de 2008, a Conferência Episcopal da Venezuela recebeu com festa a beatificação de uma filha da Igreja: a madre Candelária de São José, fundadora das Irmãs Carmelitas venezuelanas. Bento XVI emitiu, em 6 de julho de 2007, o decreto pelo qual reconhecia um milagre realizado graças à intercessão de madre Candelária, abrindo, assim, as portas de sua proclamação como beata. Nascida em Altagracia de Orituco em 11 de agosto de 1863, Susana Paz Castillo Ramírez, seu nome de batismo.

Segundo registrou a Conferência Episcopal:

> [madre Candelária] acolheu com entusiasmo o chamado de Deus à santidade, e desde muito jovem destacou-se na prática da caridade viva e efetiva, com a qual atendeu, consolou e curou os enfermos e feridos que as contendas bélicas haviam deixado nas ruas de sua cidade natal.

Também nesse caso havia uma decisão política da Santa Sé: a beatificação ocorreu no momento em que a Igreja da Venezuela enfrentava seu maior embate com o governo do presidente Hugo Chávez.

Em 2008, o Vaticano manteve sua política de canonização de católicos não só na América Latina, como também em países do Terceiro Mundo. Em 12 de outubro, Bento XVI canonizou quatro beatos durante uma celebração eucarística na Praça São Pedro. Entre eles, a primeira santa da Índia: Afonsa da Imaculada Conceição (Ana Muttathupadathu). A América Latina recebeu dois novos santos: a evangelizadora do Equador e da Colômbia, a suíça, Maria Bernarda Butler, e a equatoriana Narcisa de Jesús Martillo y Morán. Nesse grupo, também foi canonizado o sacerdote italiano Gaetano Errico.

A primeira santa católica da Índia

A Santa Sé também decidiu confirmar a canonização de Afonsa da Imaculada Conceição (seu nome era Ana Muttathupadathu), religiosa da Congregação das Clarissas da Terceira Ordem de São

Francisco, no momento de grande perseguição aos cristãos da Índia. O próprio relato sobre o histórico da indiana mostra que ela não teve uma vida de acontecimentos extraordinários que merecesse a santidade. Mas a ausência de um santo nativo na Índia foi vista como um vácuo para a fé católica naquele país de Terceiro Mundo. A nova santa nasceu em Kudamaloor, arquidiocese de Changanacherry (estado de Kerala), em 19 de agosto de 1910. Perdeu sua mãe quando era um bebê. Sua tia se encarregou de seus cuidados e desejava que se casasse. Mas ela decidiu ingressar no convento das Franciscanas Clarissas, em Bharananganam, em 2 de agosto de 1928. Recebeu o nome de Afonsa. De saúde delicada, pôde emitir seus votos perpétuos em 12 de agosto de 1936. O relato do Vaticano diz que ela "concluiu sua vida entre grandes dores, encomendando serenamente sua alma e pronunciando os nomes de Jesus, Maria e José. Era 28 de julho de 1946. Ela tinha 35 anos". Ela havia sido beatificada por João Paulo II na Índia, em Kottayam, em 8 de fevereiro de 1986.

As novas santas para os equatorianos e colombianos

Maria Bernarda Butler, fundadora das irmãs Franciscanas Missionárias de Maria Auxiliadora, nasceu em Auw, Suíça, em 28 de maio de 1848. Pelo texto do Vaticano, "em um lar simples, de pais camponeses". Em 1867, ingressou no mosteiro franciscano de Maria Auxiliadora de seu país. Junto com seis companheiras, partiu para o Equador em 1888, onde fundou a Congregação das Irmãs Franciscanas Missionárias de Maria Auxiliadora. Sete anos mais tarde, após a perseguição contra religiosos liderada pelo então presidente equatoriano Eloy Alfaro, madre Maria Bernarda e suas irmãs abandonaram o país e foram acolhidas em Cartagena pelo então bispo daquela diocese, dom Eugenio Biffi. Madre Bernarda permaneceu vinte e nove anos em Cartagena, até que morreu, em 1924, aos 76 anos de idade.

Já Narcisa de Jesús Martillo y Morán é uma santa local. Nasceu em um povoado chamado Nobol, da diocese de Guayaquil, Equador. Seus pais eram agricultores e foi a sexta de nove filhos. Sua mãe morreu quando Narcisa era pequena. Era aficionada à costura, ao serviço doméstico, também ao canto e ao violão. "A busca de uma direção espiritual a levou a mudar-se para Guayaquil quando tinha cerca de 20 anos, onde levava uma vida pobre e se alojava em lugares simples", observou o relato que justificou sua canonização. Também no Equador, a Igreja enfrentava relações tensas com o governo.

Os primeiros santos da América Latina

Hoje, a política de santos do Vaticano para a América Latina é bem diferente do que ocorria até um passado bem recente. O processo de "desitalianização" foi iniciado por Pio XII, registra Virgílio Caixeta Arraes em sua tese de doutorado na UnB, em 2006. Isso ficou claro no papado de Roncalli, que não só enfatizou a internacionalização progressiva da diplomacia, da própria cúria e também da política espiritual.

A abertura geocultural da Igreja estendeu-se à questão espiritual também, ao canonizar Martinho de Porres, por exemplo, que se tornaria o terceiro santo do Peru e da América Latina, e passaria a ser conhecido como são Martinho de Lima. O dominicano, que viveu no século XVI, era o primeiro filho ilegítimo — de um nobre espanhol com uma índia — a ser santificado. Porres conseguira ser aceito na ordem em virtude de seus predicados, não obstante as restrições para o ingresso dos não caucasianos. Segundo João XXIII, sua canonização seria (...) a resposta da Igreja aos problemas raciais do século XX.

Antes de são Martinho, embora o mais popular, houve santa Rosa de Lima, canonizada em 1671, padroeira da América Latina, e o próprio patrono do Peru, são Francisco Solano, canonizado em 1726, ainda que nascido na nobreza espanhola, como registrou Caixeta Arraes em sua tese.

Em 2013, com a eleição do papa Francisco, cresceu entre os argentinos a pressão para acelerar o processo de beatificação do padre franciscano Carlos de Dios Murias, assassinado pela ditadura daquele país em 1976. Nascido em Córdoba, ele era do Movimento dos Padres para o Terceiro Mundo. Murias foi morto, apesar de não ter se envolvido com a luta armada.

Papa Francisco mantém canonizações

Dois meses depois de eleito, o papa Francisco deu prosseguimento a estratégia do Vaticano para novos santos católicos, que foi intensificada pelos seus antecessores João Paulo II e Bento XVI. No dia 12 de maio, na Praça de São Pedro, foi realizada a primeira cerimônia de canonização de seu pontificado para declarar santas duas religiosas do século XX na América Latina. Foram canonizadas a freira colombiana Laura Montoya (1874-1949) e a mexicana María Guadalupe García Zavala, conhecida como "mãe Lupita" (1878-1963) — além de 800 mártires italianos assassinados em 1480 pelos otomanos por terem se negado a se converterem ao Islã. Os novos santos foram uma herança do papa anterior. Bento XVI havia divulgado o nome deles em fevereiro, na mesma ocasião em que anunciou a sua renúncia.

Apesar da definição dos novos santos ter sido antes do conclave, foi simbólico para o Vaticano o evento comandado pelo papa Francisco. A cerimônia teve presença de milhares de peregrinos da

América Latina, incluindo uma grande delegação da Colômbia, encabeçada pelo presidente Juan Manuel Santos, para prestigiar a primeira santa da história de seu país, uma freira que trabalhava como professora e guia espiritual para os povos indígenas no século XX. Já "mãe Lupita" passou a ser a segunda santa do México. Ela se dedicou a cuidar dos doentes e ajudou os católicos evitar perseguições durante a repressão do governo à fé em 1920. Francisco orou para que a nova santa possa ajudar o país a "erradicar toda a violência e insegurança", uma aparente referência aos anos de derramamento de sangue e outros crimes em grande parte ligada a poderosos clãs do tráfico de drogas.

Uma semana antes, o papa Francisco também fez um gesto especial aos brasileiros no momento da beatificação de Nhá Chica. Ele afirmou que a filha de escravos Francisca da Paula de Jesus, conhecida no século XIX como Nhá Chica foi uma "perspicaz testemunha" da misericórdia de Cristo. A beatificação ocorreu em 4 de maio, na cidade de Baependi, em Minas Gerais. Nhá Chica foi a primeira negra a ser declarada beata no Brasil. A missa de consagração foi celebrada no Santuário Nossa Senhora da Conceição, onde estão os restos mortais de Nhá Chica.

Por meio de uma mensagem, lida na homilia pelo prefeito da Congregação das Causas dos Santos do Vaticano, cardeal Angelo Amato, o papa Francisco evocou o pedido de beatificação impulsionado pelo bispo de Campanha, dom Diamantino Prata de Carvalho, e por vários fiéis. No dia seguinte, em missa celebrada no Vaticano, o Papa saudou os fiéis brasileiros ao dizer que estava unido a todos pela beatificação de Nhá Chica. "Ontem, no Brasil, foi proclamada beata Francisca de Paula de Jesus, conhecida como Nhá Chica. A sua vida simples foi toda dedicada a Deus e à caridade, tanto que era chamada "mãe dos pobres". Estou unido à alegria da Igreja no Brasil por essa luminosa discípula do Senhor", disse o papa.

A estratégia de comunicação da Santa Sé para o continente

Além da estratégia explícita da canonização e beatificação de brasileiros para estimular a fé católica no país, outra ação específica ganhou prioridade no núcleo da Igreja para o embate com as seitas pela manutenção de fiéis: a comunicação. A própria viagem do papa ao Brasil teve, em parte, um caráter midiático importante na avaliação de bispos brasileiros. Esse mesmo objetivo entrou na pauta da viagem do papa Francisco ao Rio de Janeiro, para participar da Jornada Mundial da Juventude, em 2013.

Mas a linha de comunicação da Igreja não se resumiu a esse ponto. Pelo contrário. A determinação do episcopado brasileiro é de expandir ao máximo o alcance da palavra católica. Isso ficou claro em reportagem da jornalista Elvira Lobato, na *Folha de S. Paulo,* em agosto de 2007, que revelou que "pouco depois da visita do papa Bento XVI ao Brasil, em maio, a TV Aparecida, da Igreja Católica, comprou uma rede de dezenove retransmissoras de televisão do apresentador Gugu Liberato". Segundo a reportagem, o negócio teria custado cerca de 15 milhões de reais. A Igreja, no entanto, não informou o valor exato da transação, que foi confirmada pelo diretor da TV Aparecida, padre César Moreira. A *Folha* relatou que Liberato havia obtido as licenças de retransmissão do Ministério das Comunicações, em 2002, quando também comprou uma emissora geradora em Cuiabá (MT) — fora do pacote comprado pela Igreja. As dezenove retransmissoras estavam registradas em nome da empresa Sistema de TV Paulista Ltda., constituída por Liberato. A TV Aparecida comprou a totalidade do capital da empresa. Segundo padre César Moreira informou à *Folha*, a compra da empresa deu à TV Aparecida o direito de uso das retransmissoras. Treze delas já estavam em funcionamento, e antes de serem adquiridas pela Igreja, retransmitiam programação evangélica. As demais estavam em fase de implantação. Ou seja, fica clara a preocupação da Igreja Católica de recuperar o terreno perdido no campo das comunicações para os evangélicos, que passaram a comandar pequenas, médias e grandes redes de comunicação — como a Rede Record, sob influência direta da Igreja Universal do Reino de Deus.

Em abril, pouco antes da visita do papa, o jornal *Folha de S.Paulo* já havia informado que a Igreja Católica caminhava para implantar sua terceira emissora nacional, a partir da TV Aparecida. "A Igreja Católica possui duas redes de televisão com cobertura nacional em sinal aberto — Rede Vida e Canção Nova —, que foram implantadas em pouco mais de uma década, em reação ao avanço das igrejas evangélicas na mídia", lembrou a *Folha*, acrescentando:

A velocidade de crescimento da Igreja Católica na área televisiva só tem similar no da Igreja Universal, do bispo Edir Macedo, nos anos 1990 — embora os investimentos da Universal nessa área sejam muito maiores. A Universal tem vinte e duas emissoras geradoras, sendo dezenove em nome da Rede Record.

A reportagem explicou, ainda, que as licenças de retransmissão de tevê são concedidas gratuitamente pelos governos.

Conforme explicou Lobato:

> (...) Mas, como as frequências estão praticamente esgotadas nas grandes cidades, elas adquirem alto valor no mercado. As licenças de retransmissão não têm prazo definido (como as concessões para geradoras, que são por quinze anos, renováveis) e podem ser canceladas pelo governo. A diferença entre as retransmissoras e as geradoras é que as primeiras podem apenas propagar o sinal emitido pela geradora.

A TV Aparecida completou dois anos em setembro de 2007. O diretor da televisão informou à *Folha de S.Paulo* que foram investidos 3,5 milhões de dólares (cerca de 6,8 milhões de reais) apenas na implantação da geradora em Aparecida (SP). A emissora é financiada pelo Santuário de Aparecida e por publicidade. Com a compra da TV paulista, ressaltou a *Folha*, a emissora católica garantiria a recepção em sinal aberto em doze capitais, entre elas Porto Alegre, Belém, Fortaleza, Palmas e Florianópolis. Os dados da matéria da *Folha de S. Paulo* confirmam que há uma preocupação especial no núcleo da Igreja Católica no Brasil, com a determinação da Santa Sé, de reconquistar fiéis. Neste caso, os meios de comunicação passaram a ter um papel fundamental. Não por acaso, arcebispos em cidades com emissoras católicas influentes, como dom Raymundo Damasceno (Aparecida), que comanda a TV Aparecida, e dom Orani Tempesta, que estava em Belém antes de ir para o Rio, e que comandava a TV Nazaré, passaram a ter importância estratégica para a Igreja no Brasil.

Papa Bento XVI e o presidente Lula no Palácio dos Bandeirantes, em São Paulo, 10 de maio de 2007.

CAPÍTULO 10.

São Paulo: o recado de Bento XVI aos bispos brasileiros

Assim que chegou a São Paulo, o papa Bento XVI teve uma grata surpresa. Confidenciou aos prelados brasileiros que o frio de onze graus que fazia na capital paulista, em seu desembarque no Brasil, lembrava o clima de sua terra natal, no sul da Alemanha. A garoa tomou conta da cidade no final da tarde do dia 9 de maio de 2007. Depois de ser recebido pelo presidente Luiz Inácio Lula da Silva no aeroporto de Guarulhos, o papa deslocou-se de helicóptero para o Campo de Marte. Passou batido pelos 150 meninos e meninas de até oito anos atendidos pela Pastoral da Criança, que ficaram duas horas no frio para recebê-lo no local. Não havia visto o grupo de crianças. Mas, quando já estava para entrar no papamóvel, Bento XVI foi alertado pelo então prefeito de São Paulo, Gilberto Kassab, e voltou para abraçar as crianças. Foi extremamente afetuoso. No trajeto para o mosteiro de São Bento, onde ficou hospedado, outra surpresa ao ver crianças correndo atrás do carro. O papa não se conteve. "Criança é igual em todo lugar do mundo!", sorriu Bento XVI dentro do automóvel. Ele revelou a cardeais de sua comitiva que ficou encantado com a recepção calorosa no Brasil.

Foi várias vezes à sacada do mosteiro para abençoar os fiéis que davam plantão no local.

No dia seguinte, outra surpresa no encontro com os jovens no estádio do Pacaembu. Ficou especialmente comovido com o efeito dos celulares que brilhavam à noite nas mãos dos católicos. Na manhã de sexta-feira, registrou seu entusiasmo com a multidão que tomou conta do Campo de Marte para a missa de canonização de frei Galvão. Àquela altura, não só fiéis católicos perdiam o controle diante do papa, algo até natural. A tietagem maior era, por incrível que pareça, entre os próprios bispos brasileiros. Vários foram armados com máquinas fotográficas para registrar o encontro de Bento XVI com o episcopado brasileiro na tarde do dia 11, na Catedral da Sé. Foi a fala mais importante do papa em sua passagem por São Paulo.

A homilia na Catedral da Sé

Em um longo discurso para os bispos do Brasil, o papa Bento XVI atacou indiretamente a corrupção no país ao fazer um apelo para que os políticos e empresários fossem mais honestos e evitassem a ganância pessoal. As palavras do papa foram proferidas para cerca de 240 bispos de todo o país. Bento XVI foi aplaudido pelo episcopado quando afirmou que as classes políticas e empresariais precisavam ter "um autêntico espírito de veracidade e de honestidade".

Em um forte tom social, o papa afirmou que o Brasil enfrenta um déficit histórico de desenvolvimento social e acrescentou que o resultado disso era o "contingente de brasileiros vivendo em situação de indigência e uma desigualdade na distribuição de renda que atinge patamares muito elevados". Foi o mais completo discurso da passagem por São Paulo. Mas o principal recado foi para dentro da Igreja. Bento XVI pontuou os principais problemas e questões enfrentados pelo episcopado brasileiro e pelo país. Também cobrou dos bispos uma presença da Igreja onde estão os pobres.

Pela primeira vez, o papa falou claramente sobre sua preocupação com a grande evasão de católicos no país. Chegou a atacar o que classificou de "proselitismo agressivo das seitas" e advertiu os bispos de que isso deveria ser motivo de grande preocupação. Também tratou dos problemas da fé moderna, condenando o agnosticismo, o relativismo e o laicismo. Disse que a Igreja precisa estar próxima do povo pobre das periferias urbanas e do campo. E afirmou, ainda, que o esforço missionário na América Latina deveria partir do Brasil.

No discurso de cerca de uma hora, o papa abordou também questões doutrinárias da Igreja, teológicas e litúrgicas. Fez um alerta pelo zelo sacerdotal dos bispos para evitar os desvios dos padres no campo da sexualidade, em uma referência direta às acusações de prática de pedofilia e assédio sexual por setores do clero em todo o mundo. Bento XVI condenou o aborto e também criticou a ação de políticos para a aprovação de leis que atingem o matrimônio, a família e a vida.

Em sua longa fala, o papa lembrou aos bispos a necessidade da obediência. Condenou a utilização do Evangelho por parte de pessoas movidas por ideologias racionalistas, em um claro recado aos adeptos da Teologia da Libertação. Também fez um apelo enfático para que as normas litúrgicas fossem observadas, e exigiu fidelidade na celebração das missas. Foi uma referência indireta às várias alterações das celebrações modernas. Bento XVI ressaltou, ainda, a necessidade do celibato. Ele também admitiu a dificuldade da prática do ecumenismo, principalmente por causa do proselitismo que ele classificou como "denominações cristãs". Alguns pontos do discurso de Bento XVI chamaram a atenção:

Desigualdade social

"Não é nenhuma novidade a constatação de que vosso país convive com um déficit histórico de desenvolvimento social, cujos traços extremos são o imenso contingente de brasileiros vivendo em situação de indigência e uma desigualdade na distribuição da renda que atinge patamares muito elevados. A vós, veneráveis irmãos, como hierarquia do povo de Deus, vos compete promover a busca de soluções novas e cheias de espírito cristão. Uma visão da economia e dos problemas sociais, a partir da perspectiva da doutrina social da Igreja, leva a considerar as coisas sempre do ponto de vista da dignidade do homem, que transcende o simples jogo dos fatores econômicos."

A responsabilidade política

"Deve-se, por isso, trabalhar incansavelmente para a formação dos políticos, dos brasileiros que têm algum poder decisório, grande ou pequeno, e, em geral, de todos os membros da sociedade, de modo que assumam plenamente as próprias responsabilidades e saibam dar um rosto humano e solidário à economia."

A ganância de políticos e empresários

"Ocorre formar nas classes políticas e empresariais um autêntico espírito de veracidade e de honestidade. Quem assume uma liderança na sociedade, deve procurar prever as consequências sociais, diretas e indiretas, em curto e em longo prazo, das próprias decisões, agindo segundo critérios de maximização do bem comum, em vez de procurar ganâncias pessoais."

Recado aos bispos I

"Onde Deus e Sua vontade não são conhecidos, onde não existe a fé em Jesus Cristo e nem sua presença nas celebrações sacramentais, falta o essencial também para a solução dos urgentes problemas sociais e políticos. A fidelidade ao primado de Deus e de Sua vontade, conhecida e vivida em comunhão com Jesus Cristo, é o dom essencial que nós, bispos e sacerdotes, devemos oferecer ao nosso povo."

Recado aos bispos II

"O povo pobre das periferias urbanas ou do campo precisa sentir a proximidade da Igreja, seja no socorro a suas necessidades mais urgentes, como também na defesa de seus direitos e na promoção comum de uma sociedade fundamentada na justiça e na paz. Os pobres são os destinatários privilegiados do Evangelho, e um bispo, modelado segundo a imagem do Bom Pastor, deve estar particularmente atento a oferecer o divino bálsamo da fé, sem descuidar do 'pão material'."

Desvios sexuais

"Faço apelo a vosso zelo sacerdotal e ao sentido de discernimento das vocações, também para saber complementar a dimensão espiritual, psicoafetiva, intelectual e pastoral em jovens maduros e disponíveis ao serviço da Igreja. Um bom e assíduo acompanhamento espiritual é indispensável para favorecer o amadurecimento humano e evita o risco de desvios no campo da sexualidade."

Aborto, família e matrimônio

"A vida social está atravessando momentos de confusão desnorteadora. Ataca-se impunemente a santidade do matrimônio e da família, iniciando-se por fazer concessões diante de pressões capazes de incidir negativamente sobre os processos legislativos;

justificam-se alguns crimes contra a vida em nome dos direitos da liberdade individual; atenta-se contra a dignidade do ser humano; alastra-se a ferida do divórcio e das uniões livres."

Celibato

"(...) no seio da Igreja, quando o valor do compromisso sacerdotal é questionado como entrega total a Deus por meio do celibato apostólico e como disponibilidade total para servir às almas, dando-se preferência às questões ideológicas e políticas, inclusive partidárias, a estrutura da consagração total a Deus começa a perder seu significado mais profundo. Como não sentir tristeza em nossa alma?"

Evasão de fiéis

"Entre os problemas que afligem vossa solicitude pastoral está, sem dúvida, a questão dos católicos que abandonam a vida eclesiástica. Parece claro que a causa principal, dentre outras, desse problema, possa ser atribuída à falta de uma evangelização em que Cristo e sua Igreja estejam no centro de toda explanação."

Proselitismo das seitas e o relativismo

"As pessoas mais vulneráveis ao proselitismo agressivo das seitas — que é motivo de justa preocupação — e incapazes de resistir às investidas do agnosticismo, do relativismo e do laicismo, são geralmente os batizados não suficientemente evangelizados, facilmente influenciáveis porque possuem uma fé fragilizada e, por vezes, confusa, vacilante e ingênua, embora conservem uma religiosidade inata."

Missão evangelizadora

"É necessário encaminhar a atividade apostólica como uma verdadeira missão dentro do rebanho que constitui a Igreja Católica no Brasil, promovendo uma evangelização metódica e capilar em vista de uma adesão pessoal e comunitária a Cristo."

A evasão nas classes pobres

"Neste esforço evangelizador, a comunidade eclesiástica se destaca pelas iniciativas pastorais, ao enviar, sobretudo entre as casas das periferias urbanas e do interior, seus missionários, leigos ou religiosos, procurando dialogar com todos em espírito de compreensão e de delicada caridade. Mas se as pessoas encontradas estão em uma situação de pobreza, é preciso ajudá-las, como faziam as primeiras comunidades cristãs, praticando a solidariedade, para que se sintam amadas de verdade."

Fidelidade à liturgia

"É necessária uma mais correta aplicação dos princípios indicados pelo Concílio Vaticano II no que diz respeito à liturgia da Igreja, incluindo as disposições contidas no Diretório para os Bispos, com o propósito de devolver à liturgia seu caráter sagrado (...) Redescobrir e valorizar a obediência às normas litúrgicas por parte dos bispos, como 'moderadores da vida litúrgica da Igreja', significa testemunhar a própria Igreja, una e universal que preside na caridade."

Teologia da Libertação

"Nós, pastores, na esteira do compromisso assumido como sucessores dos apóstolos, devemos ser fiéis servidores da Palavra, sem visões redutivas e confusões na missão que nos é confiada. Não basta observar a realidade com base na fé; é preciso trabalhar com o Evangelho nas mãos e fundamentados na correta herança da tradição apostólica, sem interpretações movidas por ideologias racionalistas."

Dificuldade do Ecumenismo

"O Ecumenismo, ou seja, a busca da unidade dos cristãos, torna-se neste nosso tempo, no qual se verifica o encontro das culturas e o desafio do secularismo, uma tarefa sempre mais urgente da Igreja Católica. Com a multiplicação, porém, de sempre novas denominações cristãs, e sobretudo diante de certas formas de proselitismo, frequentemente agressivo, o empenho ecumênico torna-se uma tarefa complexa."

Ao final do encontro, os bispos brasileiros pareciam mais encantados com a presença do papa que com a dura mensagem que Bento XVI acabava de trazer. Cerca de duzentos bispos tomaram conta das escadarias da Catedral da Sé para acenar ao papa Bento XVI. Por fim, sacaram suas máquinas fotográficas para registrar a imagem do papa.

A diplomacia vaticana no Brasil

No dia anterior, o papa Bento XVI já havia iniciado sua pregação veemente pela doutrina católica. No encontro com os cerca de 40 mil jovens, no Pacaembu, chegou a fazer um apelo pela defesa da castidade "no namoro e no noivado". Vários cartazes, na multidão, concordavam com o pontífice e condenavam o aborto. Mas, na manhã de quinta-feira, dia 10, ele encontrou resistências do presidente Luiz Inácio Lula da Silva, no encontro ocorrido no Palácio dos

Bandeirantes. O papa chegou a pedir a obrigatoriedade de educação religiosa nas escolas. Na conversa, Bento XVI mostrou bom humor e chegou a elogiar a presença constante da primeira-dama, Marisa Letícia, ao lado de Lula. Registrou que era um bom exemplo para as famílias brasileiras. Durante o encontro, o papa foi pragmático: pediu ao presidente Lula para aprovar, ainda em seu pontificado, e antes do fim de seu mandato, um acordo diplomático para regulamentar as atividades da Igreja no Brasil. Além do ensino religioso nas escolas públicas, o Vaticano colocou na pauta de negociação com o Itamaraty questões como a liberdade de culto, as propriedades da Igreja e o tratamento tributário da instituição no país. Lula foi direto. De acordo com a embaixadora brasileira na Santa Sé, Vera Machado, o presidente disse que o empenho de seu governo era para consolidar o Estado Laico. Logo ficou claro que o Brasil negaria o pedido do Vaticano de ensino religioso obrigatório.

O episcopado brasileiro reagiu de forma enfática à dificuldade inicial por parte do governo brasileiro de aprovar o acordo entre a Santa Sé e o Itamaraty sobre a obrigatoriedade do ensino religioso nas escolas públicas. A crítica mais contundente foi do cardeal arcebispo emérito do Rio dom Eugênio Sales, já falecido, que chamou a postura do governo de "contrassenso":

> O ensino religioso é o remédio para muitas mazelas que nos afligem. Dá uma pauta de valores a toda essa situação de violência. Como rejeitar um acordo por ensino religioso, que daria a própria paz e tranquilidade, que vem do Evangelho? Neste caso, o governo está desrespeitando a liberdade de cada aluno. Eu creio que isso seja um contrassenso.

Essa reação do episcopado brasileiro não foi por acaso. O Vaticano apostava que a presença do papa Bento XVI nas cidades de Aparecida e São Paulo ajudaria a conter o avanço no Brasil de temas considerados

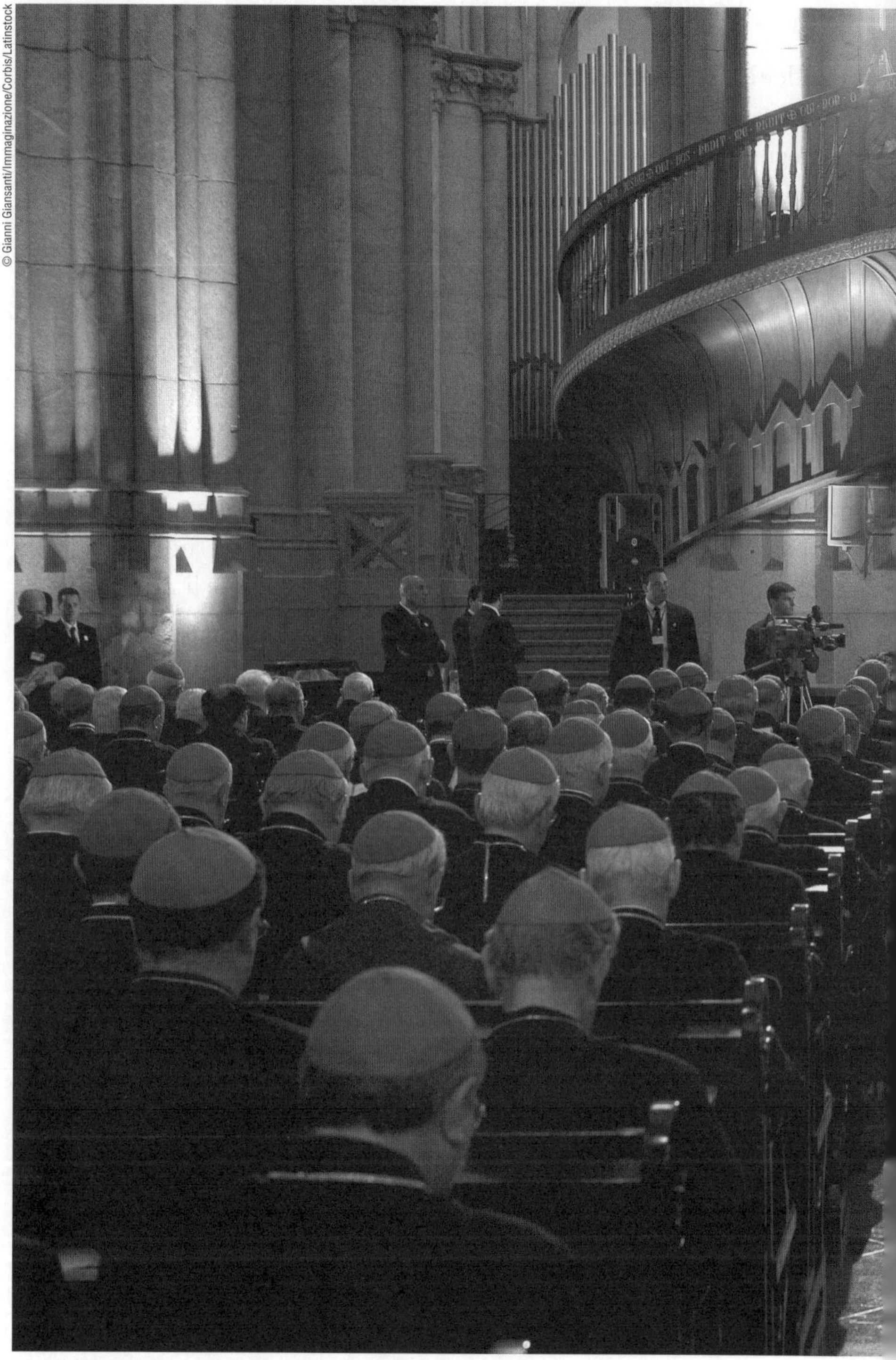

Papa Bento XVI encontra-se com bispos brasileiros na catedral da Sé, em São Paulo, 12 de maio de 2007.

contrários à fé católica, como a legalização do aborto e o debate sobre a legalização da união civil de homossexuais. O ensino religioso nas escolas também fazia parte dessa estratégia para disseminar a ética cristã. Só depois de um forte *lobby* e vários ajustes o acordo acabou avançando. Depois das negociações, o ensino religioso nas escolas públicas passaria a ser optativo pelo texto final do acordo. Em agosto de 2009, o plenário da Câmara dos Deputados aprovou o tratado entre o Brasil e a Santa Sé relativo ao estatuto jurídico da Igreja Católica no país. Mas, para isso, foi preciso ceder à forte resistência da bancada evangélica, que argumentava que, com o reconhecimento do tratado, o governo brasileiro patrocinaria a concessão de privilégios à Santa Sé. Com isso, o texto só foi aprovado depois de um inusitado acordo entre evangélicos e católicos no plenário da Câmara dos Deputados.

Depois de quatro horas de debate, o texto final foi aprovado por votação simbólica. Em compensação, foi votada também a Lei Geral das Religiões, dos evangélicos. Praticamente com o mesmo conteúdo do tratado diplomático. Os opositores do tratado argumentaram que o texto seria um privilégio para a Igreja Católica e que o documento feria o princípio do Estado brasileiro laico. Com isso, o texto da Lei Geral das Religiões passou a ser uma cópia do tratado do Brasil com o Vaticano. A única diferença é que a expressão "Igreja Católica" foi substituída por "todas as confissões religiosas". Os dois textos aprovados pela Câmara asseguram benefícios tanto para a Igreja Católica como para qualquer outra religião, como proteção ao patrimônio e aos locais de culto, aos símbolos, imagens e objetos culturais; assegura assistência espiritual aos fiéis internados em estabelecimentos de saúde, assistência social e educação; imunidade tributária; e garante o ensino religioso nas escolas públicas de ensino fundamental, mas de matrícula facultativa.

O tratado, de vinte artigos, foi assinado em novembro de 2008 pelo ministro brasileiro das Relações Exteriores, Celso Amorim, e pelo secretário vaticano para as Relações com os Estados, o arcebispo Dominique Mamberti. O então secretário-geral da CNBB, dom

Dimas Lara Barbosa, considerou que o texto não feriria o ordenamento jurídico brasileiro. Acrescentou que a laicidade de um Estado "não é coibir a prática religiosa, mas favorecer para que a religião possa ser regida da maneira mais simples possível".

O estatuto ratificou uma série de normas já cumpridas no país, não trazendo, a rigor, elementos novos. Abordou questões como casamento, ensino religioso, imunidade tributária, vínculo religioso e não empregatício dos ministros ordenados. Pelo acordo, por exemplo, a Igreja Católica se compromete a dar assistência espiritual aos fiéis internados em estabelecimentos de saúde e prisionais. O Estado brasileiro reconhece à Igreja o direito de constituir e administrar seminários e outros institutos eclesiásticos de formação e cultura, criar e modificar instituições eclesiásticas como dioceses e prelazias.

O texto afirma que o Estado "respeita a importância do ensino religioso em vista da formação integral da pessoa" e o constitui como disciplina no ensino fundamental das escolas públicas, com matrícula facultativa. Sobre o casamento, destaca que, em conformidade com as leis canônicas e as exigências do direito brasileiro, a cerimônia produz também efeitos civis. O acordo garante o segredo do ofício sacerdotal, especialmente o da confissão sacramental, assegura imunidade tributária às pessoas jurídicas eclesiásticas e também ao exercício de atividade social e educacional sem finalidade lucrativa. O texto assegura que o vínculo entre os ministros ordenados ou fiéis consagrados mediante votos e as dioceses ou institutos religiosos é de caráter religioso, não gerando vínculo empregatício. Com isso, a Igreja se livraria de eventuais processos trabalhistas de ex-padres e religiosos.

No pontificado de Bento XVI, a Santa Sé havia decidido intensificar uma campanha explícita pelo que considera valores da vida. Essa iniciativa da Igreja não aconteceu por acaso. A percepção no Vaticano é de que, mesmo em países extremamente católicos como Portugal, Espanha e até na Itália, esses temas passaram à pauta legislativa, e em alguns casos, já viraram lei, como a legalização do aborto em Portugal e a união civil de homossexuais na Espanha. Essa preocupação ficou clara durante a viagem que fez ao Brasil. Antes mesmo de tocar pela primeira vez, e com o pé esquerdo, o solo de São Paulo, a visita do papa Bento XVI ao Brasil começou com uma grande polêmica. Em uma entrevista concedida dentro do avião que o trouxe ao país, Bento XVI fez as mais duras declarações sobre o aborto, defendendo a ameaça de excomunhão feita pelo episcopado mexicano a políticos que haviam votado a favor da liberação da prática na Cidade do México. Para o papa, "essa excomunhão não foi arbitrária, está prevista na lei canônica, que diz que matar uma criança inocente não é compatível com receber o corpo de Cristo". Os bispos mexicanos comemoraram a posição do papa. Pouco depois, em Aparecida, o cardeal arcebispo de Guadalajara, Juan Sandoval Íñiguez, reforçou as palavras de Bento XVI: "Não estamos excomungando os políticos. Isso está no direito canônico". Na entrevista concedida no voo ao Brasil, o papa também criticou a Teologia da Libertação, dizendo que ela, além de estar errada segundo a doutrina católica, estava ultrapassada. Referiu-se também às igrejas neopentecostais como seitas, e disse que o crescimento delas mostrava que o povo brasileiro tinha "sede de Deus". Já em terra, em seu primeiro discurso de saudação, criticou novamente o aborto, mas de forma mais diplomática. A pregação de Bento XVI estava só no início e se intensificaria até o discurso final de Aparecida.

A CNBB também apostava que a visita do papa serviria para reforçar o discurso da Igreja Católica no país. Nos últimos anos, a entidade já tinha assumido uma posição crítica em vários temas delicados como o planejamento familiar e o uso de preservativo, a eutanásia, a utilização de embriões humanos na pesquisa com células-tronco e a pena de morte. Em abril, um mês antes da viagem ao Brasil, o então secretário da Congregação para a Doutrina da Fé, Angelo Amato, atacou publicamente o casamento *gay* e chegou a afirmar que o aborto e a eutanásia eram formas de terrorismo. "O papa Bento XVI tem feito uma defesa de todos os princípios de preservação da vida, e a questão do aborto está diretamente ligada ao tema", observou a então embaixadora do Brasil na Santa Sé, Vera Machado.

No núcleo da CNBB, a avaliação foi de que o gesto mais significativo na véspera da visita do papa ao Brasil partiu da posição do próprio presidente Luiz Inácio Lula da Silva ao explicitar que seu governo não apoiava a legalização do aborto. A Igreja estava apreensiva com o tema, principalmente depois das manifestações dos ministros José Gomes Temporão (Saúde) e Nilcéa Freire (Políticas para Mulheres) favoráveis à ideia.

Dom Antônio Muniz Fernandes, arcebispo de Maceió, argumentou:

> A pauta do aborto é um debate quase repulsivo. É inoportuno esse tipo de discussão, principalmente com a presença do papa Bento XVI no Brasil. Temos coisas mais urgentes para tratar em nosso país, como a eficiência de políticas públicas, a qualificação da educação, e até mesmo a escassez da água.

Nos últimos anos, não foram poucas as polêmicas envolvendo a Igreja Católica e as instituições brasileiras do Executivo, Legislativo e Judiciário. Pouco antes da chegada do papa, o então secretário-geral da CNBB, dom Odilo Scherer, arcebispo de São Paulo, fez duras críticas à defesa da legalização do aborto, depois que o ministro Temporão defendeu a realização de um plebiscito sobre o tema. A CNBB também condenou de forma enfática o uso de preservativos e campanhas do Ministério da Saúde de distribuição de camisinhas. Em dezembro de 2005, a Santa Sé chegou a vetar a participação em um evento da cantora baiana Daniela Mercury, temendo que ela defendesse no palco o uso de preservativos como forma de combater a Aids. Em 2013, Daniela Mercury anunciou sua união com uma jornalista, o que abriu um debate nacional sobre o casamento *gay*.

Outra frente polêmica naquela ocasião foi a crítica à decisão do governo de aumentar despesas com anticoncepcionais. "Nesses debates, temos que evitar o radicalismo e o fundamentalismo. É preciso uma abordagem responsável. O radicalismo, dos dois lados, impossibilita o diálogo. O papa Bento XVI goza de grande respeito intelectual e equilíbrio para tratar desses temas", ponderou o então presidente da Cáritas Brasileira, dom Demétrio Valentini, bispo de Jales.

Para enfrentar esses temas, a CNBB passou a buscar o apoio de um braço político. Incentivou o surgimento da bancada católica no Congresso Nacional, que chegou a ter cerca de cinquenta parlamentares. A bancada passou a defender no Senado e na Câmara os temas de interesse da Igreja. "É preciso fazer uma defesa corajosa pela manutenção dos valores da vida em qualquer circunstância", explicou o deputado padre José Linhares (PP-CE), um dos coordenadores da bancada católica.

Para amenizar reações de setores da sociedade, tanto o Vaticano quanto a CNBB passaram a ressaltar posições sociais da Igreja. O exemplo mais claro disso foi a decisão de Bento XVI de dar publicidade à troca de correspondências com a chanceler da Alemanha, Angela Merkel, em que o papa pediu a anulação da dívida externa dos países mais pobres. Ele também defendeu o aumento de investimentos para estudar tratamentos para a Aids. Foi com uma atuação social que a Igreja tentou diminuir o tom das críticas de organismos internacionais à insensibilidade para com temas como o planejamento familiar e a propagação da Aids. "Toda a questão delicada da sexualidade tem que ser discutida pela Igreja, como a paternidade responsável, a biotecnologia e o problema da Aids. A tensão está estabelecida. Este é um debate importante: até onde pode ir a palavra da Igreja e do governo", argumentou o teólogo e ouvidor da PUC-SP, Fernando Altemeyer.

Desvios sexuais

No pontificado de Bento XVI, o debate sobre desvios sexuais de sacerdotes tornou-se ainda mais delicado, porque a mesma Igreja que fazia uma pregação moralista acabou expondo suas vísceras justamente no campo da sexualidade. Em julho de 2007, dois meses depois da visita do papa ao Brasil, a arquidiocese de Los Angeles, nos Estados Unidos, fechou um acordo para pagar nada menos que 660 milhões de dólares para pôr fim ao processo judicial movido por mais de quinhentas vítimas de abuso sexual praticado por padres. Foi a maior quantia já paga por uma única diocese por processo de abuso sexual. Até aquele ano, a Igreja Católica já havia desembolsado cerca de 1,5 bilhão de dólares em indenizações. O acordo foi feito para evitar, inclusive, que o influente cardeal americano Roger Mahony, então arcebispo de Los Angeles, fosse obrigado a explicar em um tribunal por que deixou de denunciar às autoridades os padres pedófilos e com desvio de comportamento. Mahony foi à televisão e pediu desculpas às vítimas. Em 2013, a presença de Mahony no Conclave causou desconforto aos demais cardeais.

Em outubro de 2007, outra polêmica: a Santa Sé suspendeu um sacerdote que havia declarado ser homossexual em um programa de televisão. O padre Tommaso Stenico, chefe da Sala Catequética da Congregação para o Clero, então com 60 anos, declarou, contudo, que havia sido vítima de uma trama feita pelo canal televisivo. A suspensão do sacerdote foi confirmada ao diário italiano *La Repubblica* pelo cardeal Julián Herranz Casado, que presidia a Comissão Disciplinar da cúria romana. O purpurado revelou que a Santa Sé "interveio imediatamente com uma medida de suspensão" de seus cargos no Vaticano. "A Santa Sé é a primeira interessada em fazer limpeza imediatamente em seu interior. Mas sempre respeitando os direitos humanos e depois de que se pronuncie a autoridade judicial", acrescentou. Diante desse tipo de caso, o cardeal explicou que certamente na Igreja "há tristeza. Mas se dá a consciência de que são casos excepcionais; eu me atreveria a dizer que são únicos". No programa Exit, do canal italiano La7, em 1.º de outubro daquele ano, o sacerdote, que foi apresentado sob anonimato, declarava que era homossexual e que "não se sentia em pecado". A entrevista foi realizada sem que ele soubesse que estava sendo gravado por uma câmera. Apesar de que nas imagens da televisão não se podiam reconhecer nem o rosto nem a voz do sacerdote, sua sala foi reconhecida por um jornal católico na internet em 9 de outubro. O sacerdote, doutor em teologia e licenciado em psicologia (trabalhava como psicoterapeuta havia trinta anos), declarou em seguida ao escândalo que havia mentido em suas declarações a um jovem, aparentemente homossexual, pois buscava com esse diálogo "escrever um livro sobre o problema da homossexualidade entre sacerdotes". "Não era mais que um experimento, um estudo sobre o tema, e eu caí na armadilha. Mas explicarei isso a meus superiores", conclui o padre Stenico.

No Brasil, apesar de não haver indenizações milionárias, também aparecem com frequência denúncias envolvendo padres em escândalos sexuais. Foi por isso que, no encontro com os bispos brasileiros na Catedral da Sé, Bento XVI adiantou-se ao problema e tocou diretamente em uma das principais feridas da Igreja em todo o mundo e fez um apelo para o que chamou de "zelo sacerdotal", para evitar o "risco de desvios no campo da sexualidade".

O recado do papa não foi por acaso. Em dezembro de 2005, reportagem do jornal *O Globo* já revelava que os casos de má conduta sexual dos padres haviam acendido a luz amarela na cúpula da Igreja Católica no Brasil. Embora o tema seja tabu, os bispos ficaram em estado de alerta com os números e com a dimensão do problema. Além do temor com a crise de imagem, já que o Brasil é o maior país católico do mundo, outra grande preocupação passou a ser de ordem prática: a Igreja no Brasil queria evitar o pagamento de indenizações milionárias que quase levou à falência a Igreja Católica nos Estados Unidos.

A argumentação jurídica que passou a ser discutida internamente na CNBB é de que, diferentemente da legislação americana, no Brasil a pessoa é individualmente responsável por seus atos. Isso poderia salvar a Igreja no Brasil de quebrar, segundo a avaliação de integrantes da CNBB feitas de forma reservada. Em 2002, quando explodiram casos de pedofilia na Igreja Católica nos Estados Unidos, um bispo e cinquenta e cinco padres foram afastados. A diocese de Bridgeport chegou a fazer um acordo de cerca de 15 milhões de dólares com as vítimas, por envolvimento de seis padres em casos de abuso sexual. Na época, o papa João Paulo II chegou a fazer uma reunião de emergência com todos os cardeais americanos. Na Irlanda, a Igreja pagou o equivalente a 110 milhões de dólares em indenizações às vítimas de abusos sexuais em escolas e orfanatos. Em 1996, na Austrália, a Igreja arcou com o prejuízo de 2,6 milhões de dólares em indenizações a duzentos estudantes que haviam sido molestados em um internato católico. No Brasil, existe uma preocupação concreta por parte de integrantes da CNBB com a possibilidade de a Igreja ter de pagar indenizações milionárias. "O temor com as indenizações sempre existe. É preciso discutir essa possibilidade legal. Aliás, em casos comprovados, os padres são suspensos do ministério sacerdotal e passam a responder à Justiça comum", observou o arcebispo de Maringá (PR), dom Anuar Battisti, que presidiu a Comissão Episcopal para os Ministérios Ordenados e a Vida Consagrada da CNBB.

Responsável, na CNBB, pelo acompanhamento dos sacerdotes até 2007, dom Anuar Battisti admitiu a existência de casos de má conduta sexual por parte de padres brasileiros. Mas dom Anuar afirmou que havia exageros na divulgação de números sobre os casos de pedofilia. "Não posso aceitar a colocação de que a Igreja é um antro de corruptos e desequilibrados afetivos", afirmou. Para ele, o sacerdote também era resultado de um mundo erotizado.

Papa Bento XVI celebra missa do lado de fora da basílica de Aparecida, em 13 de maio de 2007.

CAPÍTULO 11.

Aparecida: a decisão de uma ação missionária no continente

Na tarde do sábado, dia 12 de maio de 2007, o papa Bento XVI estava especialmente feliz. Naquela manhã, ele havia feito um duro discurso, com advertências aos traficantes de drogas. Em uma visita à Fazenda Esperança, onde existe um projeto para recuperação de drogados, em Guaratinguetá (SP), o papa foi enfático ao dizer que o Brasil — assim como toda a América Latina — possui estatísticas relevantes sobre drogas, e mandou um recado aos traficantes: "Deus vai-lhes exigir satisfações". De volta a Aparecida, abrigou-se no seminário Bom Jesus, que foi restaurado para recebê-lo. Em um almoço de confraternização com a comitiva papal e prelados que integraram a cúpula da Conferência de Aparecida, Bento XVI demonstrou seu lado mais descontraído. Estavam presentes ao almoço os três presidentes do evento: o cardeal Giovanni Battista Re, prefeito da Congregação para os Bispos e presidente da Pontifícia Comissão para a América Latina; o cardeal Francisco Javier Errázuriz Ossa, arcebispo de Santiago do Chile, então presidente do Celam; e o cardeal Geraldo Majella Agnelo, arcebispo de

Salvador; além do arcebispo dom Raymundo Damasceno, anfitrião do papa. Segundo o relato dos presentes, Bento XVI estava muito emocionado com a visita que havia feito à fazenda para recuperação de drogados naquela manhã.

Ouviu atentamente a apresentação do pianista paranaense Álvaro Siviero, que fez um recital em homenagem ao papa. Ele selecionou um programa com o repertório favorito de Bento XVI, com músicas de Mozart, Beethoven, Chopin e Schubert. O papa aplaudiu com entusiasmo. Em seguida, pediu a palavra. Disse estar feliz com a calorosa acolhida no Brasil. Falou, ainda, que estava "comovido" com o que havia visto na Fazenda Esperança. O papa elogiou a comida — um filé com arroz —, bebeu suco de laranja e apenas alguns goles de vinho. Ao final, tirou fotos com a equipe da cozinha que preparou o almoço. Começava a se despedir do Brasil. No dia seguinte, faria seu mais importante discurso, na abertura dos trabalhos da V Conferência Geral do Episcopado da América Latina e do Caribe.

Em uma fala contundente, o papa Bento XVI definiu a linha de atuação missionária da Igreja na América Latina para a recuperação de fiéis no continente. Falando quase todo o tempo em espanhol, o papa atacou duramente o marxismo e o capitalismo, alertou para o ressurgimento de governos autoritários no continente e ressaltou a realidade da fome, miséria e violência na região. Porém, em um recado incisivo ao episcopado do continente, deixou claro que a Igreja não poderia se engajar diretamente como sujeito político, pois isso significaria perder a independência e a autoridade moral para denunciar as injustiças.

Dessa forma, Bento XVI enterrou definitivamente para a Santa Sé qualquer possibilidade com linhas partidárias dentro da Igreja, em uma referência indireta aos remanescentes da Teologia da Libertação. O discurso do papa foi proferido na sessão inaugural dos trabalhos da V Conferência, na Basílica de Aparecida.

Os recados para o continente

Para cerca de 260 cardeais, bispos, padres e observadores, Bento XVI alertou para o que classificou de "certa debilidade da vida cristã no conjunto da sociedade e na própria Igreja Católica". Pela segunda vez em sua viagem ao Brasil, o papa apontou como motivos dessa evasão:

> Percebe-se, sem dificuldade, certa debilidade da vida cristã no conjunto da sociedade e da própria Igreja Católica devido ao secularismo, ao hedonismo, à indiferença, e ao proselitismo de numerosas seitas, de religiões animistas e novas expressões pseudorreligiosas.

Reiterando a posição da Igreja Católica, o papa Bento XVI condenou o uso de métodos anticoncepcionais, assim como o aborto. Para ele, são temas que ameaçam o futuro dos povos.

Em um dos pontos mais fortes de sua fala, Bento XVI afirmou que tanto o capitalismo como o marxismo prometeram encontrar o caminho para o surgimento de estruturas justas. Mas, segundo o papa, essas promessas ideológicas demonstraram-se falsas. Disse, ainda, que em países que tiveram governos marxistas havia uma triste herança de destruições econômicas e ecológicas, além de uma "dolorosa destruição do espírito". Ressaltou que o mesmo se observa no Ocidente, onde existe, constantemente, a distância entre pobres e ricos que produz uma "inquietante degradação da dignidade pessoal", com as drogas, com o álcool e com o que classificou de "miragens de felicidade".

Ao abordar os problemas ideológicos, Bento XVI deixou claro para os bispos que não compete à Igreja o trabalho político. "A Igreja é advogada da justiça e dos pobres, precisamente por não se identificar com os políticos e nem com os interesses de partidos." O papa cobrou do episcopado a responsabilidade de estimular o surgimento de líderes católicos de forte personalidade e vocação abnegada para atuar no âmbito político, da comunicação e universitário.

Em uma longa homilia, ainda determinou a difusão do Evangelho em todo o continente, e disse que não basta apenas à Igreja Católica limitar-se no campo dos sermões e conferências. Mas, em sua opinião, deve recorrer mais eficazmente à mensagem de Cristo usando os grandes meios de comunicação. Ao tocar na necessidade missionária da Igreja, o papa afirmou que é preciso dar um novo impulso evangelizador ao continente, e recordou que desde a Conferência de Santo Domingo (1992) muitas coisas mudaram na sociedade, e que hoje há o fenômeno da globalização.

Em uma nova interpretação teológica, Bento XVI reconheceu, pela primeira vez, a complexidade religiosa da América Latina. Classificou a expressão de fé do continente como "um grande mosaico de religiosidade popular", visto por ele como um "tesouro precioso" da Igreja Católica na região. Ao tocar no assunto, Bento XVI contemporizou que o anúncio de Jesus e do Evangelho não foi, em nenhum momento, uma alienação das culturas pré-colombianas, muito menos, segundo ele, "a imposição de uma cultura estranha". "A utopia de voltar a dar vida às religiões pré-colombianas, separando-as de Cristo e da Igreja universal, não seria um progresso, mas um retrocesso", afirmou o papa.

Por fim, enumerou várias ações do episcopado para o trabalho missionário na América Latina. Recomendou o estímulo e a valorização das missas, o papel do pai e da mãe na estrutura familiar, o papel dos sacerdotes, religiosos, leigos e jovens. Foi um discurso cheio de recados, a começar pela referência indireta à Venezuela de Hugo Chávez, ao falar do autoritarismo no continente. Disse que tanto no continente quanto em outras regiões havia uma evolução da democracia, mas manifestou preocupação "diante de formas de governo autoritárias e sujeitas a certas ideologias que se imaginam superadas" e "que não correspondem com a visão cristã do homem e da sociedade", como ensina a doutrina social da Igreja.

Polêmica em torno do novo marxismo latino-americano

Assim que acabou o discurso, cardeais latino-americanos saíram em defesa da mensagem de Bento XVI. O cardeal arcebispo de Guadalajara, Juan Sandoval Íñiguez, reforçou as palavras do papa. Segundo ele, o papa mandou vários recados ao atacar ao mesmo tempo o capitalismo e o marxismo, classificados pela Igreja como ideologias materialistas:

> O papa ataca as ideologias do capitalismo e do marxismo porque elas prescindem. Essas ideologias já estão superadas. Porque pensam que a realidade é só o material. O papa manda recados claros para a América Latina, que começa a enfrentar o secularismo, o hedonismo, além de movimentos que defendem o aborto e os contraceptivos. Isso atinge a família. Por isso, a Igreja precisa cuidar da família.

O então cardeal arcebispo do Rio, dom Eusébio Scheid, também defendeu o ponto de vista de Bento XVI: "Não se trata de uma simples crítica. O sistema analítico é falho e leva à derrota, seja ele marxista ou capitalista. Cedo ou tarde, leva à derrota". Segundo ele, a Igreja deve ter uma participação política em critérios morais, mas não partidária. "O papa adverte que a Igreja não deve ter participação política direta. Mas, sim, nos critérios morais. Isso é da doutrina social da Igreja. Nós temos que politizar, mas não fazer política partidária", interpretou dom Eusébio.

O papa Bento XVI cobrou dos bispos do continente o compromisso de reconquistar fiéis que trocaram a fé católica por outras religiões. Determinou as linhas da nova ação missionária da Igreja Católica na América Latina. Por isso, insistiu nas críticas ao que classificou de "proselitismo das seitas" e alertou os bispos latino-americanos para enfrentar os problemas da fé moderna, como o agnosticismo e o laicismo. Ao mesmo tempo, cobrou uma postura rígida em relação ao relativismo da fé católica.

Nas palavras do arcebispo de São Paulo, dom Odilo Pedro Scherer,

> a evasão de fiéis é uma preocupação do papa Bento XVI e de cada bispo. Nenhum pastor fica contente quando seu rebanho se perde e vai embora. Estamos tentando entender o motivo dessa evasão. É um fenômeno complexo, que tem, sobretudo, um componente cultural. Não se pretende fazer uma guerra religiosa. Temos que ajudar os católicos em sua fé para que não se percam por causa de promessas que podem ser enganadoras.

Bertone: ataque ao surgimento de governos autoritários na América Latina

Três dias antes da fala de Bento XVI, em Aparecida, o secretário de Estado da Santa Sé, cardeal Tarcisio Bertone, já havia me antecipado a linha do discurso do papa em uma entrevista exclusiva concedida em São Paulo para o jornal *O Globo*. O segundo homem na hierarquia do Vaticano atacou duramente o surgimento de governos autoritários na América Latina. Bertone afirmou que, mesmo os governos eleitos, precisavam "respeitar e promover os direitos das pessoas". Disse, ainda, que a Santa Sé estava agindo para que esses governos respeitassem os direitos individuais e da família e a liberdade das pessoas. E acrescentou a necessidade de que os países mantivessem o direito de liberdade religiosa, em uma referência à situação da Igreja na Venezuela, onde o então presidente Hugo Chávez perseguia a Igreja Católica.

O discurso do papa e as palavras de Bertone não foram por acaso. A situação entre Igreja e governo na Venezuela tornou-se muito tensa. O último incidente havia ocorrido em março de 2007, quando, em entrevista publicada no jornal *El Universal*, de Caracas, o cardeal arcebispo Jorge Liberato Urosa Savino criticou a tese do presidente venezuelano Hugo Chávez de que Jesus Cristo era socialista porque promovia a caridade e a solidariedade entre os povos. Urosa recordou, ainda, que Chávez recomendava a leitura constante de Marx e Engels. Os atritos entre o episcopado da Venezuela e Chávez são antigos. O conflito começou em 1998, quando Chávez ainda era candidato à presidência. As tensões se agravaram depois do golpe de Estado que derrubou Chávez por vinte e quatro horas, em abril de 2002. O então primaz da Venezuela — o falecido cardeal Ignácio Velasco — avalizou decreto do autoproclamado presidente Pedro Carmona.

Por causa do cargo estratégico, tudo que o cardeal Bertone fala é palavra oficial do Vaticano. Desde que foi nomeado, em setembro de 2006, para o poderoso cargo de secretário de Estado do Vaticano, o cardeal italiano Tarcisio Bertone tornou-se o homem mais influente da Santa Sé, depois do papa Bento XVI, até a renúncia, em 2013. Da ordem salesiana, o conservador Bertone era o arcebispo de Gênova até ser chamado para a nova função em substituição ao cardeal Angelo Sodano, que foi o homem forte do pontificado de João Paulo II. Sodano apresentou sua renúncia por causa do limite de idade. A proximidade de Bertone com Bento XVI era antiga. No dia 13 de junho de 1995, João Paulo II nomeou Bertone para ser o secretário da Congregação para a Doutrina da Fé: tornava-se, assim, o braço direito do então cardeal Ratzinger. Ao então arcebispo Tarcisio Bertone o papa Wojtyla confiou o encargo de cuidar da publicação da terceira parte do "segredo" de Fátima.

Nesta entrevista, Bertone disse também que a Igreja estava preocupada com a violência e o narcotráfico na América Latina. Em seguida, criticou a desigualdade social no continente, afirmando que o povo pobre sofre enquanto a riqueza está concentrada. Evitando a polêmica sobre a crítica do papa Bento XVI ao aborto, Bertone disse que até o presidente Lula respondeu positivamente ao Santo Padre, afirmando que queria defender a vida. Ele se mostrou impressionado com a recepção ao papa Bento XVI no encontro com jovens, em São Paulo, e ressaltou o efeito das luzes dos celulares piscando no escuro no estádio de futebol. "Havia muitas luzes nas mãos dos jovens!", ressaltou o cardeal.

Gerson Camarotti: Qual a principal mensagem do papa Bento XVI para a América Latina?

Tarcisio Bertone: Creio que, no encontro com os jovens, o papa lançou uma mensagem marcante. Sobretudo aos jovens protagonistas da própria história da América Latina e do Caribe, jovens namorados de Cristo, que sabem acolher a mensagem de Cristo na vida. Depois, o papa disse outra palavra muito bela. O papa João Paulo II havia definido a América Latina como o continente da esperança. Agora, o papa Bento XVI diz que é preciso vencer a violência, a desigualdade. E que a América Latina tem que ser o continente da esperança e do amor.

GC: Mas, como o senhor falou, o continente sofre com a violência urbana. Há uma preocupação da Santa Sé com esse tema?

TB: Sim. A Igreja está muito preocupada com esse problema. E nós examinamos essa situação em uma reunião convocada com os núncios apostólicos de todos os vinte e dois países da América Latina.

GC: Qual o diagnóstico desse encontro?

TB: Examinamos esses problemas sociais muito graves, tais como a violência, as drogas, o narcotráfico, a queda da democracia participativa do povo e a vida política desses países. Outro problema é a desigualdade social e a desproporção na distribuição da riqueza, que está concentrada nas mãos de poucos, enquanto o povo pobre é que sofre.

GC: Como a Igreja pode ajudar a enfrentar esse problema?

TB: Perante esses problemas, há uma mensagem ao público: é a doutrina social da Igreja, que procura educar os cristãos que trabalham e que têm compromisso com o social e a política, segundo os critérios do Evangelho. A doutrina social da Igreja é um pouco o programa que ajuda a enfrentar esses problemas. Por isso, o papa convida cada um a ser, na própria família e no próprio ambiente, operador da justiça, igualdade, solidariedade e da paz. Se todas as pessoas tivessem aquela luz presente na manifestação dos jovens, que é a luz da própria vida, toda a sociedade poderia mudar e poderia ser melhorada. Havia muitas luzes nas mãos dos jovens!

GC: O senhor fala da necessidade da democracia participativa. Como a Santa Sé observa o surgimento de governos autoritários na América Latina, como na Venezuela e em outros países?

TB: Certamente a Santa Sé desejaria que os governos fossem a expressão do próprio povo, fossem verdadeiramente a expressão da vontade do povo e também do resultado das eleições. De fato, alguns governos, desses que foram mencionados, são o resultado da eleição e da expressão popular. Mas é exatamente por ser eleito pelo povo que o governo tem a obrigação de respeitar e promover os direitos das pessoas. Por isso, a Santa Sé age para que também esses governos respeitem os direitos individuais, os direitos da família, os direitos fundamentais da liberdade das pessoas e o direito de liberdade religiosa. A liberdade religiosa é o eixo principal de todos os direitos fundamentais, como afirmou o papa João Paulo II.

GC: Qual sua impressão sobre esses eventos do papa Bento XVI no Brasil e qual a influência dessas manifestações para a Conferência de Aparecida?

TB: Os primeiros encontros são a expressão da vida. Essas multidões que o papa está encontrando demonstram um grande entusiasmo pelo Santo Padre. E isto teve um impacto muito positivo nos primeiros discursos do papa. Por exemplo, na noite com os jovens, as pessoas manifestaram ver o papa como aquele que defendia a família e a vida. Havia faixas: "Viva o papa que defende a família e a vida".

GC: E no encontro do papa Bento XVI com o (então) presidente Lula?

TB: A reação do presidente do Brasil, Lula, foi a mesma. Ele respondeu positivamente ao papa dizendo que também quer defender a família e quer defender a vida.

GC: Qual a expectativa do resultado dessa viagem ao Brasil?

TB: Nós esperamos que essa mensagem do papa, lançada do Brasil para toda a América Latina, encontre uma resposta que multiplique o esforço nesse sentido. Temos, ainda, o discurso da inauguração da V Conferência. E o papa dará aos bispos as mensagens que a Igreja deverá assumir neste terceiro milênio, neste continente latino-americano.

Os ataques e referências indiretas ao governo venezuelano teriam resposta imediata do então presidente Hugo Chávez, já falecido. Sem poder se defender diretamente da crítica aos governos autoritários,

Chávez encontrou uma brecha no discurso de Bento XVI para partir para o ataque. Pediu ao papa que se desculpasse diante dos povos da América Latina por haver afirmado que a evangelização católica se realizou sem imposições. Em Aparecida, o papa pregou aos bispos do continente que "o anúncio de Jesus e de seu Evangelho" aos povos indígenas da América "não supôs, em nenhum momento, uma alienação das culturas pré-colombianas, nem foi uma imposição de uma cultura estrangeira". Também afirmou que os povos indígenas ansiavam por Cristo, mesmo sem conhecê-lo, e que "a utopia de voltar a dar vida às religiões pré-colombianas, separando-as de Cristo e da Igreja universal, não seria um progresso, mas um retrocesso". As palavras de Bento XVI foram criticadas por lideranças indígenas, mas principalmente por Chávez. O venezuelano acusou o pontífice de ignorar o "holocausto" que se seguiu ao desembarque de Cristóvão Colombo, em 1492. "Com todo o respeito a Vossa Santidade, peça desculpas, porque houve um verdadeiro genocídio aqui", disse Chávez em discurso que foi retransmitido pela televisão.

Sem fazer um pedido formal de desculpas, Bento XVI chegou a fazer uma espécie de *mea culpa* indireto aos índios da América Latina. Já no Vaticano, em um balanço de sua viagem ao Brasil, afirmou que não se poderiam ignorar as "injustiças infligidas" aos primeiros moradores do continente durante o processo de colonização. Bento XVI considerou que o reconhecimento das "sombras" da evangelização das populações indígenas da América Latina não deveria ocultar as luzes da "maravilhosa obra que a graça divina levou a cabo entre essas populações ao longo destes séculos". "A lembrança de um passado glorioso não pode ignorar as sombras que acompanharam a obra de evangelização do continente latino-americano", disse o papa diante de uma multidão de 50 mil pessoas na Praça São Pedro. "Não é possível, de fato, esquecer o sofrimento e as injustiças infligidas pelos colonizadores às populações indígenas, frequentemente esmagando seus direitos humanos fundamentais."

Imediatamente, purpurados latino-americanos saíram em defesa de Bento XVI. O cardeal Jorge Urosa Savino, arcebispo de Caracas, afirmou que aqueles que atacavam Bento XVI por suas declarações sobre a evangelização dos indígenas não levaram em consideração o contexto em que ele as pronunciou. De Aparecida, onde participava da V Conferência, Urosa mandou um informe aos católicos da Venezuela, no qual afirmou que em seu discurso o papa não se referiu à controvérsia sobre a conquista e a colonização espanhola (...) Nem tampouco destacou, porque não era seu objetivo, a tarefa de defesa dos indígenas e dos africanos que a Igreja levou a cabo, contra a ambição e a crueldade de muitos conquistadores (...) falou sobre a evangelização e aceitação da fé pelos povos originários, e o que disse textualmente foi: "O anúncio de Jesus e de seu Evangelho não supôs, em nenhum momento, uma alienação das culturas pré-colombianas, nem foi uma imposição de uma cultura estranha". É preciso dizer, isto sim, que a Igreja foi defensora incansável dos indígenas, e isso explica por que, ao contrário da América do Norte, onde os indígenas quase desapareceram, nossos povos são mestiços, e por que, em países como o México, Guatemala, Equador, Peru e Bolívia se conserva uma imensa população indígena. (...) O papa não tem, então, que pedir desculpas por um pretenso genocídio ou holocausto, que a Igreja não propiciou, mas combateu.

Já o cardeal Júlio Terrazas Sandoval, arcebispo de Santa Cruz de la Sierra (Bolívia), observou que as reações às palavras do papa sobre o mundo indígena em sua viagem ao Brasil nasciam da falta de conhecimento do próprio discurso do pontífice e de seu contexto. "O que o Santo Padre disse sobre o mundo indígena suscitou muitas reações. Isso é normal, sobretudo, quando não se lê todo o documento", disse o cardeal. Segundo ele, a instrumentalização desse trecho do discurso do papa "se converte em matéria para confundir e para desqualificar qual foi a mensagem, e também, lamentamos, para insultar a pessoa".

O embate final de Aparecida

Mesmo com algumas polêmicas, a Conferência de Aparecida foi considerada um sucesso e reforçou a estratégia da Santa Sé para a unidade da Igreja na América Latina. O próprio documento final da Conferência demonstrou isso. Diferente de outras Conferências Gerais, quase não houve divergência durante os debates. E ao final, o episcopado do continente reforçou as linhas principais do discurso de Bento XVI em Aparecida. Pelo documento, a Igreja Católica lançou uma ofensiva de evangelização na América Latina. O objetivo de reconquistar fiéis passou a ser o principal compromisso assumido pelos bispos presentes, como mostrou o jornalista José Maria Mayrink, em *O Estado de S. Paulo.* A matéria ressaltou que a investida de evangelização, ampla e permanente, para conquistar novos fiéis e trazer de volta os católicos que abandonaram a Igreja foi o principal compromisso assumido pelos bispos da Conferência de Aparecida, que se reuniu de 13 a 31 de maio de 2007. As conclusões da reunião foram entregues ao papa Bento XVI. Em 118 páginas, em espanhol, o documento reafirmou a opção preferencial da Igreja pelos pobres, e na versão original, chegava a valorizar as Comunidades Eclesiais de Base. O documento também denunciou violações aos direitos humanos, especialmente nas prisões, discutiu a questão dos migrantes, defendeu o casamento indissolúvel, condenou o aborto e pregou a dignidade da mulher.

Mas, apesar do tom conciliador de Aparecida, uma polêmica passou a envolver o texto final. O jornal *O Estado de S. Paulo.* revelou, em agosto de 2007, que "o documento votado pela V Conferência Geral do Episcopado da América Latina e do Caribe, em maio, havia sido alterado pela presidência do Celam antes de ser entregue ao papa, em 11 de junho". De acordo com a reportagem, as mudanças mais relevantes referiam-se às Comunidades Eclesiais de Base, núcleos de fiéis ligados à Teologia da Libertação com grande atuação pastoral e ideológica no continente nos últimos quarenta anos. O documento original havia obtido aprovação quase unânime em Aparecida, com 127 votos a favor, um contra e duas abstenções. Onze dias depois, o texto foi entregue ao papa, já com as mudanças feitas pelo cardeal chileno Francisco Javier Errázuriz Ossa e pelo bispo argentino Andrés Stanovnik, respectivamente presidente e secretário-geral do Celam até aquele momento. Esse foi o documento divulgado no Vaticano com a aprovação de Bento XVI.

"Não sei quem alterou, mas quero saber, pois não é a primeira vez que isso ocorre", disse o cardeal Geraldo Majella Agnelo, arcebispo de Salvador e primaz do Brasil, em entrevista ao jornal *O Estado de S. Paulo.* O cardeal brasileiro foi um dos presidentes da Conferência de Aparecida, ao lado do cardeal Errázuriz e do cardeal Giovanni Battista Re, prefeito da Congregação para os Bispos. Eles entregaram o documento final a Bento XVI. "Eu pensei que estava levando o original", declarou ao jornal, garantindo que, até onde sabia, as mudanças não foram de iniciativa de Roma "pois o papa respeitaria o que os bispos decidiram". Dom Geraldo defendeu o restabelecimento da versão original. Dom Raymundo Damasceno Assis (Aparecida), eleito em uma assembleia do episcopado latino-americano como presidente do Celam, em Havana, em 10 de julho de 2007, reconheceu que achava difícil anular o texto oficial depois de ele ter sido aprovado por Bento XVI e distribuído, em espanhol, às vinte e duas conferências nacionais do continente. Mesmo assim, registrou a reportagem, abaixo-assinados e manifestos de teólogos e religiosos que criticaram a adulteração passaram a exigir a volta da versão de Aparecida. Em resposta às reclamações, o cardeal Errázuriz, arcebispo de Santiago, escreveu uma carta circular, na qual afirmou ter encaminhado a questão a seu sucessor e sugeriu que não se falasse mais do assunto. "Daríamos uma grande alegria ao demônio se nos ocupássemos tanto das mudanças que ocorreram no texto final de modo que o mal-estar conseguisse eclipsar a maravilhosa experiência de Aparecida e suas grandes orientações pastorais", advertiu Errázuriz no texto.

Ao apresentar o texto em Cuba, o cardeal Errázuriz disse que as mudanças se limitavam à redação e à forma. Mas, estudos comparativos feitos por teólogos e assessores que estiveram na Conferência apontaram mudanças. Os 573 artigos originais caíram para 554, com cortes e junção de parágrafos, constatou Mayrink. O arcebispo de Manaus e então vice-presidente da CNBB, dom Luiz Soares Vieira, que participou do encontro em Havana, disse ao *Estado* que o purpurado chileno insistiu que as mudanças não foram substanciais. "O cardeal disse que, no caso das Cebs e em outras questões mais importantes, consultou os autores dos artigos votados em Aparecida." Mayrink registrou que, após ler as explicações do arcebispo de Santiago, o padre argentino Eduardo de la Serna, um dos teólogos que apontaram as mudanças, chegou à conclusão de que o texto foi alterado pela presidência do Celam. O teólogo chileno Ronaldo Muñoz chegou a enumerar trinta e quatro mudanças, que, em sua opinião, enfraqueciam ou distorciam o texto. Uma delas referia-se à "opção preferencial pelos pobres", expressão que a versão oficial manteve, mas acrescentando que "não é exclusiva nem excludente". Para Muñoz, parece ter havido, também, a preocupação de tirar a força do documento no ponto em que denuncia a discriminação da mulher na Igreja. *O Estado de S. Paulo* registrou, ainda, que sem comentar o conteúdo das alterações, o arcebispo de São Paulo, dom Odilo Pedro Scherer, que foi secretário-geral-adjunto da Conferência, disse esperar que elas não prejudicassem a receptividade ao documento, mesma opinião de dom Damasceno.

Cautelosa, a direção da CNBB resolveu esvaziar o episódio e adotou a versão modificada do documento da V Conferência Geral do Episcopado da América Latina e do Caribe. "A questão pode trazer amargura para alguns setores. Mas o papa tem a palavra final", sentenciou o então presidente da entidade, dom Geraldo

Lyrio Rocha, arcebispo de Mariana, em entrevista coletiva à imprensa. Com a decisão, a CNBB colocou um ponto final na polêmica criada com a divulgação da adulteração do texto. As comissões pastorais sociais da CNBB haviam protestado e pediram o restabelecimento do texto votado pelos bispos latino-americanos. Dom Geraldo considerou exagerada a reação negativa às alterações. "As mudanças são muito mais na forma do texto do que em seu conteúdo", ponderou. Na avaliação de um bispo que pediu reserva, a maior reação foi por causa das alterações nos trechos sobre as Comunidades Eclesiais de Base.

Preocupado com a repercussão do episódio, o cardeal Francisco Javier Errázuriz deu sua versão do episódio, divulgada pela arquidiocese de Santiago no dia 17 de agosto:

> O documento que levamos ao papa no dia 11 de junho é o de Aparecida, Conferência que terminou em 31 de maio passado. Pode ser que tenha algumas correções, como de um ponto ou uma vírgula, coisas desse tipo; mas levamos ao papa esse documento, evidentemente.

Uma Conferência como essa, acrescentou o arcebispo de Santiago, elabora orientações pastorais para 40% dos católicos no mundo. "Trabalham em comunhão com o papa, que tem a responsabilidade por 100% dos católicos no mundo. Por isso, esses documentos sempre são levados ao Santo Padre." Ele foi além:

Há um tema (no qual a modificação foi maior) que é o que mais doeu a muitos grupos no Brasil e também em outros países, e é o que se referia às comunidades cristãs de base (Comunidades Eclesiais de Base), que foi um tema muito relevante e vem de Conferências Episcopais anteriores. No início não foi bem-aceito em todas as partes, de maneira que houve comunidades cristãs de base que fracassaram, outras se polarizaram, e, em outros lugares, cresceram com uma fecundidade extraordinária. Que elas são uma bênção, isso são. Vamos fazer no Celam um grande congresso para poder recolher as melhores experiências que existem de comunidades cristãs de base, de maneira que isso se possa difundir em toda a América Latina.

Por último, o arcebispo de Santiago assegurou:

O espírito do documento é claríssimo, a experiência que vivemos em Aparecida foi uma experiência maravilhosa. O espírito é muito claro, as grandes linhas orientadoras são muito claras. Trata-se de formulações que não têm a importância que se lhes está atribuindo neste momento.

Independentemente da polêmica, a satisfação do Vaticano com o documento final de Aparecida ficou explicitada na declaração do cardeal Tarcisio Bertone. Em julho, em uma sessão de perguntas e respostas aos jornalistas em Pieve di Cadore, localidade em que o papa passou suas férias naquele ano, Bertone disse que tanto o discurso do papa quanto o documento conclusivo foram um verdadeiro êxito. Em relação às críticas de alguns jornalistas à intervenção papal dos bispos latino-americanos, o cardeal salesiano respondeu:

"Às vezes se acusa a Igreja de interferências no campo sociopolítico, e quando o papa faz um grande discurso cristológico, recebe a mesma acusação." Mas a maior prova de que o Vaticano havia mesmo conseguido conquistar seu objetivo foi a citação de Bertone sobre o comentário do teólogo padre Clodovis Boff, irmão do teólogo Leonardo Boff, expoente da Teologia da Libertação. Bertone fez questão de mencionar que o padre Clodovis definiu o texto publicado pelos bispos de Aparecida e autorizado por Bento XVI como "o melhor emanado do Celam", que representa vinte e duas Conferências Episcopais. Era tudo que a Santa Sé precisava para amarrar sua estratégia de reaproximação com a Igreja na América Latina. Afinal, ninguém melhor que o próprio irmão de Leonardo Boff, desafeto de Bento XVI, para atestar isso.

Cardeal Bergoglio em Aparecida

Depois que Bento XVI deixou Aparecida, em maio de 2007, muitos cardeais permaneceram no Santuário. Entre eles, chamou minha atenção a presença discreta do arcebispo de Buenos Aires, Jorge Mario Bergoglio. Fiquei curioso em conhecê-lo de perto por dois motivos: sabia que ele havia sido o principal nome a enfrentar Bento XVI no Conclave ocorrido dois anos antes, e queria constatar de perto sua fama de místico. Ao vê-lo sozinho, apresentei-me como jornalista de *O Globo*. Naquela rápida conversa, fiquei impressionado com a simplicidade de Bergoglio. Lembrava um pouco o jeito do arcebispo dom Hélder Câmara, que eu havia conhecido no Recife dos anos 1980 e 1990.

Aparecida seria o grande momento para Bergoglio consolidar sua liderança entre os cardeais da América Latina. Como responsável pelo texto do documento final da Conferência, ele demonstrou habilidade para agregar todos os interesses. Bergoglio presidiu a comissão de redação. Dom Cláudio Hummes, que integrou a mesma comissão, destacaria algumas qualidades da personalidade do futuro papa naqueles dias de Aparecida: sabedoria, serenidade, santidade divina, espiritualidade.

Naquela conversa, perguntei sobre a evasão de fiéis no continente. Para enfrentar esse problema, o então arcebispo de Buenos Aires defendeu a adoção de uma forte linha pastoral, para que houvesse uma Igreja missionária com uma ação mais evangelizadora. Ou seja, uma Igreja que vai a todos os lugares, até as periferias, para alcançar os fiéis. Dias depois, essa ideia seria apresentada como um dos principais pontos do documento final de Aparecida. Seis anos depois, em março de 2013, a aposta de muitos cardeais era que esse pensamento seria um pilar fundamental do pontificado de Francisco.

Ao terminar a conversa com o cardeal Bergoglio, pensei por um breve instante que, se o processo do Conclave de 2005 houvesse sido diferente e, em vez de um papa de transição a escolha houvesse seguido outro critério (o da teoria do pêndulo), o purpurado argentino que estava à minha frente poderia ter sido eleito sucessor de João Paulo II. Mas, naquele momento, tive a impressão de que o cardeal Jorge Mario Bergoglio havia perdido de forma definitiva a grande chance de ser papa. Eu estava enganado.

O arcebispo de Aparecida, dom Raymundo Damasceno Assis, conversa com fiéis em Aparecida, 24 de fevereiro de 2013.

POSFÁCIO

Uma análise weberiana da estratégia política da Santa Sé para reconquistar a América Latina

Atualidade do conceito weberiano

Apesar da mudança de métodos, a estratégia adotada pelo Vaticano para recuperar e conquistar novos fiéis na América Latina tem sido utilizada ao longo dos séculos pela Santa Sé para manter seu poder e influência no mundo. Certamente, o cientista político e pensador alemão Max Weber foi quem melhor conseguiu analisar e conceituar a atuação da Igreja Católica nesses dois milênios em vários de seus estudos sobre a sociologia da religião no início do século XX. Por isso, antes de mais nada, é preciso ter uma compreensão dos principais conceitos adotados por Max Weber para fazer uma análise do novo comportamento do Vaticano em relação à Igreja na América Latina, no papado de Bento XVI e a partir de agora, no pontificado de Francisco.

Há um século, o pensador alemão Max Weber iniciou uma abordagem original da sociologia da religião, com a *Ética protestante e o espírito do capitalismo*. Mas é em sua obra *Economia e sociedade* que vai ampliar, de forma significativa, todos os conceitos sobre a sociologia da religião. O que chama a atenção nos dois volumes de *Economia e sociedade* é a atualidade dos conceitos weberianos, o que nos permite compreender a sofisticada estratégia da Santa Sé para o continente. Weber é claro ao classificar e contrapor a *Igreja*, como uma organização compulsória e com seu carisma oficialmente institucionalizado, a *seita*, que tem como fundamento a associação voluntária e o carisma personalizado.

É exatamente esse confronto que fica claro nas palavras do papa Bento XVI na visita ao Brasil, em maio de 2007. É preciso compreender o que leva um papa conservador, crítico feroz do relativismo e, ainda por cima, defensor de uma Igreja de qualidade e não de quantidade, a se preocupar, de uma hora para outra, com a evasão exponencial de fiéis na América Latina e especialmente no Brasil, maior país católico do mundo. Essa mensagem ficou clara no longo discurso que Bento XVI fez na missa com o episcopado brasileiro, na Catedral da Sé, em São Paulo, no dia 11 de maio.[1] Como já foi registrado, pela primeira vez o papa falou claramente sobre sua preocupação por causa da grande evasão de católicos no país. Chegou a atacar o que classificou de "proselitismo agressivo das seitas" e advertiu os bispos de que isso era motivo de grande preocupação. Também tratou dos problemas da fé moderna, condenando o agnosticismo, o relativismo e o laicismo. Disse que a Igreja precisa estar próxima do povo pobre das periferias urbanas e do campo. Afirmou, ainda, que o esforço missionário na América Latina deveria partir do Brasil. É necessário reproduzir alguns pontos do discurso de Bento XVI para, em seguida, voltarmos à análise de Weber:

> *Evasão de fiéis*
>
> "Entre os problemas que afligem a vossa solicitude pastoral está, sem dúvida, a questão dos católicos que abandonam a vida eclesiástica. Parece claro que a causa principal, dentre outras, desse problema possa ser atribuída à falta de uma evangelização em que Cristo e sua Igreja estejam no centro de toda explanação."

Proselitismo das seitas e o relativismo

"As pessoas mais vulneráveis ao proselitismo agressivo das seitas — que é motivo de justa preocupação —, e incapazes de resistir às investidas do agnosticismo, do relativismo e do laicismo, são geralmente os batizados não suficientemente evangelizados, facilmente influenciáveis porque possuem uma fé fragilizada e, por vezes, confusa, vacilante e ingênua, embora conservem uma religiosidade inata."

Missão evangelizadora

"É necessário encaminhar a atividade apostólica como uma verdadeira missão dentro do rebanho que constitui a Igreja Católica no Brasil, promovendo uma evangelização metódica e capilar em vista de uma adesão pessoal e comunitária a Cristo."

A evasão nas classes pobres

"Neste esforço evangelizador, a comunidade eclesiástica se destaca pelas iniciativas pastorais, ao enviar, sobretudo entre as casas das periferias urbanas e do interior, seus missionários, leigos ou religiosos, procurando dialogar com todos em espírito de compreensão e de delicada caridade. Mas, se as pessoas encontradas estão em uma situação de pobreza, é preciso ajudá-las, como faziam as primeiras comunidades cristãs, praticando a solidariedade, para que se sintam amadas de verdade."

Recado aos bispos I

"Onde Deus e Sua vontade não são conhecidos, onde não existe a fé em Jesus Cristo e nem sua presença nas celebrações sacramentais, falta o essencial também para a solução dos urgentes problemas sociais e políticos. A fidelidade ao primado de Deus e de Sua vontade, conhecida e vivida em comunhão com Jesus Cristo, é o dom essencial, que nós, bispos e sacerdotes, devemos oferecer ao nosso povo."

Nas palavras de Bento XVI, os conceitos weberianos são explícitos. Principalmente quando aborda o enfrentamento das seitas no Brasil e na América Latina. Ora, para o pensador alemão Max Weber, a Igreja é uma organização compulsória. Ou seja, você nasce nela. Já a seita é uma organização voluntária. Ou seja, você opta por ela. Esta é a questão fundamental das palavras do Santo Padre ao episcopado brasileiro. Weber vai além. Ressalta a necessidade da sistematização doutrinária e desenvolvimento organizacional da Igreja como estratégias para manutenção do carisma. Aliás, em *Economia e sociedade* há uma diferenciação nítida do carisma pessoal, que podemos encontrar de forma clara nas seitas, do carisma institucional, aquele que é defendido pela cúria romana.[2] Aqui, caberia uma pergunta para melhor compreensão do que estamos tratando: a Igreja moderna suportaria o ressurgimento do carisma pessoal de Jesus Cristo? Certamente, não. Isto porque a estrutura atual do Vaticano seria desagregada por uma força de carisma pessoal. O próprio Bento XVI é o símbolo maior do bom funcionamento do carisma institucional. Intelectual reservado e responsável por mais de duas décadas da doutrina da Igreja, Bento XVI herda o carisma do cargo no momento em que é eleito em Conclave pelos demais cardeais.

Aliás, a visão de mundo de Bento XVI é amparada na doutrina agostiniana. Em sua tese de doutorado, Virgílio Caixeta Arraes ressalta que essa doutrina foi recuperada e atualizada por Pio IX: a dos dois mundos. Um *Civitas Dei* (a cidade de Deus), representado pela Igreja Católica; o outro *Civitas terrena* (a cidade dos homens), o mundo secular e moderno, que se havia transformado no local caído, portanto, a nova Babel.[3]

> "Mesmo em função da significativa atenção e apuro com que santo Agostinho havia se dedicado ao tema — vinte e dois livros —, ele não deixaria de estar inserido em seu contexto sociopolítico e

histórico (século quinto), de modo que questões como Estado e Igreja seriam mais ligadas à modernidade." (Arraes)[4]

É preciso, ainda, registrar alguns outros conceitos de Weber em sua sociologia da religião. Ele faz um registro especial do monasticismo da racionalização do carisma e a estratégia para dar uma força carismática ao clero estabelecido. Ou seja, absolvição do movimento espiritual pelo clero. No caso, Weber faz questão de ressaltar o ascetismo metódico como uma forma de "rotinização" e democratização do carisma pessoal dos santos fundadores das ordens. Esse ponto específico chama a atenção para um gesto especial da passagem do papa Bento XVI pelo Brasil: a canonização de frei Galvão, o primeiro santo brasileiro. Por que só depois de cinco séculos a Santa Sé mostra uma preocupação especial em santos brasileiros?

Sobre a canonização de frei Galvão, vale ainda registrar outro aspecto do estudo weberiano. Em *Economia e sociedade*, Weber ressalta "a vinculação local da divindade", em que o território desta é considerado especificamente sagrado. "O nascimento de deuses locais propriamente ditos está ligado, por sua vez, não apenas a uma vida sedentária, como também a outros pressupostos que fazem associação local como portadora de significados políticos."[5] Mais uma vez, fica explícita a estratégia política da Santa Sé para conter a evasão de fiéis.

Nunca é demais lembrar que, além da canonização de frei Galvão, há uma avalanche de beatificações de brasileiros. Mais uma vez, surge com clareza o objetivo da Santa Sé de "rotinizar" e democratizar o carisma pessoal dos santos em um momento em que a Igreja no Brasil e no continente precisa recuperar fiéis. Até porque, segundo o próprio conceito weberiano, no protestantismo o ascetismo metódico pula o muro do convento e ganha a vida cotidiana dos leigos, o que, para a Igreja Católica, é um perigo. Em seguida, Weber registra a diferença entre o ascetismo, como instrumento ativo da graça, e o misticismo como receptáculo passivo da graça. Ora, o que é mais atrativo para alguém que procura uma graça? Optar por uma busca mais difícil, na qual seria necessário refrear prazeres mundanos e praticar um estilo de vida austero com ações virtuosas para perseguir a espiritualidade, ou ficar com o milagre imediato e mais fácil? É nesse embate que a Igreja Católica começa a perder fiéis. Justamente a essa questão que Bento XVI tenta encontrar uma solução na América Latina.

Quando faz uma análise entre "o mago e o sacerdote", Weber é claro: "(...) distinguem-se os sacerdotes como capacitados por seu saber específico, sua doutrina fixamente regulada e sua qualificação profissional, daqueles que atuam em virtude de dons pessoais (carisma) e da prova destes por milagre e revelação pessoal". Voltemos agora ao discurso de Bento XVI, para o episcopado brasileiro. Em sua longa fala, o papa lembrou aos bispos a necessidade de obediência à doutrina. Condenou a utilização do Evangelho por parte de pessoas movidas por ideologias racionalistas, em um claro recado aos adeptos da Teologia da Libertação. Também fez um apelo enfático para que as normas litúrgicas sejam observadas, e exigiu fidelidade na celebração das missas. Foi uma referência indireta às várias alterações das celebrações. Bento XVI ressaltou a necessidade do celibato. O que chama a atenção nessa análise é a relação direta do conceito weberiano na mensagem do Santo Padre ao Brasil. Bento XVI recoloca para o clero brasileiro uma série de regras que precisam ser cumpridas para marcar a diferenciação entre o sacerdote católico das práticas das demais seitas. Isso fica registrado em vários pontos do discurso na Catedral da Sé:[1]

Fidelidade à liturgia

"É necessária uma mais correta aplicação dos princípios indicados pelo Concílio Vaticano II no que diz respeito à liturgia da Igreja, incluindo as disposições contidas no Diretório para os Bispos, com o propósito de devolver à liturgia o seu caráter sagrado (...) Redescobrir e valorizar a obediência às normas litúrgicas por parte dos bispos, como 'moderadores da vida litúrgica da Igreja', significa testemunhar a própria Igreja, una e universal que preside na caridade."

Teologia da Libertação

"Nós, pastores, na esteira do compromisso assumido como sucessores dos apóstolos, devemos ser fiéis servidores da Palavra, sem visões redutivas e confusões na missão que nos é confiada. Não basta observar a realidade com base na fé; é preciso trabalhar com o Evangelho nas mãos e fundamentados na correta herança da tradição apostólica, sem interpretações movidas por ideologias racionalistas."

Dificuldade do Ecumenismo

"O Ecumenismo, ou seja, a busca da unidade dos cristãos, torna-se nesse nosso tempo, no qual se verifica o encontro das culturas e o desafio do secularismo, uma tarefa sempre mais urgente da Igreja Católica. Com a multiplicação, porém, de sempre novas denominações cristãs, e sobretudo diante de certas formas de proselitismo, frequentemente agressivo, o empenho ecumênico torna-se uma tarefa complexa."

Celibato

"(...) no seio da Igreja, quando o valor do compromisso sacerdotal é questionado como entrega total a Deus por meio do celibato apostólico e como disponibilidade total para servir às almas, dando-se preferência às questões ideológicas e políticas, inclusive partidárias, a estrutura da consagração total a Deus começa a perder seu significado mais profundo. Como não sentir tristeza em nossa alma?"

Recado aos bispos II

"O povo pobre das periferias urbanas ou do campo precisa sentir a proximidade da Igreja, seja no socorro a suas necessidades

> mais urgentes, como também na defesa dos seus direitos e na promoção comum de uma sociedade fundamentada na justiça e na paz. Os pobres são os destinatários privilegiados do Evangelho, e um bispo, modelado segundo a imagem do Bom Pastor, deve estar particularmente atento a oferecer o divino bálsamo da fé, sem descuidar do 'pão material'."

Uma das interpretações mais originais dos discursos de Bento XVI no Brasil foi a do professor titular de sociologia da USP, Antônio Flávio Pierucci, autor de *O desencantamento do mundo* (Ed. 34) e coordenador da edição brasileira de *A ética protestante e o espírito do capitalismo*, de Max Weber (Ed. Companhia das Letras). Em entrevista ao jornal *Folha de S.Paulo*, em 14 de maio de 2007, Pierucci afirmou que o papa veio exigir do clero e dos fiéis brasileiros mais disciplina. Dos bispos e padres, mais trabalho. "Ele faz um diagnóstico muito sociológico. Para ele, os evangélicos crescem mais que outras formas religiosas porque trabalham mais." Na avaliação de Pierucci, para Bento XVI, "se os padres trabalharem mais, quem sabe você não estanca a perda de fiéis". De acordo com o sociólogo, Bento XVI disse que os bispos brasileiros precisam trabalhar mais e estudar mais. "Idem para os padres brasileiros. E os católicos brasileiros precisam ser mais obedientes, e os padres mais obedientes. A quem? A Roma. É tudo muito centralizado. Esse papa quer doutrina correta", analisa Pierucci, que lembra que na apresentação de sua doutrina, Bento XVI deu ênfase a questões ligadas à sexualidade e ao compromisso com valores religiosos, como forma de fazer frente à diminuição do papel da religião no mundo. Aliás, esse seria o problema principal, mais que a perda de fiéis para os pentecostais. Mas o sociólogo da USP registra que o clero brasileiro tem problemas de formação. E que por isso há o risco de, ao seguirem a disciplina e a pregação desses valores, acabarem descambando para o simples moralismo. "Se você joga esse catolicismo mais cioso de lei e ordem em um clero que tem pouca formação teórica, o risco é virar moralismo. De pegarem pelo lado mais fácil", adverte Pierucci.[7]

Elaboração do conceito weberiano na sociologia da religião

Vamos aprofundar alguns conceitos weberianos apresentados em *Economia e sociedade.* No Capítulo V do Volume 1 de *Sociologia da religião* (Edição UnB), Weber classifica o carisma como "um dom pura e simplesmente vinculado à pessoa que por natureza o possui e que por nada pode ser adquirido", para em seguida acrescentar que o carisma "pode e precisa ser proporcionado ao objeto ou à pessoa de modo artificial, por certos meios extracotidianos". Diante dessa classificação, vamos ao que interessa para este livro: a administração carismática da graça. Em seu estudo, Weber destaca a dificuldade da Igreja primitiva para a administração carismática da graça. Ele lembra que nem todo bispo, credenciado "apenas institucional e exteriormente por seu cargo", pode administrar a graça de modo eficaz. Para solucionar esse problema, de acordo com o pensador alemão, é que se procurou a criação da *graça institucional.* "A salvação ocorre, então, em virtude de graças dispensadas continuamente por uma comunidade institucional, credenciada, por sua vez, por sua fundação divina ou profética: *graça institucional*", escreveu Weber. Ele vai além em sua análise e aponta três princípios fundamentais para a administração da graça que são absolutamente contemporâneos e utilizados pela Santa Sé, inclusive no momento atual para recuperar o domínio da fé católica na América Latina:[8]

1. *Extra ecclesiam nulla salus* — somente pela pertinência à instituição administradora da graça pode-se obter graça.

2. O cargo legalmente conferido, e não a qualificação pessoal carismática do sacerdote, é que decide sobre a eficácia da administração da graça.

3. A qualificação pessoal religiosa do necessitado de salvação é, em princípio, sem importância diante do poder administrador de graça de cargo.

Em seguida, Weber registra que toda obtenção da graça por uma pessoa, "seja esta legitimada pelo carisma ou pelo cargo, acrescenta à religiosidade ética uma peculiaridade que atua no mesmo sentido, diminuindo as exigências éticas". Está aí um conflito claro vivido pela Igreja na América Latina em pleno século XXI ao enfrentar o carisma das seitas. Afinal, acrescenta o pensador alemão, a graça "significa sempre o *alívio* interno do necessitado de salvação. Tornando-lhe mais leve, portanto, o peso da culpa e poupando-o — sendo iguais às demais circunstâncias — muito mais que os outros do desenvolvimento de um método de vida próprio, eticamente sistematizado". Isto porque, conclui Weber, o pecador sabe que sempre de novo obterá a salvação de todos os pecados mediante uma ação religiosa ocasional. O próprio Bento XVI ressaltou que esse é um dos principais desafios na Igreja no Brasil, já que seitas oferecem a salvação dos pecados de forma mais imediata. Foi o que Sua Santidade classificou de "proselitismo das seitas".

Esse problema torna-se ainda mais difícil de uma solução imediata quando identificamos no conceito weberiano da "graça institucional" a determinação de sua própria natureza em desenvolver como "virtude cardinal e condição decisiva da salvação", a obediência, a submissão à autoridade, seja esta a da instituição como tal ou a do administrador carismático da graça. Em seguida, o próprio Weber ressalta a existência de certo grau de "doutrina" como a característica distintiva da profecia e da religiosidade sacerdotal, em face da pura magia. "Por duvidar de um poder próprio, os discípulos não podiam, assim lhes explica Jesus, curar um possesso. Mas a fé de quem está completamente convencido de sua capacidade de fazer milagres fará mover montanhas", escreveu Weber. É nesse sentido que a Igreja Católica trabalhou a graça institucional nesses dois milênios e tenta manter essa estratégia até os dias atuais, para conservar seus fiéis. Mais adiante, o próprio Weber sentencia:

> As igrejas cristãs, ao crescer cada vez mais a penetração do intelectualismo e a necessidade de enfrentá-lo, desenvolveram uma quantidade jamais alcançada de dogmas racionais, oficiais e comprometedores, uma crença de teólogos. A exigência do conhecimento e da compreensão desses dogmas e da crença neles é praticamente irrealizável.

Já no Capítulo IX "Sociologia da dominação", do Volume 2, de *Economia e sociedade*, Weber volta ao tema da sociologia da religião na seção 6 ("Dominação política e hierocrática"). Ao tratar da atitude do sacerdócio e do carisma religioso diante da forma de dominação política, ressalta que o carisma do cargo se torna inevitavelmente inimigo incondicional de todo carisma genuinamente pessoal, "que estimula e ensina o caminho autônomo conduzindo a Deus, carisma profético, místico e extático que romperia a dignidade da 'empresa'". Weber acrescenta que o milagreiro individualmente carismático que não ocupa nenhum cargo eclesiástico é suspeito de "heresia" e "magia".[9] Ora, isso se aplica mais uma vez às palavras de Bento XVI em mensagem aos bispos brasileiros quando diz que o proselitismo agressivo das seitas é motivo de justa preocupação. Bento XVI vai além e ressalta que alguns fiéis são facilmente influenciáveis porque possuem uma fé frágil, e, "por vezes, confusa, vacilante e ingênua, embora conservem uma religiosidade inata". Em outro ponto do discurso, Bento XVI manda um recado direto para as seitas ao registrar a dificuldade de praticar o ecumenismo. Registra a necessidade de união dos cristãos para enfrentar o secularismo, mas ressalta que "a multiplicação de novas denominações cristãs, e sobretudo diante de certas formas de proselitismo, frequentemente agressivo", o empenho ecumênico torna-se uma tarefa complexa. Nada mais atual para analisar esse discurso de Bento XVI que a sociologia da religião de Weber. O pensador alemão registra que a "seita adota uma atitude reprovadora diante do carisma do cargo". Na sequência, Weber escreve: "Todas as seitas puras e consequentes, porém, conservam o princípio, reprovado por toda 'Igreja' consequente, da 'prédica leiga' e do 'sacerdócio geral' nesse sentido mais estrito".

O próprio Weber faz uma análise da evolução da racionalização do carisma na Igreja desde sua fundação. Segundo ele, na medida em que passa a existir um esquema geral da "'cotidianização' do carisma", a posição dos "profetas" e "mestres" carismáticos da Igreja antiga vai desaparecendo com a progressiva burocratização da administração nas mãos de bispos e presbíteros. É por isso que a Igreja moderna não suportaria o ressurgimento de Jesus Cristo, como registrou o professor Paulo Kramer, da UnB. Na sequência, o próprio Weber ressalta:

> Tanto na organização quanto na forma da satisfação das necessidades a economia da empresa é adaptada às condições de todas as formações cotidianas: surgem competências de cargo hierarquicamente ordenadas, hierarquia de instâncias, regulamentos, prebendas, ordem disciplinar, e racionalização da doutrina e a atividade no cargo como profissão.

Ora, fica claro nessa descrição que o pensador alemão faz uma referência direta à criação da Santa Sé e do papado como instituição para enjaular o carisma. E é justamente por isso que agora a Igreja luta para não perder o dom da graça para as "seitas milagrosas" que estão explodindo nos países da América Latina e especialmente no Brasil. Ou seja, o Vaticano reivindica para si o poder único de administrar o carisma, que foi tão bem trabalhado pela Igreja nesses dois mil anos de cristianismo. "É óbvio que, em última instância, esse carisma pessoal é incompatível com as exigências hierocráticas de uma 'instituição de salvação' que reclama monopolizar, por sua vez, o caminho que conduz a Deus", observa Weber.

Aliás, esse é um conceito que o então cardeal alemão Joseph Ratzinger, na condição de prefeito da Congregação para a Doutrina da Fé, sempre fez questão de reforçar, até mesmo de maneira polêmica. Em 2001, o documento *Dominus Iesus*[9] afirmou que só a Igreja Católica detém a verdade e assegurou a superioridade do catolicismo sobre as demais religiões cristãs. Aqui, vale registrar que, na apresentação do documento, estava sentado ao lado de Ratzinger o monsenhor Fernando Ocáriz, um dos autores do texto e vigário-geral da prelazia Opus Dei. Na ocasião, muitos chegaram a comentar que Ratzinger investia contra os ideais do papa João Paulo II. Ledo engano. O cardeal alemão recebeu apoio total do então pontífice.

Sete anos depois, em 10 de julho de 2007, a Santa Sé retomou a polêmica para reforçar sua posição sobre as demais religiões cristãs: o Vaticano publicou um documento afirmando que a Igreja Católica é, sempre foi e será a única igreja de Cristo. Com o título "Respostas a questões relativas a alguns aspectos da doutrina sobre a Igreja", o texto da Santa Sé ressaltou o que considera como "interpretações desviantes e em descontinuidade com a doutrina católica tradicional sobre a natureza da igreja", que ocorreram depois da publicação do documento *Lumem Gentium* ("A luz das nações"), do Concílio Vaticano II (1962-1965), dizendo que a única Igreja de Cristo "subsiste" na Igreja Católica. "Cristo constituiu sobre a Terra uma única Igreja e instituiu-a como grupo visível e comunidade espiritual, que desde sua origem e no curso da história sempre existe e existirá", diz o texto, que segundo fontes do Vaticano, foi ratificado pelo próprio papa Bento XVI. "Esta Igreja, como sociedade constituída e organizada neste mundo, subsiste na Igreja Católica, governada pelo sucessor de Pedro e pelos bispos em comunhão com ele." A nova publicação assinada pela Congregação para a Doutrina da Fé diz que "com a palavra 'subsistir' o Concílio queria exprimir a singularidade, e não a multiplicabilidade da Igreja de Cristo: a Igreja existe como único sujeito na realidade histórica".

> Contrariamente a tantas interpretações sem fundamento, não significa que a Igreja Católica abandone a convicção de ser a única verdadeira Igreja de Cristo, mas simplesmente significa uma maior abertura à particular exigência do ecumenismo de reconhecer o caráter e dimensão realmente eclesiais das comunidades cristãs não em plena comunhão com a Igreja Católica.

Esse mesmo texto lembra o polêmico episódio da notificação feita em 1985 pela Congregação para a Doutrina da Fé, na época comandada por Ratzinger, sobre os escritos do então defensor da Teologia da Libertação, frei Leonardo Boff, segundo o qual a única Igreja de Cristo "pode também subsistir noutras igrejas cristãs". Naquela ocasião, a Congregação puniu o brasileiro pelo que considerou um equívoco e disse que o Concílio adotou a palavra subsiste, precisamente para esclarecer que existe uma só "subsistência" da verdadeira Igreja. O documento também afirma que somente a Igreja Católica dispõe de todos os meios de salvação e de que, fora dela, existem apenas "comunidades eclesiais", o que gerou protesto de outras igrejas cristãs.

Diz o texto:

> Embora estas claras afirmações tenham criado mal-estar nas comunidades interessadas e também no campo católico, não se vê, por outro lado, como se possa atribuir a essas comunidades o título de Igreja, uma vez que não aceitam o conceito teológico de Igreja no sentido católico e faltam-lhes elementos considerados eclesiais pela Igreja Católica.

Um último ponto da análise weberiana sobre a racionalização do carisma na Igreja pode ser feito pela óptica da Igreja latino-americana nas últimas décadas. No Volume 2 de *Economia e sociedade*, o pensador alemão registra que a racionalização gradualmente crescente da ascese, até transformar-se em um método colocado exclusivamente a serviço da disciplina, alcançou seu ponto culminante na ordem dos jesuítas.

> Nela desaparece todo o resíduo de uma anunciação e propagação individual carismática da salvação, cuja eliminação nas ordens mais antigas, particularmente na fundação de são Francisco, custara tanto esforço à autoridade eclesiástica, que necessariamente via nelas uma ameaça à posição do carisma de cargo.[8]

Ou seja, a necessidade de santificar os meios. Ele acrescenta que com a obrigação por um voto especial à obediência incondicional à sede romana foi realizada a racionalização burocrática da estrutura da dominação da Igreja. E qual o paralelo dessa estratégia milenar com a Igreja no continente? Quando analisamos o surgimento da chamada "Teologia da Libertação", nos anos 1970, verificamos que a maior preocupação da Santa Sé foi com a ameaça do carisma do cargo. Esse, aliás, foi um dos principais argumentos do então responsável pela doutrina católica, o cardeal alemão Joseph Ratzinger para enquadrar os defensores da Teologia da Libertação, cujo expoente no Brasil foi o teólogo Leonardo Boff.

Também havia naquele período o surgimento de lideranças católicas com carisma individual, como o arcebispo de Olinda e Recife, dom Hélder Câmara, e o então cardeal arcebispo de São Paulo, dom Paulo Evaristo Arns. Como no passado registrado por Weber, nos tempos atuais custou muito esforço da autoridade eclesiástica da Santa Sé enquadrar a chamada "Igreja Progressista" no continente. Para ficarmos restritos aos casos brasileiros mais conhecidos, houve uma estratégia para enfraquecer e até mesmo silenciar vozes do episcopado que causavam grande incômodo à cúria romana. A ação de dom Hélder foi esmagada com a nomeação do ultraconservador arcebispo dom José Cardoso Sobrinho para sua sucessão, quando ele foi obrigado a renunciar ao cargo em 1985, quando completou 75 anos, como já registrado neste livro. O arcebispo conservador fez um traumático enquadramento do clero progressista pernambucano. Já em relação ao cardeal Arns, a estratégia da Santa Sé foi ainda mais sofisticada. Sem poder removê-lo, já que ocupava o cargo mais influente da Igreja no Brasil, e com a distância de sua renúncia compulsória, o Vaticano decidiu diminuir o poder de fogo do cardeal progressista fatiando sua arquidiocese em quatro e criando outras três dioceses, em 1989. Naquele tempo, a arquidiocese de São Paulo era a maior do mundo, com 17 milhões de fiéis. Em outros casos, a Santa Sé simplesmente sufocou o nascimento de novas lideranças progressistas, mantendo esses bispos em dioceses periféricas.

Quase três décadas depois das ações da Santa Sé para enquadrar a Teologia da Libertação, o cardeal Joseph Ratzinger retornou à América Latina na condição de papa, já tendo "domesticado" esse problema. Agora, o desafio passaria a ser outro, como bem registrou o professor titular de sociologia da USP, Antônio Flávio Pierucci, em entrevista à *Folha de S.Paulo*:

> Agora, ele (Bento XVI) está tranquilo, porque, se não está extinta, está bastante domesticada a Teologia da Libertação. Está bastante expurgada do discurso marxista. Ele ainda dá umas bicadas na Teologia da Libertação, mas acho que está, pela primeira vez, fazendo algo muito ligado à imagem do Calvino, da igreja calvinista, que é disciplinar. Disciplina. O catolicismo está frouxo, sem identidade, sem foco. Pode ser que dê certo. Ele está querendo um ajuste de foco. Quer que sigam à risca a liturgia. Diz que a missa não é propriedade privada de ninguém. Disciplina. Os pentecostais fazem muito isso no Brasil. As igrejas pentecostais disciplinam. É tradição evangélica. A ênfase dele é na religiosidade orquestrada, canônica.[6]

Notas do posfácio

[1] Citação ao discurso feito em português pelo papa Bento XVI no dia 11 de maio de 2007, na Catedral da Sé, em São Paulo, no encontro com os bispos brasileiros. Além dos trechos reproduzidos no capítulo, é possível conferir o texto original nos anexos desta monografia.

[2] Nesse capítulo, a maior parte da análise sobre Max Weber é feita com base no capítulo V ("Sociologia da religião"), do volume 1 de *Economia e sociedade*, da quarta edição da Editora UnB (2004). Ao todo, são doze textos entre as páginas 279 e 418 dessa edição. Nesta nota, destaque especial para o texto "O mago e o sacerdote".

[3] Citação ao livro *A Cidade de Deus*, de santo Agostinho (Ed. Vozes), tradução de Oscar Paes Lemes. Vale o registro da enorme influência de santo Agostinho para o cardeal Joseph Ratzinger. O principal teólogo da Igreja Católica foi o tema de doutorado do cardeal alemão.

[4] Citação à referência encontrada na tese de doutorado "Relações Internacionais da Santa Sé: da fragilidade à busca de maior autonomia

(1945-1978)", para o Departamento de História da UnB, de Virgílio Caixeta Arraes.

[5] O principal registro está no texto "Os caminhos de salvação e sua influência sobre a condução da vida", de Max Weber, no capítulo V ("Sociologia da religião"), do volume 1 de *Economia e sociedade*, da quarta edição da Editora UnB (2004), entre as páginas 357 e 385.

[6] Citação à entrevista do professor titular de sociologia da USP, Antônio Flávio Pierucci, autor de *O desencantamento do mundo* (Ed. 34), e coordenador da edição brasileira de *A ética protestante e o espírito do capitalismo*, de Max Weber (Ed. Companhia das Letras). A entrevista foi publicada pelo jornal *Folha de S.Paulo*, em 14 de maio de 2007, um dia depois de o papa Bento XVI deixar o Brasil. Ele fez uma análise sobre a estratégia de Bento XVI em sua viagem a São Paulo e Aparecida.

[7] Esquematização extraída na íntegra da página 375 do texto *Os caminhos de salvação e sua influência sobre a condução da vida*, de Max Weber, no capítulo V ("Sociologia da religião"), do volume 1 de *Economia e sociedade*, da quarta edição da Editora UnB (2004).

[8] As citações encontram-se entre as páginas 187 e 196 do capítulo IX, "Sociologia da dominação", do volume 2 (Edição UnB) de *Economia e sociedade*, de Max Weber. Nesse capítulo, Weber analisa "Estruturas e funcionamento da dominação", na seção 1, com destaque para os textos "Poder e dominação. Formas de transição", "Dominação e administração. Natureza e limites da administração democrática" e "Dominação por meio de 'organização'. Fundamentos da validade da dominação".

[9] Citação a um dos mais contundentes documentos produzidos pelo então cardeal alemão Joseph Ratzinger, quando prefeito da Congregação

para a Doutrina da Fé. O *Dominus Iesus* afirmou que só a Igreja Católica detém a verdade e assegurou a superioridade do catolicismo sobre as demais religiões cristãs. Na apresentação desse documento, estava sentado ao lado de Ratzinger o monsenhor Fernando Ocáriz, um dos autores do texto e vigário-geral do Opus Dei.

Papa Francisco concede entrevista exclusiva a Gerson Camarotti, em 25 de julho de 2013.

ANEXO

A primeira entrevista exclusiva do papa Francisco

Os esforços para conseguir a primeira entrevista do pontificado de Francisco começaram em Roma, ainda durante a cobertura do conclave. Uma entrevista com um papa é coisa rara, pode-se contar nos dedos. Na primeira tentativa, o Vaticano deixou claro que o papa não daria entrevista durante sua visita ao Brasil, na Jornada Mundial da Juventude, em julho de 2013. A estratégia foi, então, correr por fora.

Foram meses de encontros e entrevistas com integrantes da Igreja para tentar furar o bloqueio do Vaticano e chegar até o pontífice. Além de Roma, viajei, no primeiro semestre de 2013, por Aparecida, São Paulo, Rio de Janeiro e Salvador, além do contato permanente em Brasília com bispos de passagem pela CNBB.

Escalado pela Globo News para cobrir a JMJ, cheguei ao Rio de Janeiro dias antes da visita do papa. Imediatamente, fiz contatos com integrantes da Igreja para planejar a cobertura. Foi numa dessas conversas que descobri que o jornalista Fellipe Awi, da Rede Globo, também tinha boa interlocução dentro da Igreja. Diante disso, decidimos juntar forças para conseguir nosso objetivo comum: a entrevista inédita com o papa.

Na segunda-feira, 22 de julho, eu e Fellipe Awi colocamos nossa estratégia em prática. Sabíamos que as chances eram remotas, mas decidimos tentar juntos o que parecia impossível. Sem o esforço, a parceria e a generosidade de Fellipe, a entrevista com o papa Francisco poderia não ter acontecido.

No período em que o Santo Padre esteve no Brasil, também fui a Aparecida. Se não fosse possível fazer a entrevista no Rio de Janeiro, a visita de Francisco ao Santuário poderia servir como um plano B. A viagem rendeu uma reportagem para o *Jornal das Dez*, com bastidores do papa. Mas logo percebi que seria muito mais difícil conseguir a entrevista por lá.

Só no início da manhã de quinta-feira, dia 25, eu e Fellipe recebemos a resposta do papa Francisco: ele daria a entrevista. Durante toda a Jornada Mundial da Juventude era preciso acordar às 5 horas da manhã para conversar com os bispos. Esse era o único momento tranquilo para entrar em contato com integrantes do episcopado por telefone ou mensagens.

Com a confirmação da entrevista, fomos direto para a Rede Globo. Numa reunião, foi definida a estratégia para que não houvesse qualquer tipo de risco, já que a entrevista não tinha sido definida pelo Vaticano. A decisão foi tomada pelo próprio papa Francisco, que consultou apenas integrantes da Igreja no Brasil. Foi fundamental para o sucesso da entrevista o empenho pessoal de Ali Kamel, Silvia Faria e Eugênia Moreyra.

De alguma forma, este livro *Segredos do Conclave* funcionaria como uma espécie de cartão de visitas. Publicado dias antes da chegada de Francisco, ele chegou às mãos do papa. O livro traça um panorama jornalístico de episódios recentes da Igreja em Roma e na América Latina. Ao presentear Francisco com um exemplar do livro, fiquei surpreso ao constatar que ele já o tinha lido.

PAPA FRANCISCO: Já li várias coisas...

Camarotti: Já leu? E estão corretas ou mais menos?

PAPA FRANCISCO: Eu pensei: de onde é que tira tanta informação, este homem?

Camarotti: Que bom que o senhor leu...

Naquele momento, na Residência Assunção, no morro do Sumaré, onde o papa estava hospedado, fazia muito frio. Eu, o jornalista Fellipe Awi e o repórter cinematográfico Fernando Calixto fomos recebidos pontualmente às 15h. Foram 45 minutos diante de um homem simples e de muito carisma. Bem humorado, repetiu a brincadeira sobre a antiga rivalidade entre brasileiros e argentinos.

Na entrevista, o pontífice abordou assuntos difíceis, como os escândalos no Vaticano e os desafios da Igreja Católica para atrair fiéis. Falou sobre os protestos dos jovens e sobre o exemplo de simplicidade que prega para o clero. Deu lições de humildade, solidariedade e humanidade. A entrevista exclusiva foi exibida em 28 de julho, no *Fantástico*, da Rede Globo, e foi transformada num programa especial da Globo News, que foi ao ar naquela mesma noite.

ENTREVISTA

Na íntegra a transcrição da entrevista do papa Francisco.

— Papa Francisco, o senhor chega ao Brasil e tem uma receptividade muito calorosa dos brasileiros. Há uma rivalidade histórica entre o Brasil e a Argentina, pelo menos no futebol. Como é que o senhor recebeu esse gesto de afeto dos brasileiros?

PAPA FRANCISCO: Eu me senti recebido com um afeto que desconhecia, de forma muito calorosa. O povo brasileiro tem um grande coração. Quanto à rivalidade, creio que já está totalmente superada. Porque negociamos bem: o papa é argentino e Deus é brasileiro.

— Uma grande solução, não é, Santo Padre?

PAPA FRANCISCO: Acho que me senti muito bem recebido, com muito carinho.

— Santo Padre, no Brasil o senhor utilizou ao chegar, e continuou utilizando, um carro de modelo muito simples. Há notícias de que o senhor inclusive condenou padres que usavam carros de luxo pelo mundo e até optou por morar na casa Santa Marta. Essa sua simplicidade é uma nova determinação a ser seguida por padres, por bispos e por cardeais?

PAPA FRANCISCO: São coisas diferentes, é preciso diferenciá-las e explicar. O carro que estou usando aqui é muito parecido com o que eu uso em Roma. Em Roma uso um Ford Focus azul. Simples, do tipo que qualquer um pode ter. Sobre isso, penso que temos que dar testemunho de uma certa simplicidade — eu diria, inclusive, de pobreza. Nosso povo exige a pobreza de nossos sacerdotes. Exige no bom sentido, não pede isso. O povo sente seu coração magoado quando nós, as pessoas consagradas, estamos apegadas ao dinheiro. Isso é ruim. E realmente não é um bom exemplo que um sacerdote tenha um carro último tipo, de marca. Acredito que… Isso, digo aos párocos, em Buenos Aires dizia sempre: é necessário que o padre tenha um carro, é necessário. Porque na paróquia há mil coisas a fazer, deslocamentos são necessários. Mas tem que ser um carro modesto. Isso quanto ao automóvel. Quanto à decisão de viver em Santa Marta, não foi tanto por razões de simplicidade. Porque o apartamento papal é grande, mas não é luxuoso. É lindo, mas não tem o luxo que tem a biblioteca dos andares de baixo, onde recebemos as pessoas. Lá há muitas obras de arte, é muito bonito… Mas o apartamento é simples. Mas a minha decisão de ficar em Santa Marta tem a ver com o meu modo de ser. Não consigo viver só. Não posso viver fechado. Preciso do contato com as pessoas. Então costumo explicar da seguinte forma: fiquei em Santa Marta por razões psiquiátricas. Para não ter que estar sofrendo essa solidão que não me faz bem. E também para economizar, porque caso contrário teria que gastar muito dinheiro com psiquiatras… E isso não é bom. Mas é para estar com as pessoas. Santa Marta é uma casa de hóspedes em que vivem uns quarenta bispos e sacerdotes que trabalham na Santa Sé. Tem uns 130 cômodos, mais ou menos, e há sacerdotes, bispos, cardeais, e leigos que se hospedam em Roma ficam lá. Eu como no refeitório comum a todos. Café da manhã, almoço e jantar. E a gente sempre encontra gente diferente, e isso me faz bem. Essas são as razões. E agora, a regra geral. Acredito que Deus está nos pedindo, neste momento, mais simplicidade. É algo interior, que Ele pede à Igreja. Já o Concílio tinha chamado atenção para isso: uma vida mais simples, mais pobre também. Isso de maneira geral. Acho que respondi suas perguntas? Sobre o carro, sobre Santa Marta, e sobre as regras gerais. Certo?

— Me chamou muito a atenção o senhor estar canonizando o papa João XXIII. É um modelo que o senhor quer resgatar?

PAPA FRANCISCO: Creio que os dois papas que serão canonizados na mesma cerimônia são dois modelos de Igreja que se complementam. Os dois deram testemunho de uma renovação da Igreja, enquanto mantiveram a tradição da Igreja. Os dois abriram portas ao futuro. João XXIII abriu a porta do Concílio que até hoje nos inspira, mas que ainda não foi posto totalmente em prática. Colocar em prática as decisões de um Concílio demora, em média, 100 anos. Então estamos na metade do caminho. E João Paulo II pegou a mala, correu o mundo. Foi um missionário, saiu espalhando a mensagem da Igreja. Um missionário. São dois grandes homens para a Igreja atual. Por isso, para mim, será uma grande felicidade ver os dois proclamados santos no mesmo dia, na mesma cerimônia.

— Muito simbólico, achei muito importante também. Santo Padre, quando o senhor chegou ao Rio de Janeiro houve falhas na segurança. O seu carro foi levado ali para o meio da multidão. O papa Francisco ficou com medo? Qual foi o seu sentimento naquele momento?

PAPA FRANCISCO: Eu não sinto medo. Sou inconsciente, não sinto medo. Sei que ninguém morre de véspera. Quando for minha vez, o que Deus permitir, assim será. Mas, antes de viajar, fui ver o papamóvel que seria trazido para cá. Era cercado de vidros. Se você vai estar com alguém a quem ama, amigos, e quer se comunicar, você vai fazer essa visita dentro de uma caixa de vidro? Não. Eu não poderia vir ver este povo, que tem um coração tão grande, por trás de uma caixa de vidro. E nesse automóvel, quando ando pela rua, baixo o vidro. Para poder estender a mão, cumprimentar as pessoas. Quer dizer, ou tudo ou nada. Ou a gente faz a viagem como deve ser feita, com comunicação humana, ou não se faz. Comunicação pela metade não faz bem. Eu agradeço — e nesse ponto tenho que ser muito claro — agradeço à segurança do Vaticano, pela forma como preparou esta visita. O cuidado que sempre tem. E agradeço à segurança do Brasil. Agradeço muito. Porque aqui também estão tendo todo o cuidado comigo, ao evitar que ocorra algo desagradável. Pode acontecer, pode acontecer de alguém me dar um soco... Pode acontecer. As duas seguranças trabalharam muito bem. Mas as duas sabem que sou um indisciplinado nesse aspecto. Mas não porque quero agir como um menino levado, não. É porque vim visitar gente, e quero tratá-las como gente, tocando-as.

— Papa Francisco, seu grande amigo cardeal Claudio Hummes, aqui do Brasil, me falou algumas vezes da preocupação com a perda de fiéis aqui no continente. No Brasil, principalmente, para religiões evangélicas. Aí eu lhe pergunto: por que acontece isso e o que pode ser feito?

PAPA FRANCISCO: Não conheço as causas, e tampouco as porcentagens. Não as conheço. Ouvi falar sobre esse tema em dois sínodos de bispos. Estou falando em dez anos... Em 2001, com certeza, e depois em outro sínodo. Essa preocupação com a evasão de fiéis. Não conheço a vida do Brasil o suficiente para dar uma resposta. Acho que o cardeal Hummes foi um dos que falaram, mas não tenho certeza. Mas se você está dizendo... Não saberia explicar esse fenômeno. Vou levantar uma hipótese. Para mim é fundamental a proximidade da Igreja. Porque a Igreja é mãe, e nem você nem eu conhecemos uma mãe por correspondência. A mãe... dá carinho, toca, beija, ama. Quando a Igreja, ocupada com mil coisas, se descuida dessa proximidade, se descuida disso e só se comunica com documentos, é como uma mãe que se comunica com seu filho por carta. Não sei se foi isso o que aconteceu no Brasil. Não sei, mas sei que em alguns lugares da Argentina que conheço, isso aconteceu. Essa falta de proximidade... a falta de sacerdotes. Faltam sacerdotes, então alguns locais ficam desassistidos. E as pessoas buscam, sentem necessidade do Evangelho. Um sacerdote me contou que foi como missionário a uma cidade no sul da Argentina, onde não havia um sacerdote há quase vinte anos. Evidentemente, as pessoas ouviam um pastor. Porque sentiam a necessidade de escutar a palavra de Deus. Quando ele foi até lá, uma senhora muito culta disse a ele: "Tenho raiva da Igreja porque nos abandonou. Agora vou ao culto todos os domingos ouvir o pastor, que foi quem alimentou nossa fé durante todo esse tempo". Ou seja, a falta de proximidade. Falaram sobre isso, o sacerdote a ouviu, e quando ia se despedir, ela disse: "Padre, um momento, venha". E foi até um armário, onde havia a imagem da Virgem. E disse a ele: "Eu a escondo aqui, para que o pastor não a veja". Essa mulher ia ao pastor, respeitava o pastor, ele falava a ela de Deus, e ela aceitava. Porque não tinha seu sacerdote. Mas as raízes de sua fé, ela as conservou escondidas num armário. Estavam lá. Esse é o fenômeno para mim mais sério. Este episódio me mostra muitas vezes o drama da fuga, desta mudança. Falta de proximidade. Vou repetir esta imagem. A mãe faz assim com o filho: cuida, beija, acaricia e o alimenta. Não por correspondência.

— Tem que estar próximo, não é? Nas cercanias.

PAPA FRANCISCO: Proximidade. É uma das pautas pastorais para a Igreja hoje. Eu quero uma Igreja próxima.

— Papa Francisco, quando o senhor foi escolhido no conclave, a Cúria romana especificamente era alvo de críticas — inclusive críticas

internas, de vários cardeais. E o sentimento que eu percebi, pelo menos dos cardeais com quem eu conversei, era um sentimento de mudança. Esse sentimento está correto?

PAPA FRANCISCO: Vou abrir parênteses, um momento. Quando fui eleito, tinha ao meu lado meu amigo, o cardeal Hummes. Porque, pela ordem do mais antigo, estávamos um depois do outro. E foi ele quem me disse uma frase que me fez tanto bem: "Não se esqueça dos pobres". É lindo. Quanto à Cúria romana, ela sempre foi criticada. Às vezes mais, às vezes menos. A Cúria se presta a críticas, e tem que resolver muitas coisas. Algumas coisas as pessoas gostam, outras não, alguns trâmites estão bem direcionados, outros estão mal enfocados, mal direcionados. Como em toda organização. Eu diria isto: na Cúria romana há muitos santos. Cardeais santos, bispos santos, sacerdotes, religiosos, leigos santos... Gente de Deus, que ama a Igreja. Isso não aparece. Faz mais barulho uma árvore que cai do que um bosque que cresce. Se ouvem os ruídos dos escândalos. Agora mesmo temos um. Escândalo de transferência de 10 ou 20 milhões de dólares de um monsenhor. Belo favor faz esse senhor à Igreja, não é? Mas é preciso reconhecer que ele agiu mal, e a Igreja tem que dar a ele a punição que merece, pois agiu mal. Há casos desse tipo. No momento do conclave, antes temos o que chamamos congregações gerais — uma semana de reuniões dos cardeais. Naquela ocasião, falamos claramente dos problemas. Falamos de tudo. Porque estávamos sozinhos, e com o objetivo de saber qual era a realidade e traçar o perfil do novo papa. E dali saíram problemas sérios, derivados em parte de tudo o que vocês conhecem: do Vatileaks, e assim por diante. Havia problemas de escândalos. Mas também havia os santos. Esses homens que deram sua vida para trabalhar pela Igreja de maneira silenciosa no Conselho Apostólico. Também se falou de certas reformas funcionais que eram necessárias. Isso é verdade. E foi pedido ao novo papa que formasse uma comissão de fora, para estudar os problemas de organização da Cúria romana. Um mês depois da minha eleição, eu nomeei essa comissão de oito cardeais, um de cada continente — para a América, dois, um da América do Norte e outro da América do Sul — com um coordenador que também é latino-americano e um secretário italiano. Essa comissão começou a trabalhar, a buscar opiniões de bispos, de Conferências Episcopais, buscando opiniões sobre reformas na dinâmica dos sínodos. E já chegaram muitos documentos obtidos pelos membros das comissões e que estamos examinando. Teremos uma primeira reunião oficial sobre isso nos dias 1,2, e 3 de outubro. E discutiremos algumas pautas. Não creio que sairão decisões definitivas, porque a reforma da Cúria é muito séria, e as propostas são muito sérias, precisam ser amadurecidas. Calculo que sejam necessárias outras duas ou três reuniões mais, antes que apareça alguma reforma. Por outro lado, os teólogos dizem — não sei se desde a Idade Média — em latim, dizem: "A Igreja sempre precisa ser reformada". Para não ficar para trás. Então isto é importante não só pelos escândalos do Vatileaks, conhecidos em todo o mundo, mas porque a Igreja sempre precisa ser reformada. Há coisas que serviam no século passado, para outras épocas, outros pontos de vista, que agora não servem mais, e é preciso reorganizar. A Igreja é dinâmica e responde às coisas da vida. E tudo isso foi pedido nas reuniões prévias dos cardeias. Falou-se disso muito claramente, foram feitas propostas muito claras e muito ricas. Iremos nessa linha. Não sei se respondi a sua pergunta?

— Respondeu muito bem, de forma muito rica. Papa Francisco, nesse momento em que o senhor chega, eu queria saber da sua mensagem aos jovens brasileiros. Estamos na Jornada Mundial da Juventude. Num momento em que os jovens estão nas ruas do Brasil, protestando e demonstrando insatisfação de uma forma muito ampla, eu queria saber: qual a mensagem para esses jovens?

PAPA FRANCISCO: Em primeiro lugar, tenho que deixar claro que não conheço os motivos dos protestos dos jovens. Então, se digo algo a respeito sem tomar conhecimento, faço mal, faço mal a todos, pois estaria dando uma opinião sem fundamento. Com toda a franqueza, não sei bem por que os jovens estão protestando. Primeiro ponto. Segundo ponto: um jovem que não protesta não me agrada. Porque o jovem tem a ilusão da utopia, e a utopia não é sempre ruim. A utopia é respirar e olhar adiante. O jovem é mais espontâneo. Menos experiência de vida, é verdade. Mas às vezes a experiência nos freia. E ele tem mais energia para defender suas ideias. O jovem é essencialmente um inconformista. E isso é muito lindo! Isso é algo comum a todos os jovens. Então eu diria que, de uma forma geral, é preciso ouvir os jovens, dar espaço para que se expressem, e cuidar para que não sejam manipulados. Porque há tanta exploração de pessoas — trabalho escravo, por exemplo — há tantos tipos de exploração... Eu me atreveria a dizer uma coisa, sem ofender. Há pessoas que buscam a exploração de jovens. Manipulando essa ilusão, esse inconformismo que existe. E depois arruínam a vida dos jovens. Portanto, cuidado com a manipulação dos jovens. Temos sempre que ouvi-los. Cuidado. Na família, um pai e uma mãe que não escutam o filho jovem, o isolam, geram tristeza na alma dele. E não experimentam uma troca enriquecedora. Sempre há riqueza. Evidentemente, com inexperiência. Mas é preciso ouvi-los. E defendê-los de manipulações diversas — ideológica, sociológica. O caminho é ouvir, dar-lhes voz. Isso me leva a outra problemática — que hoje, de alguma maneira, explicitei na Catedral, quando me encontrei com o grupo argentino. Quando recebi um grupo de embaixadores que vieram me apresentar suas credenciais, disse que o mundo atual, em que vivemos, tinha caído na feroz idolatria do dinheiro. E que há uma política mundial, mundial, muito impregnada pelo protagonismo do dinheiro. Quem manda hoje é o dinheiro. Isso significa uma política mundial economicista, sem qualquer controle ético, um economicismo autossuficiente, que vai arrumando os grupos sociais de acordo com essa conveniência. O que acontece então? Quando reina este mundo da feroz idolatria do dinheiro, se concentra muito no centro. E as pontas da sociedade, os extremos, são mal atendidos, não são cuidados, e são descartados. Até agora, vimos claramente como se descartam os idosos. Há toda uma filosofia para descartar os idosos. Não servem. Não produzem. Os jovens também não produzem muito. São uma carga que precisa ser formada. O que estamos vendo agora é que a outra ponta, a dos jovens, está em vias de ser descartada. O alto percentual de desemprego entre os jovens na Europa é alarmante. Não vou dizer quais são os países europeus, mas vou citar dois exemplos, de dois países ricos da Europa, sérios, sobre desemprego. Um deles tem um índice de desemprego de 25%. Mas nesse país, o índice de desemprego juvenil é de 43%, 44%. Quarenta e três, 44% dos jovens desse país estão parados. Outro país tem um índice de trinta e tantos por cento de desemprego geral. Enquanto o desemprego entre os jovens já passou de 50%. Nós vemos um fenômeno de jovens descartados. Então, para sustentar esse modelo político mundial, estamos descartando os extremos. Curiosamente, os que são promessa para o futuro. Porque o futuro quem nos vai dar são os jovens, que seguirão adiante, e os idosos, que precisam transferir sabedoria aos jovens. Descartando os dois, o mundo desaba. Não sei se me expliquei bem... Falta uma ética humanista em todo o mundo, estamos falando de um problema mundial. Nesses termos, conheço o problema. Os detalhes de cada país, nem tanto. E se me der um minuto a mais, direi algo mais sobre esse tema. No século XII, e você já vai me lembrar de são Tomás de Aquino... No século XII havia um rabino muito bom que escrevia. O rabino explicava à sua comunidade, com fábulas, os problemas morais que havia em algumas passagens da Bíblia. Uma vez, explicou a torre de Babel. O rabino medieval, do século XII, explicava assim: qual era o problema da torre de Babel? Por que Deus a castigou? Para construir a torre, era preciso fabricar os tijolos. Trazer o barro, cortar a palha, amassá-los, cortá-los, secá-los, cozinhá-los, e depois levá-los ao alto da torre, para ir construindo. Se caia um tijolo, era uma catástrofe nacional. Se caia um operário, nada acontecia. Hoje, há crianças que não têm o que comer no mundo. Crianças que morrem de fome, de desnutrição, basta ver fotografias de alguns lugares do mundo. Há doentes que não têm acesso a tratamento. Há homens e mulheres que são mendigos de rua e morrem de frio no inverno. Há crianças que não têm educação. Nada disso é notícia. Mas quando as bolsas de algumas capitais caem três ou quatro pontos, isso é tratado como uma grande catástrofe. Compreende? Esse é o drama desse humanismo desumano que estamos vivendo. Por isso é preciso recuperar os extremos, crianças e jovens. E não cair numa globalização da indiferença em relação a esses dois extremos que são o futuro da população. Perdoe se me estendi e falei demais. Mas acho que com isso lhe passei o meu ponto de vista. O que está acontecendo com os jovens no Brasil não sei. Mas, por favor, que não os manipulem, que os escutem, porque esse é um fenômeno mundial, que vai muito além do Brasil.

— Muito interessante. É um pensamento mais amplo mesmo. Papa Francisco, queria lhe fazer a última pergunta: qual a mensagem ou o que o senhor falaria aos brasileiros católicos, e também aos brasileiros que não são católicos — ou seja, de outras religiões. Por exemplo, esteve aqui domingo o rabino Skorka, seu amigo lá de Buenos Aires. Qual a mensagem que o senhor deixaria para um país como o Brasil?

PAPA FRANCISCO: Creio que é preciso estimular uma cultura do encontro, em todo o mundo. No mundo todo. De modo que cada um sinta a necessidade de dar à humanidade os valores éticos de que a humanidade necessita. E defender esta realidade humana. Nesse aspecto, acho que é importante que todos trabalhemos pelos outros, podar o egoísmo. Um trabalho pelos outros segundo os valores da sua fé. Cada religião tem suas crenças. Mas, dentro dos valores de sua própria fé, trabalhar pelo próximo. E nos encontrarmos todos para trabalhar pelos outros. Se há uma criança que tem fome, que não tem educação, o que deve nos mobilizar é que ela deixe de ter fome e tenha educação. Se essa educação virá dos católicos, dos protestantes, dos ortodoxos ou dos judeus, não importa. O que me importa é que a eduquem e saciem a sua fome. Temos que chegar a um acordo quanto a isso. Hoje a urgência é de tal ordem que não podemos brigar entre nós, à custa do sofrimento alheio. Primeiro trabalhar pelo próximo, depois conversar entre nós, com muita grandeza, levando em conta a fé de cada um, buscando nos entender. Mas, sobretudo hoje em dia, urge a proximidade. Sair de si mesmo para solucionar os tremendos problemas mundiais que existem. Acredito que as religiões, as diversas confissões, prefiro falar assim, não podem dormir tranquilas, enquanto exista uma única criança que passe fome, uma única criança sem educação, um só jovem ou idoso sem atendimento médico. Mas o trabalho das religiões, das confissões não é beneficência. É verdade. Mas pelo menos, na nossa fé católica, e em outras fés cristãs, vamos ser julgados por essas obras de misericórdia. Não vai adiantar nada falar de nossas teologias se não tivermos a proximidade de sair para ajudar e acolher ao próximo, sobretudo neste mundo em que se cai tanto da torre e ninguém diz nada.

— Muito obrigado, papa Francisco, muito obrigado pela entrevista, pela mensagem ao Brasil...

PAPA FRANCISCO: Eu agradeço a você, a sua gentileza. E é um povo maravilhoso. Maravilhoso.

— Apesar do frio que o recebeu...

PAPA FRANCISCO: Para mim não, venho de um país mais ao sul. Conheço o frio de Buenos Aires. Esta é uma temperatura de outono normal para mim.

— Mas o senhor não estranhou o frio? Porque o Brasil é mais tropical que a Argentina. O senhor não esperava um pouco mais quente o Brasil?

PAPA FRANCISCO: Não. Talvez esperasse um pouco mais de calor, mas não senti frio.

— Que bom!

PAPA FRANCISCO: Muito obrigado.

— Eu que agradeço.

Bibliografia e fontes

Livros

Economia e sociedade, de Max Weber, Brasília (Ed. UnB), volumes 1 e 2.

A ética protestante e o espírito do capitalismo, de Max Weber. São Paulo (Ed. Companhia das Letras).

A Cidade de Deus, santo Agostinho, Rio de Janeiro (Ed. Vozes), tradução de Oscar Paes Lemes.

O desencantamento do mundo, do professor titular de sociologia da USP Antônio Flávio Pierucci. São Paulo (Ed. 34).

Conclave, do vaticanista John L. Allen Jr. Rio de Janeiro (Ed. Record).

Opus Dei, do vaticanista John L. Allen Jr. Rio de Janeiro (Ed. Campus).

O jesuíta — Conversas com o cardeal Jorge Bergoglio, dos jornalistas Sérgio Rubin e Francesca Ambrogetti, tradução de Sandra Martha Dolinsky (Ed. Verus).

El silencio, do jornalista Horacio Verbitsky. Buenos Aires (Ed. Sudamericana).

Sobre o céu e a Terra, diálogos do arcebispo Jorge Bergoglio e do rabino Abraham Skorka (Ed. Paralela), tradução Sandra Martha Dolinsky.

Sua Santidade — as Cartas Secretas de Bento XVI, de Gianluigi Nuzzi (Ed. Leya).

História do cristianismo, de Paul Johnson. Rio de Janeiro (Ed. Imago).

Diálogos na sombra: bispos e militares, tortura e justiça social na ditadura, de Kenneth P. Serbin. São Paulo (Ed. Companhia das Letras). Tradução de Carlos Eduardo Lins da Silva.

Karol Wojtyla: o homem do final do milênio, de Luigi Accattoli. São Paulo (Ed. Paulinas).

Igreja Católica, de Hans Küng. Rio de Janeiro (Ed. Objetiva).

De Leão XIII a João Paulo II: cem anos de doutrina social da Igreja, de Ezequiel Rivas Gutierrez. São Paulo (Ed. Paulinas).

A Armada do papa: os segredos e o poder das novas seitas da Igreja Católica, de Gordon Urquhart. Rio de Janeiro (Ed. Record).

El político de Dios: Juan Pablo II en el Vaticano, de David Willey. Buenos Aires (Ed. Sudamericana).

Ensaio

"Relações Internacionais da Santa Sé: da fragilidade à busca de maior autonomia (1945-1978)", Virgílio Caixeta Arraes. Brasília, tese de doutorado (Departamento de História — UnB).

Jornais, revistas e agências de notícias

O Globo
Folha de S.Paulo
O Estado de S. Paulo
Correio Braziliense
Veja
Época
National Catholic Reporter
La Stampa
El País
Corriere della Sera
La Repubblica
Agência Zenit, de notícias católicas
G1

Entrevistas (realizadas em 2007 e 2013)

Cardeal dom Cláudio Hummes, prefeito emérito da Congregação do Clero.

Cardeal dom Raymundo Damasceno, arcebispo de Aparecida e presidente da CNBB.

Cardeal dom Geraldo Majella, arcebispo emérito de Salvador.

Cardeal Odilo Pedro Scherer, arcebispo de São Paulo e ex-secretário-geral da CNBB.

Cardeal dom José Freire Falcão, arcebispo emérito de Brasília.

Dom Orani João Tempesta, arcebispo do Rio de Janeiro.

Dom Lorenzo Baldisseri, arcebispo italiano, secretário da Congregação dos Bispos e secretário do Conclave.

Cardeal chileno Francisco Javier Errázuriz Ossa, ex-presidente do Celam.

Cardeal italiano Tarcisio Bertone, secretário de Estado do Vaticano.

Cardeal português Saraiva Martins, prefeito emérito da Congregação para a Causa dos Santos.

Dados estatísticos e pesquisas

Censos estatísticos do IBGE dos anos 1940, 1950, 1960, 1970, 1980, 1991, 2000 e 2010.

Estudo "Economia nas religiões", da Fundação Getúlio Vargas, coordenado pelo professor Marcelo Néri.

Atlas da Filiação Religiosa.

Pesquisa "Os brasileiros e a religião", realizada pelo Instituto Datafolha e publicada em um caderno especial do jornal *Folha de S.Paulo*, sobre religião, no dia 6 de maio de 2007.

Documentos

Os treze pronunciamentos do papa Bento XVI durante sua visita ao Brasil em maio de 2007.

O documento final do encontro de Aparecida, com a proposta missionária para a América Latina, com redação do cardeal Jorge Mario Bergoglio.

Documento enviado pela Congregação dos Bispos, na Santa Sé, ao bispo de Barra, dom Luís Flávio Cappio, em 13 de dezembro de 2007.

Índice onomástico

CTP • Impressão • Acabamento
Com arquivos fornecidos pelo Editor

EDITORA e GRÁFICA
VIDA & CONSCIÊNCIA

R. Agostinho Gomes, 2312 • Ipiranga • SP
Fone/fax: (11) 3577-3200 / 3577-3201
e-mail:grafica@vidaeconsciencia.com.br
site: www.vidaeconsciencia.com.br